ИРОНИЧЕСКИЙ
ДЕТЕКТИВ

Дарья Донцова

Покер с акулой

Москва

ЭКСМО-ПРЕСС

2 0 0 1

ИРОНИЧЕСКИЙ ДЕТЕКТИВ

УДК 882
ББК 84(2Рос-Рус)6
Д 67

Серийное оформление художника *В. Щербакова*

Донцова Д. А.

Д 67   Покер с акулой: Роман. — М.: Изд-во ЭКСМО-
Пресс, 2001. — 416 с. (Серия «Иронический детектив»).

ISBN 5-04-005756-3

На дворе декабрь, а у меня земля горит под ногами! Сначала
позвонила неизвестная женщина, перепутав мой телефон с номером подруги. Ей явно кто-то угрожал, и она молила о помощи.
Конечно же, я, как полная дура, мчусь по названному адресу. Но
звонившая... умирает у меня на руках. Чуть позже, занимаясь поисками пропавшей жены бензинового короля, мне удалось выйти на убийцу своей случайной телефонной знакомой. Но удача
покинула меня — все свидетели мертвы. Попробуйте взять показания у трупа!..

УДК 882
ББК 84(2Рос-Рус)6

Глава 1

Огромный, похожий на медведя, мужик несся по тускло освещенной улице, размахивая
пистолетом. С подобным парнишкой не захо-
чется столкнуться нос к носу даже ярким со-
лнечным утром в толпе, состоящей сплошь из
милиционеров. Уж слишком походил мужчина
на зверя. Он бежал молча, сосредоточенно дыша, изредка выкрикивая ругательства. Я почувствовала, как от ужаса сжимается желудок и начинает болеть голова. В этот момент раздался
тихий щелчок. Преследователь коротко всхлип-
нул и плашмя рухнул вперед. Тело его замерло
на мостовой, из-под головы медленно-медлен-
но стала разливаться блестящая, темно-бордо-
вая лужа.

Я вздохнула и почувствовала, как «рука»,
сжимавшая желудок, моментально убралась.

— Ладно, — сказал Сережка, щелкая пуль-
том, — пора спать. Завтра рано вставать.

Видик начал перематывать кассету.

— Все-таки мне больше нравится, когда все
хорошо заканчивается, — зевнула, потягиваясь,
Катя.

— Мне тоже, — согласилась Юля.

— И мне, — пискнул из угла Кирюшка.

— Не понял! — моментально отреагировал
Сережка. — А ты что здесь делал?

— Кино смотрел, — заявил мальчик, вылезая из укрытия.

— Совсем офонарел, — возмутился старший брат, — завтра в школу, в семь вставать!

— Ну и что, — ответил младшенький, — а тебе на работу, и тоже в это время из кроватки вылезать!

— Что позволено Юпитеру, не позволено быку, — вскипел Сережка, — между прочим, мне двадцать пять, я женатый человек и имею право делать, что хочу, а тебе еще и двенадцати не исполнилось, и ты обязан соблюдать режим. Марш в кровать!

— Нет такого закона, — занудил Кирюшка, — чтобы женатому человеку разрешали смотреть телек, а холостому — нет. Скажи, мамуля!

Катя вздохнула, но, решив не вмешиваться в спор, миролюбиво заметила, выходя из комнаты:

— Давайте лучше чаю попьем.

— Вечно ты ему потакаешь, — не успокаивался Сережка, — меня так в одиннадцать лет от видика в девять вечера каленым железом прогоняли.

— Когда ты был в возрасте Кирюшки, — хихикнула Юля, тоже уходя из гостиной, — видаки стояли дома лишь у членов Политбюро, и тебе скорей всего злая мать не давала смотреть «Спокойной ночи, малыши».

Сережка, не найдя, что сказать, молча смотрел вслед жене. Кирилл хихикнул:

— Жуткое у тебя было детство, Серый!

Старший брат побагровел и уже хотел отвесить подзатыльник младшему, но тот ужом скользнул в приоткрытую дверь, и из кухни незамедлительно донесся его звонкий голос:

— Ух ты, какой тортище! А можно мне так отрезать, чтобы на куске и розочка и шоколадка оказались?

— Сейчас просто положу шоколадку вот сюда, — пообещала Катя.

Сережка вздохнул.

— Иди скорей чай пить, — подначила я его, — а то Кирюхе крем со всего торта достанется.

— Ну и пусть, — буркнул Сережка, поднимаясь, — сами потом плакать будете, когда парню четырнадцать стукнет. Уже сейчас никого не слушает, дальше будет только хуже...

Бубня себе под нос, он двинулся на кухню. Я с наслаждением вытянула ноги на диване и зевнула. Сережа трогательно любит Кирюшу и готов ради него, не задумываясь, босиком в огонь, но иногда у старшего брата случаются припадки занудства. Сегодня их жертвой пал Кирка, а неделю назад Сережка налетел на Катю, требуя, чтобы та немедленно отдала свою машину в ремонт. Бедная подруга отбивалась как могла, но старший сын почти изрыгал огонь, живописуя ужасное техническое состояние «Жигулей». Вообще говоря, он прав. Руль в Катиной тачке не только поворачивается по кругу, но еще и ходит вверх-вниз, как штурвал у истребителя. Может, для самолета это и хорошо, но гаишники отчего-то бледнеют, увидев такой трюк.

Добавьте к этому почти полностью отвалившийся глушитель, помятое левое крыло, «лысые» шины и постоянно вываливающуюся из гнезда зажигалку...

Впрочем, приступы Сережкиного занудства связаны всегда с одним фактором. Парень работает в рекламном агентстве и, когда получает заказ, расцветает, словно кактус. Если же клиенты не спешат в офис — начинаются проблемы у нас дома.

На диване было очень уютно, за окнами мел ледяной декабрь. На календаре пятое число, а на градуснике почти минус тридцать. Но дома тепло, уютно и даже бодрая перебранка, доносящаяся с кухни, совершенно не раздражает. В голове вяло толкались мысли — что приготовить завтра на обед? Макароны по-флотски или гуляш с картошкой?

— Эй, Лампа, — раздалось над головой, — иди в кровать, а то сейчас на диване задрыхнешь, в антисанитарных условиях.

Лампа — это я, меня зовут Евлампия, и домашние сделали от имени кучу производных: Лампочка, Лампадель, Лампидусель, Лампец, — как только меня не называют, просто мрак. Но я абсолютно, совершенно, невероятно счастлива. Впрочем, так было не всегда.

Еще этой осенью я влачила жалкую жизнь больной, никчемной и ничего не умеющей богатой дамы. И звали меня в той, другой жизни — Ефросинья. Имечко это мне дал отец, профессор математики. Так звали его мать, которую я, кстати сказать, никогда не видела. Да это и неудивительно, ведь появилась я у родителей поздно и была единственным ребенком. Мамочка — оперная певица — сделала все, чтобы любимая дочурка никогда не знала горя. Меня выучили играть на арфе, отдали в консерваторию, а после пристроили в филармонию, где чадо благополучно протосковало до замужества. Артистическая карьера не задалась, славы и денег я не имела. Впрочем, материальная сторона меня не слишком волновала. Мать ухитрялась решать все мои проблемы как по мановению волшебной палочки. А накануне своей смерти мамусенька благополучно выдала дщерь замуж за Михаила Громова, племянника своей подруги. Правда, жених оказался моложе невесты, зато красив, умен, богат, ласков... Список его достоинств можно продолжить еще на километр...

Потекла незамутненная семейная жизнь. Я с детства отличалась слабым здоровьем, а после того, как в мою честь сыграли Марш Мендельсона, расхворалась окончательно. Аллергия буквально на все, бесконечные простуды, плавно переходящие в бронхит, воспаление легких, ангины и грипп. Безостановочно болел желудок, и приходилось соблюдать строжайшую диету, отказавшись от сладкого, соленого, кислого, горького, жареного, копченого, жирного...

Прибавьте к этому жуткую скуку, которая прочно поселилась в нашей квартире. Михаил целыми днями торчал на работе, а приходя после полуночи домой, рушился в своей спальне на кровать, сжимая в руке сотовый телефон. Супруг в отличие от меня вел бурный образ жизни, что, в общем, понятно. Интересы бизнеса заставляли его бывать на всевозможных презентациях и фуршетах, торговля компьютерами — дело не простое. Мне же слабое здоровье не позволяло сопровождать его, и приходилось изнывать дома, возле телевизора. Домашнее хозяйство вела прислуга.

Единственной моей радостью стали детективные романы. Я скупала все новинки, как отечественные, так и зарубежные, пачками «проглатывала» тома и частенько мечтала: вот бы оказаться хоть разочек на месте одной из героинь, пережить увлекательное приключение, столкнуться с трудностями, размотать тугой клубок преступлений...

Да куда мне с таким здоровьем!

Но неожиданно моя жизнь переменилась. Однажды в дом доставили видеокассету, где была заснята страстная постельная сцена. Раскрыв рот, следила я за своим мужем и незнакомой черноволосой женщиной. Заканчивалась запись выступлением этой дамы. Назвавшись Таней, она сообщила, будто беременна от моего супруга, и категорично потребовала, чтобы я дала ему развод.

Несколько часов я металась по квартире, ища выход из создавшегося положения, и, наконец, приколов мужу на подушку записку: «В моей смерти прошу никого не винить», — убежала на улицу, бросив в квартире все — документы, деньги, ключи...

Побродив бесцельно по улицам, я набралась смелости и бросилась под проходящую мимо машину.

Но, очевидно, провидение решило дать мне шанс, потому что за рулем этого автомобиля сидела Катя.

Так я оказалась в ее большой, бестолковой семье. Два сына, Сережка и Кирюшка, невестка Юля, мопсы Ада и Муля, стаффордширская терьерица Рейчел, кошки Клаус и Семирамида, три хомяка да жаба Гертруда. Питались в этой семье исключительно готовыми пельменями и супчиками Кнорр, убирали раз в году, стирали на Пасху. И не потому, что были неряхами, нет, всем просто было некогда. Уходят в восемь и возвращаются в восемь, падая от усталости.

Катя — кандидат медицинских наук, отличный хирург. К ней на операцию больные записываются в очередь, Сережка работает в рекламном агентстве, Юлечка учится на факультете журналистики и подрабатывает в газете. Занят и Кирюшка — школа, секция спортивной гимнастики, английский...

Когда мать приволокла домой грязную тетку, никто из детей даже не изумился. Во-первых, у них постоянно жили гости, во-вторых, Катюшка жалостлива без меры и частенько притаскивает с собой сирых и убогих. То бабушку, которую милые родственнички не хотят забирать из больницы домой, то бомжиху, спящую в подъезде, то девчонку-провинциалку, не поступившую в вуз и решившую заняться древнейшей профессией...

Неизвестно, как бы сложилась моя дальнейшая судьба, но на следующее утро после того, как я попала в эту суматошную семью, началась невероятная, захватывающая дух детективная история.

Катю похитили, и я осталась один на один с домашними и материальными проблемами. Пришлось заботиться о Сереже, Кирюше, Юле, собаках, кошках, хомяках и жабе Гертруде. Не буду рассказывать, как училась готовить, стирать, убирать, опущу и повествование о походах в школу... Ситуация осложнялась еще и тем, что я просто обязана была отыскать похитителей и вызволить Катю.

После долгих и мучительных поисков подруга нашлась на... чердаке моей собственной дачи в Алябьеве, а одним из главных преступников оказался не кто иной, как Михаил Громов.

Раскрыв рот, слушала я рассказ майора Костина, распутывавшего хитрое дело. Слушала и не верила своим ушам. Мой якобы ласковый, интеллигентный, заботливый, щедрый муж на самом деле оказался хладнокровным негодяем и убийцей. Он не торговал компьютерами, фирма, якобы производящая программные продукты, просто служила ширмой. Громов вместе с компаньоном наладили выпуск из пищевой соды «американских витаминов» и обманывали почем зря наивных людей.

Не лучше поступил супруг и со мной. Больше всего он боялся, что я случайно узнаю о том, какое наследство оставили мне родители: коллекцию картин лучших художников России. Мой отец, оказывается, собирал ее всю свою жизнь, а я в детстве ничего в этом не понимала. После смерти папы полотна были переданы на сохранение лучшему другу семьи, старику Юровскому. И наше с Михаилом благополучие строилось не на его заработках, а на тех деньгах, что супружник выручал, торгуя пейзажами и портретами из коллекции моего отца. А еще в мое приданое вошли дача в Алябьеве и квартира моих родителей, огромные пятикомнатные апартаменты в центре Москвы, тоже благополучно пущенные Громовым с торгов.

Мужу было выгодно, что жена апатично и бесцельно сидит дома, кутаясь зимой и летом в оренбургский платок. Он без конца «заботился» обо мне, постоянно внушая мысли о слабом здоровье. Ему страшно не хотелось, чтобы я очнулась от спячки и начала выяснять финансовые проблемы. Трогательно уложив меня в кровать в компании таблеток, капель и микстур, Михаил преспокойненько ехал с любовницей в ресторан. Правда, возвращаясь домой, он никогда не забывал прихватить для «несчастной больной» букет или коробочку пирожных.

— Купил с заварным кремом, — щебетал супружник, внося в спальню поднос с чаем, — подумал, что со сливочным слишком тяжело для твоей больной печени.

Я принимала «заботу» за чистую монету и чувствовала себя благодарной. Но этой осенью мои глаза неожиданно раскрылись, а судьба переменилась кардинально. Я даже придумала себе новое имя — Евлампия, похоронив Ефросинью вместе со старой жизнью.

Михаила с подельником посадили пока в Бутырскую тюрьму. Суд еще впереди, следствие в самом разгаре. Впрочем, жалостливая Катя, которую негодяи продержали на чердаке почти месяц, прикованной к крюку, велела мне отнести мужу передачу и даже купила нехитрый набор для зека — чай, сахар, колбасу и сушки. Но я наотрез отказалась тащить неподъемную сумку на Новослободскую улицу и подала на развод. Михаил и так получил за мой счет слишком много материальных благ, теперь пришла пора платить по счетам, к тому же мне не нравятся люди, решающие свои проблемы методом похищения беззащитных женщин.

Квартиру, где протекала моя унылая семейная жизнь, я заперла, а сама поселилась у Кати. Веду домашнее хозяйство, готовлю, убираю, стираю, бегаю в школу к Кирюшке и забочусь о животных. Денег, естественно, не зарабатываю, но парадоксальным образом не чувствую себя нахлебницей, наоборот, я хозяйка в этих огромных апартаментах, которые Катя сделала из двух квартир — своей трехкомнатной и Юлиной двухкомнатной.

Впрочем, если понадобятся деньги, можно продать какую-нибудь из картин, а на даче в Алябьеве мы намереваемся провести лето.

Многие женщины загрустили бы, окажись они у плиты и стиральной машины, но я счастлива и довольна до неприличия. Каждое утро я встаю в семь утра с великолепным настроением. И еще одна странность — мучившие меня бесконечные болячки исчезли просто без следа. Ни аллергии, ни головной боли, ни бронхита. Я здорова и, пробегав по ноябрьской слякоти в тонких, постоянно промокающих замшевых сапогах, ни разу даже не чихнула.

— Эй, Лампа, — вновь сказала Катя, — иди в кровать, так и будешь на диване ночевать?

— Здесь хорошо, — пробормотала я, медленно погружаясь в сновидения, — двигаться неохота...

— Ладно, — согласилась подруга.

Я почувствовала, как сверху заботливо опускается одеяло. Потом раздалось сосредоточенное сопение, и на грудь навалилась горячая тяжесть. Это мопсы Муля и Ада, не найдя меня в спальне, явились в поисках хозяйки в гостиную и моментально устроились на покой прямо поверх одеяла. Я осторожно повернулась на бок, мопсихи свалились в уютное пространство между моими коленями и лицом. Повозившись немного и поспорив, кто уляжется мордой на подушку, они утихли и начали тихонечко посапывать. Нежное сопение перешло в храп. Рейчел умостилась на полу. Шестидесятикилограммовая стаффордшириха не полезла на диван, прекрасно понимая, что ей там не хватит места. От мопсих исходило мирное приятное тепло, и я безмятежно задремала под убаюкивающий храп.

Глава 2

Резкий звонок влетел в ухо, будто пуля. Я моментально села, тряся головой и плохо соображая, что случилось. На столике разрывался телефон. Рука машинально схватила трубку.

— Это ты? — раздался высокий нервный голос. — Ты?

— Я, — машинально ответил мой язык.

— Умоляю, — зачастила женщина, слегка задыхаясь, — умоляю, скорей приезжай, при тебе он побоится.

— Куда и зачем? — оторопела я.

— Послушай, — бормотала невидимая собеседница, глотая от возбуждения слова, — ты ведь не бросишь меня одну, скорей, умоляю. Во дворе машина паркуется, наверное, это он... Ну Анечка, прийди, дорогая, он же убьет меня...

— Вы не туда попали, — сказала я.

Трубка моментально противно запищала. Я положила ее на рычаг и взглянула на часы — половина шестого. Сон пропал, мопсихи сидели на диване, тараща круглые глаза. Я невольно поежилась, и тут телефон затрезвонил вновь.

— Анечка, дорогая, — забубнил тот же голос, — скорей...

— Вы опять попали ко мне...

Вновь раздался противный писк. Но едва я положила трубку, как раздалась трель.

— Господи, — воскликнул тот же голос, — ну что же происходит! Ну почему меня все время с вами соединяют! Боже, он сейчас войдет!

— Успокойтесь, пожалуйста, — попробовала я образумить припадочную тетку.

Ее слова о близкой смерти совершенно не испугали меня. Скорей всего дама — истеричка, обычная бытовая кликуша. Если бы кто-то на самом деле ломился к ней в квартиру с желанием убить, от тетки бы уже мокрого места не осталось. У Кати есть такая больная — Нина Кочеткова. Чуть заболит голова, как она принимается трезвонить с диким воплем: «Погибаю, спасите».

Ее не волнует, что на дворе ночь или праздничный вечер, Катя обязана ехать спасать припадочную, иначе телефон раскалится добела.

— Господи, — бормотала невидимая собеседница, — ну что мне делать?

— Давайте я позвоню этой вашей Ане, может, меня соединит, — предложила я.

— Да, да, да, — закричала женщина, — пишите телефон, да скажите, что он сейчас меня убьет.

— Как вас зовут?

— Да какая разница?

— Интересное дело, — возмутилась я, — я должна, по-вашему, сообщить этой Ане, что кто-то кого-то убьет? А как она догадается, что речь идет именно о вас?

— Лана, меня зовут Лана, — выкрикнула тетка и бросила трубку.

Я поглядела на бумажку. Номер почти такой же, как у нас, только заканчивается не на семь, а на шесть.

Незнакомая Аня, естественно, мирно спала

в этот ранний час. Мерные гудки равнодушно неслись из трубки. На двадцатом я отсоединилась. Многие люди выключают на ночь телефон, не хотят, чтобы их будили звонками среди сна. Наверное, Аня из таких.

Может, и мне вытащить вилку из розетки да забыть о происшедшем? Но не успела я подняться, как аппарат вновь зазвенел. Проклиная собственное малодушие, я подняла трубку и безнадежно спросила:

— Лана? Аня не отвечает. Наверное, вам лучше позвонить ей попозже, где-нибудь около восьми...

В трубке кто-то прерывисто всхлипывал. То ли Лана плакала, то ли на линии были помехи. Наконец до моего уха долетел слабый голос:

— Все, он ушел, умоляю, прошу...

Я обозлилась вконец:

— Вот видите, он ушел, вы живы, ложитесь спокойно спать, да и мне не мешало доспать. Утром позвоните на телефонную станцию и скажите...

— Умираю, — прошелестел голос, — он убил, умоляю, придите сюда, не хочу лежать одна, Христа ради...

Слова долетали, словно сквозь вату, женщина говорила размеренно, будто робот. Потом из трубки послышались стоны и нечто, больше всего напоминающее поскуливание. Я опять глянула на часы — шесть. Нет, уснуть точно не удастся.

— Какой у вас телефон?

Но Лана, очевидно, не поняла, потому что забормотала:

— Селезневский проезд, 15, квартира 42.

Ба, да это соседний с нами дом!

— Сейчас приду, — пообещала я, сбрасывая одеяло. Ну если у этой тетки просто истерический припадок, мало ей не покажется. Виданное ли это дело, трезвонить посреди ночи и не давать людям спокойно спать!

Полная злобы, я влезла в джинсы, свитер, надела пуховик и, подобравшись на цыпочках к двери, стала осторожно поворачивать ключ. Домашним можно еще целый час поспать, я успею вернуться, вот только опрокину ведро ледяной воды на голову наглой истерички. Ключ, звякнув, упал на пол. Я вздрогнула. Только не хватает разбудить детей. Но в доме стояла сонная тишина. Даже собаки, моментально прибегающие на звук открывающейся двери в надежде на то, что их возьмут прогуляться, мирно дрыхли на диване в гостиной.

Я вышла из подъезда и поежилась. Еще не рассвело, темное небо усыпали яркие, какие-то ненастоящие звезды. Стоял дикий холод, градусов тридцать не меньше, и, пока я бежала к соседней блочной башне, под ногами громко хрустел снег. Ощущение было такое, словно идешь по крошащимся осколкам.

Дом с виду походил на наш, как близнец. Но внутри поджидал меня сюрприз — оказались отключенными лифты, оба сразу. Я чертыхнулась, у нас из экономии вырубают только один, причем пассажирский. Всем ведь понятно: если понадобится, не дай бог, тащить в «Скорую помощь» носилки с больным, то с 12-го этажа это не так просто сделать. Но здесь, очевидно, никто не боялся заболеть. Прикинув, что сорок вторая квартира скорей всего на седьмом этаже, я, отдуваясь, полезла вверх. Лестница выглядела чистой, но, может, такое впечатление складывалось потому, что ее освещали тусклые, едва ли не двадцатипятиваттные лампочки. Стояла гробовая тишина, ни малейшего звука не долетало до слуха. Где-то на третьем этаже мне стало страшно и, пожалев, что ввязалась в эту историю, я побежала по ступенькам. Но моя физическая подготовка оставляет желать лучшего, поэтому на пятом, задохнувшись, я притормозила и оставшийся путь проделала медленно, предвкушая, что скажу незнакомой Лане.

Дверь сорок второй квартиры выделялась на фоне других. Обитая красивой зеленой кожей, она выглядела дорого и щеголевато. А вместо обычного звонка красовалась выполненная из непонятного материала собачья морда. Жуткий китч! Кирюшка недавно увидел эту штуку на рынке и долго просил установить «собачку» у нас дома. Я еще тогда подумала — неужели есть человек, способный купить подобный мрак? Оказывается, есть!

Нажав на «нос», я послушала хриплую трель, призванную имитировать лай. Лана не спешила открывать дверь. «Лай» стих. Я повторила операцию. Но истеричка не торопилась. Обозлившись, я дернула за ручку. Видали нахалку! Не дала мне поспать, а сама преспокойненько задрыхла! Я хорошо знаю таких припадочных! Небось, устала комедию ломать и рухнула в объятия Морфея, совершенно не ожидая, что такая дура, как я, примчится ее спасать!

Дверь неожиданно без скрипа приотворилась. Ну и прекрасно, сейчас ей мало не покажется! Нарочно громко топая сапожищами, я влетела в темную прихожую и заорала:

— Лана, вы где?

В ответ раздался едва различимый стон. Я ринулась на звук. В небольшой комнате на кровати лежала женщина. Спальня без слов рассказала о хозяйке — хорошо обеспеченна и одинока. Постель застелена кокетливыми желтыми шелковыми простынями, повсюду рюшечки, бантики, кружавчики, искусственный мех и розовые оборочки. Сама Лана была облачена в невероятную красно-оранжево-черную пижаму из тех, что за бешеные деньги продаются в специализированных магазинах белья. Подходящий прикид для истерички, как правило, это «тонко чувствующие и художественные натуры». Я открыла было рот, чтобы выплеснуть благородное негодование, но тут же осеклась. Может, незнакомка и припадочная, но сейчас ей явно было плохо. Синеватая бледность заливала лицо, капли пота покрывали лоб. На одеяле валялась трубка радиотелефона. Я набрала «03».

На двадцатом гудке я вся искрилась злобой.

Это только в кино все сломя голову кидаются к носилкам, где испускает последний вздох больной, в жизни же никто даже пошевелиться не желает. Наконец безликий голос сообщил:

— «Скорая» слушает.

— Пожалуйста, пришлите врача, женщине плохо.

— Возраст? — равнодушно поинтересовалась трубка.

Более дурацкого вопроса и придумать нельзя. Впрочем, понятно, почему его задают первым. Если, к примеру, узнают, что заболела восьмидесятилетняя старушка, спешить не станут. Бросив мимолетный взгляд на Лану, я ответила:

— Сорок пять.

— Что с ней?

— Не знаю, она без сознания.

— Боли есть?

— Не знаю, вроде нет.

— Адрес.

Я быстро продиктовала название улицы.

— Кто вызывает?

— Соседка.

— Ждите, — без всяких эмоций оповестила диспетчерша и отсоединилась.

Я с тревогой посмотрела на больную. Внезапно она открыла глаза и пробормотала:

— Анечка, ты пришла!

Я не стала ее разубеждать и подтвердила:

— Пришла, пришла, сейчас врач приедет.

Лана как-то странно всхрапнула и почти неразборчиво забормотала:

— Подделка, подделка, искал...

— Все, лежи тихо, — успокоила я ее, бросая взгляд на часы.

Ну где же «Скорая»? Так и умереть можно, не дождавшись помощи.

Лана беспокойно зашевелилась.

— Лежи смирно, — велела я.

Но женщина, словно заигранная пластинка, повторяла:

— Подделка, подделка...

— Хорошо, хорошо, подделка, — попробовала я ее утешить, — не бойся, сейчас медицина прикатит. Что у тебя болит?

Но Лана замолчала, потом вновь всхрапнула и неожиданно громко и сильно вскрикнула:

— Он мне не поверил, все искал, искал, но нету...

— Хорошо, хорошо, — решила я успокоить женщину.

— Ты веришь?

— Конечно.

— Тогда расскажи всем, что он меня убил! — страстно выкрикнула Лана и откинулась на подушку.

Лицо ее страшно задергалось, рот с усилием сделал вдох, но выдоха не последовало. Глаза уставились в одну точку, руки неожиданно вытянулись. Я перепугалась окончательно, но минуты текли и текли, миновало четверть часа, и тут прозвенел резкий звонок. Громыхая железными ящиками, двое довольно молодых мужчин вошли в комнату и, глянув на Лану, разом вздохнули.

— Надо же, — вздохнул один, — под самый конец смены.

— Еще б полчаса и спокойненько домой ушли, — добавил второй.

Первый вытащил какие-то бланки. Второй нагнулся над Ланой и велел мне:

— Дайте полотенце, похуже, чтобы не жалко было выбросить.

Ничего не понимая, я пошла в ванную, сдернула с крючка розовую махру и отдала фельдшеру. Тот зачем-то засунул полотенце Лане между ног.

— Вы что, гинекологический осмотр производить собрались? — удивилась я.

Доктор вздохнул, накапал в стаканчик коричневую жидкость и, протягивая мне резко пахнущую емкость, спокойно пояснил:

— Белье испачкается, вам потом выбросить придется.

— Почему? — не поняла я, крайне удивленная, что они даже не пытаются оказать больной помощь.

— Потому, — ответил врач, накручивая телефон, — после смерти сфинктры расслабляются, и содержимое мочевого пузыря и прямой кишки...

Он не договорил и крикнул в трубку:

— Алло, «Скорая», экипаж пятнадцатый, высылайте своих, у нас труп. Нет, до приезда.

Я стояла, плохо соображая, что происходит.

— Фамилия? — спросил доктор.

— Моя?

— Нет, умершей.

— Не знаю.

Врач хмыкнул.

— Ладно, имя и возраст.

— Лана, а сколько лет, понятия не имею.

Терапевт окинул меня холодным взглядом и поинтересовался:

— А вы, собственно, кто такая?

Я замялась, ну как объяснить ему суть? Рассказать, как мне позвонила ночью незнакомая женщина, а я побежала на зов? Лучше поступлю проще:

— Соседка.

— Соседка-беседка, — присвистнул фельдшер, — давайте быстренько документики поищем. Небось паспорт лежит в письменном столе или в шкафу с бельем.

Он оказался прав. В соседней комнате, в баре, на стеклянной полке стояла небольшая коробочка. Сверху лежала бордовая книжечка. Я открыла ее — Светлана Родионовна Ломакина, 1952 года рождения.

— На сердце не жаловалась? — поинтересовался врач, бодро заполняя бумажки, — может, стенокардией страдала?

— Я плохо ее знала, — промямлила я.

— Ничего не вижу, ничего не слышу, ничего никому не скажу, — пробубнил фельдшер, связывая бинтом запястья несчастной.

Потом он вытащил небольшой кусок оранжевой медицинской клеенки, быстро написал на ней печатными буквами «Ломакина» и начал, насвистывая, привязывать бирку к ноге усопшей. Мне стало дурно от его выверенно деловитых движений. Парень работал как автомат, никаких чувств не отразилось на его лице, словно перед ним была не умершая женщина, а сломанная табуретка. Впрочем, разлетевшаяся мебель скорей всего вызвала бы у него гнев или злость, во всяком случае, хоть какие-нибудь эмоции.

— Ладушки, — сообщил врач, — ждите, сейчас приедет милиция.

— Зачем?

— Так положено в случае смерти в отсутствие медицинского работника, — сообщил мужик, сгребая бумажки.

Они двинулись к двери.

— Эй, погодите, — крикнула я, — а тело?

— Мы не возим мертвяков, — пояснил фельдшер, — приедет патруль, вот с ним и разбирайтесь. То ли в судебный заберут, то ли на общих основаниях отправят. Ждите.

— Одна, с трупом? — обомлела я.

— Ну и что? — обозлился доктор. — Живых надо бояться, а от мертвых никакого вреда, тихие они и незлобивые.

Звякнув напоследок железными ящичками, они исчезли на лестнице. Опять воцарилась былая тишина, но уже не такая полная, как полчаса тому назад. Ожил лифт, я услышала, как он движется в шахте, а во дворе взвыла сигнализацией какая-то машина. Мне стало холодно и страшно, и я поспешила выйти в другую комнату. Она, очевидно, служила гостиной.

Возле телевизора стояли два красивых, скорей всего новых велюровых кресла. В одном, свернувшись уютным клубочком, как ни в чем не бывало мирно спал огромный кот тигровой окраски. Шею животного охватывал красивый широкий ярко-голубой ошейник с медальоном. Я машинально погладила котяру и еще раз заглянула в паспорт.

Светлана Родионовна была одинокой. Ни один штамп не украшал выданный в 1997 году документ, графа «Дети» тоже осталась пустой. Чтобы хоть как-то скоротать время, я пошла на кухню. Да, похоже, что она и впрямь жила одна. Две маленькие кастрюльки, крохотная сковородочка и небольшой холодильник. У семейных женщин совсем другой набор посуды и, как правило, огромные шкафы для хранения продуктов.

Кокетливая розовая ванная без слов рассказывала о титанических усилиях, которые предпринимала хозяйка, пытаясь вернуть стремительно уходящую молодость. Стеклянные полочки с трудом вмещали батареи баночек и легионы тюбиков. Чего тут только не было — кремы от морщин, целлюлита и пигментных пятен, омолаживающие лосьоны, пилинг-маски, скрабы, лечебная глина, облепиховые примочки, огуречные тоники... С ума сойти, как она только во всем этом разбиралась. Но на полотенцесушителе висела одинокая банная простыня, на крючке — только женский, правда, очень дорогой халат, и нигде не было видно мужского одеколона, приспособлений для бритья, да и зубная щетка скучала в одиночестве. Все ясно. То ли она никогда не была замужем, то ли развелась.

Внезапно мой взгляд упал на часы — без пятнадцати семь. Если сейчас не вернусь домой, дети и Катя проспят. Они не заводят будильники в надежде на то, что ровно в семь я влечу в комнату, издавая боевой клич:

— Подъем!

Ноги сами собой понесли меня к двери. Ну зачем я нужна милиции? Все равно ничего не сообщу путного, покойную я не знала, еще не поверят в приключившуюся со мной историю и потащат в отделение, потом нахлебаешься. Лучше потихонечку испариться, бедной Ломакиной я уже ничем не помогу, да и была она скорей всего сумасшедшей, несла какую-то чушь, приняла меня за свою знакомую...

— Мяу, — раздалось внизу.

Я притормозила у самой входной двери. Об ноги терся кот. Он распушил хвост и ласково урчал, наверное, хотел есть. Секунду я смотрела на приветливое красивое животное, потом подхватила его и вышла на лестничную клетку. По всему выходило, что Светлана одинока, значит, бедная киска скорей всего останется в пустой квартире без еды и питья, обреченная на голодную смерть. Милиция не станет слишком волноваться из-за кота, и он погибнет. Ладно, возьму его пока к нам, а там пристроим красавца кому-нибудь в хорошие руки.

Глава 3

Домой я ворвалась ровно в семь и, посадив ошалевшего кота на полку у зеркала, заорала, быстро стягивая куртку и сапоги:

— Всем подъем.

— Ой, ой, — застонал Кирюшка, когда я зажгла свет у него в детской, — оюшки, как спать хочется! Можно, ко второму уроку пойду?

— Нельзя, — отрезала я, стаскивая с него одеяло, — никак нельзя.

— У нас первым ОБЖ, — ныл Кирка, — там такая дура преподает, даже не видит, кто в классе сидит, и никогда отсутствующих не отмечает! Ну, Лампидушечка, только разочек. Один-разъединственный разочек.

— Вылезай, — приказала я и выдернула подушку.

Кирка заохал:

— Горло болит и насморк, кажется, начинается.

— Дуй быстро в ванную, — велела я, — не задерживайся, сейчас Юля краситься пойдет и не даст тебе умыться.

— Какая ужасная, гадкая жестокость, — с чувством произнес мальчишка, нашаривая тапки, — отправлять на занятия бедного больного ребенка. Вот умру на математике, будешь плакать, да поздно, не вернуть Кироньку. Станешь всю оставшуюся жизнь себя укорять: эх, надо было ребенка оставить дома!

Я швырнула ему джинсы и сказала:

— Не волнуйся, я отличаюсь редкой бессердечностью и скорей всего быстро забуду про твою кончину.

— Ладно, — откликнулся Кирюшка, понимая, что номер со смертельно больным не прошел, — тогда дай мне в школу не десять рублей, а двадцать.

— Это еще почему? — поинтересовалась я, стоя на пороге.

— Ну в качестве компенсации!

— За что?

Кирюшка начал чесать в затылке. Я побежала в спальню к старшему братцу:

— Сережа, вставай!

— Уже встал, одеваюсь, — донесся из-за двери бодрый голос.

Но меня не так легко обмануть. Я тихонько приоткрыла дверь в спальню и увидела на большой кровати мирно лежащего Серегу. Юля уже ушла в ванную, поэтому муженек блаженствовал, завернувшись в пуховое двуспальное одеяло. Правая рука засунута под подушку, левая вытянута и отброшена на Юлину сторону. Сережка обладает редким качеством — отвечать абсолютно бодрым голосом, продолжая при этом мирно храпеть. Пару раз ему удавалось меня обмануть, но только не сейчас.

— Сережа, подымайся, — завела я, подходя к окну.

— Уже, уже, — как ни в чем не бывало отозвался парень, — брюки надеваю, рубашку застегиваю.

Голова его продолжала мирно покоиться на уютной подушке. Сквозь раздвинутые шторы в комнате вползло серое, пасмурное декабрьское утро. В такую погоду совершенно не хочется в семь утра собираться на работу, и вообще лучше бы остаться дома. Но, боюсь, у Сережиного начальника другое мнение по этому поводу. Я ткнула пальцем в кнопку, загремел музыкальный центр, и тут же затрезвонил огромный будильник, купленный Катей. Сделанный на совесть аккуратными мастерами завода «Слава», он трещал, словно оповещая о конце света, если бить поварешкой в медный таз — звук будет менее громкий. Но Сережа продолжал безмятежно дрыхнуть, на лице его играла детская улыбка.

Тут в комнату влетела Юля и, недолго думая, сунула мужу под нос открытый пузырек духов «Кензо».

— Убери эту гадость, — пробормотал муженек и сел, очумело тряся головой.

— Давай одевайся, — велела она и побежала на кухню.

Я потрусила за ней.

— И как ты только догадалась, что запах «Кензо» разбудит Сережку!

Юля хихикнула и принялась намазывать тонюсенький тостик еле видным слоем масла.

— Он говорит, что от «Кензо» его тошнит.

Утро понеслось по накатанной колее. Сначала из дома убежали дети. Предварительно они минут десять отчаянно переругивались в прихожей, разыскивая шапки, перчатки, ключи от машины, мешок со сменной обувью и Юлину сумку. После того как за ними наконец захлопнулась дверь, я прогуляла собак и решила вознаградить себя чашечкой крепкого кофе. На кухне весело пускал пар чайник. Катя налила сливки в кофе и со вздохом произнесла:

— Боже, до чего хорошо в выходной, жаль только, что он у меня по скользящему графику. Но как приятно не думать о больных!

И тут зазвонил телефон. Катюха ухватила трубку и расцвела:

— Рада слышать вас, как дела?

Слушая, как она беспечно щебечет о дозе гормонов, о том, когда лучше принимать тироксин, о диете и витаминах, я вздохнула. Забыть о страждущих ей не удастся никогда. Даже в единственный выходной дома достанут. Но Катюша вдруг примолкла, внимательно слушая. Прошло несколько минут, потом подруга с жаром произнесла:

— Олег Яковлевич, не волнуйтесь, вам вредно. А нужный человек у меня есть, женщина — великолепный профессионал. Сколько, кстати, вы готовы заплатить?

Я услышала бормотание из трубки.

— Что ж, — удовлетворенно произнесла Катя, — предлагаю вам встретиться в двенадцать в «Макдоналдсе», возле метро «Тверская», там и побеседуете, если Евлампия Андреевна свободна и сочтет оплату подходящей. Кстати, мне она помогла в два счета.

— С кем надо беседовать? — удивилась я, когда Катюша положила трубку рядом с масленкой.

— Слушай внимательно, — оживилась подруга, — я нашла тебе работу.

— Мне? — изумилась я. — Ты что, забыла, с кем имеешь дело? Я ничего делать не умею.

— Ну, положим, ты отлично играешь на арфе, — хихикнула Катюха.

— Только не говори, что пристроила меня в ресторан веселить публику. Я не хочу сидеть у таблички: «Не стреляйте в арфистку, она играет, как умеет».

Катя расхохоталась.

— Ну, на подобную службу ты отправишься, только если мы начнем пухнуть с голоду. Слушай внимательно.

Три года тому назад Катя оперировала Олега Яковлевича Писемского. Мужик поступил к ней в ужасном физическом и моральном состоянии. Как все лица мужского пола, Олег панически боялся боли, и любой человек в белом халате вызывал у него ужас. Поэтому, когда терапевт, к которому Писемский обратился с жалобами на ухудшение здоровья, сказал, что скорей всего предстоит операция, бизнесмен запаниковал и кинулся в объятия «альтернативной медицины». Парочка экстрасенсов, колдун, бабка-травница, иглоукалыватель, специалист по «китайским точкам», гипнотизер и филиппинский хилер — все они обещали моментальное исцеление, без боли и скальпеля. Над Олегом Яковлевичем читали молитвы, размахивали веером, окуривали благовониями, погружали в транс и снимали порчу. Деньги на все ушли немалые, но потраченные финансы совершенно не волновали Писемского. Он торговал в Москве бензином и считал банкноты не рублями, а тысячами. Хуже оказалось другое — здоровье не стало лучше ни на йоту. Наоборот, Олег Яковлевич поправился, на шее у него возник какой-то сильно мешающий глотать и разговаривать мешок, да еще относительно молодой мужчина ослаб настолько, что поднимался на второй этаж целых полчаса, отдуваясь на каждой ступеньке. В конце концов он вновь отправился к терапевту, тот, всплеснув руками, велел посетить онколога. В диспансере пожилая тетка в не слишком чистом халате выписала ему кучу направлений и крикнула медсестре:

— Лена, проводи этого, с опухолью гортани, на узи.

У Олега Яковлевича просто подкосились ноги. Ни на какое просвечивание он не пошел, колени дрожали, ступни стали каменно неподъемными. Сидевшие в очереди тихие худые люди участливо смотрели на «короля бензоколонки». Все они когда-то испытали стресс, узнав о том, что больны раком, и теперь искренне жалели Писемского. Одна из женщин в аккуратном паричке предложила Олегу валидол, другая сочувственно сказала:

— Не пугайтесь, диагноз так сразу с бухты-барахты не ставят!

— Знаете, — вступил в разговор кудрявый мужик, — у меня тоже такая штука была на шее, зоб называется. Здесь, вот в этом кабинете, таких ужасов наговорили! Спасибо друзья помогли. Нашли чудного доктора, хирурга по щитовидной железе, Романову Екатерину Андреевну.Она сделала операцию, про все забыл, в диспансер хожу лишь для проформы. Нате вот, держите!

И он сунул Писемскому визитную карточку Катюши.

После того как подруга вылечила бензинщика, он стал ее преданным и крайне послушным пациентом. Каждый месяц приходил на осмотр, трепетно принимал прописанные лекарства и советовал всем занемогшим знакомым:

— Обязательно сходи проверить щитовидную железу, самый главный орган во всем теле, да и доктор есть потрясающий.

Олег Яковлевич верил Кате, как пророку. Да и что он должен был делать, если всего через десять дней лечения у него пропали одутловатость и одышка, вернулись здоровый сон, хорошее настроение, и даже восстановилась потенция.

Писемский трогательно советовался с Катей по всем вопросам жизни, будь то употребление медикаментов, покупка новой мебели и даже чихающая кошка. Катюша только посмеивалась, но старательно давала советы. И вот сейчас Олег позвонил с нешуточной проблемой. Ему кажется, что его жена, молодая и красивая Ксения, ведет странный образ жизни, ничего криминального он сообщить не мог, одни смутные подозрения, легкие намеки. Обращаться в агентство, чтобы нанять частного детектива, он не хотел, вот и спросил у Кати:

— Нет ли у вас какой знакомой женщины, подрабатывающей сыском? Нанял бы ее проследить за Ксюхой.

И Катерина в порыве великодушия порекомендовала меня.

— Не пойду, — категорично заявила я, — немедленно звони этому дядьке и отказывайся.

— Неудобно, — твердо сказала Катя, — я уже пообещала.

Тоже мне, Мальчиш-Кибальчиш, слово нарушить боится.

— Ну скажи, занята твоя знакомая...

— Почему ты не хочешь попробовать? — поинтересовалась Катя, закуривая «Парламент».

— Господи, — всплеснула я руками, — да не умею я заниматься частным сыском!

— Подумаешь, — фыркнула Катя, — чай, это не операция на головном мозге, делов-то!

— Нет!!!

— Он платит за месяц работы десять тысяч, — тихо выложила подруга последний аргумент.

Я быстро произвела в уме необходимые расчеты и протянула:

— Да, почти четыреста долларов!.. Конечно, хочется получить, перед Новым годом не помешают, но все равно — нет!

— Долларов, — сказала Катя.

— Что?

— Он дает десять тысяч долларов!

Я так и села. Долларов!!!

— Он сумасшедший?

Катюха пожала плечами:

— Нет. Слышала анекдот? Встречаются два «новых русских», один у другого спрашивает: «Вань, за сколько галстучек купил?» — «За триста баксов». — «Ну ты и лопухнулся, за углом такой же по пятьсот дают». Поняла? И потом он полагает, что тысяча баксов — это такие копейки, которые ни один настоящий специалист за деньги не посчитает. Вспомни, сколько он мне денег отвалил! Больные никогда больше трехсот долларов в конверт не кладут, а Писемский вручил бешеные тысячи, да еще потом спросил, не мало ли... Я чуть дуба не дала, когда в конвертик заглянула, думала, сон наяву. И еще Олег, оказывается, звонил в какое-то детективное агентство, и ему там насчитали именно данную сумму за месяц работы.

Я молча потрошила беленький фильтр от «Парламента».

— Прекрати, — велела Катерина и отняла у меня катышки бумаги.

Десять тысяч долларов! Можно купить новую тачку вместо вконец развалившихся «Жигулей», посудомоечную машину и суперплоскую «Канди»... Или махнуть рукой на обустройство быта и свозить Кирюшку за границу в Диснейленд, Юлечке обязательно купить новую шубку из канадского бобра, а на воротнике чтобы рысь была, Сережке — отличную дубленку... Хотя... Его «Форд» 1968 года выпуска ездит по улицам только потому, что парень все выходные проводит, лежа под ним. Нет, купим

две машины, новые, качественные, отечественные... Их чинить дешевле, да и ГАИ не привя-
зывается так, как к иномаркам...

От всех этих мыслей я вспотела.

— Эй, — сказала Катя, — очнись, мечтатель-
ница. Небось уже в Париж слетала.

— Ну почти, — усмехнулась я, — во всяком
случае успела купить две машины, шубу, дубленку и скатать в Диснейленд, только, к сожалению, деньги мне не достанутся.

— Почему?

— Не сумею заработать.

— Послушай, — серьезно сказала Катерина, — знаешь, как люди учатся? По книгам. Берут учебник и изучают, другого пока не придумали.

— Ты это к чему?

— К тому, что ты прочитала километры детективов, считай, обучалась мастерству и потом
меня же выручила!

— Ну тогда возникла экстремальная ситуация, пришлось мобилизовать все силы.

— И сейчас экстремальная, — хохотнула Катя, — десять тысяч баксов ручкой машут. Ладно, хватит сомневаться, одевайся и дуй в «Мак-
доналдс». Самое страшное, что может произой-
ти, так это то, что ты ничего не узнаешь, ну
тогда и деньги не возьмем, но попробовать надо, только, по-моему, из тебя выйдет чудесный
агент, умный, ловкий и безжалостный...

Выпалив последнюю фразу, подруга захихи-
кала. Я пошла в спальню и распахнула шкаф.
И как, интересно, должен одеваться детектив?

Наверное, так, чтобы не выделяться в толпе. Натянув джинсы и пуловер, я призадумалась о макияже, но тут раздался Катин голос:

— Лампа, поди сюда!

На кухне у холодильника сидел кот в голубом ошейнике. Наши собаки, привычные к кошкам, не обратили на него никакого внимания, зато Клаус и Семирамида подняли на спине шерсть, распушили хвосты и шипели, словно скороварки.

— Откуда он? — изумилась Катя. — Дверь закрыта, окна тоже. Неужели Кирюшка вчера притащил и никому не сказал.

— Это я принесла.

— Где взяла?

После секундного колебания язык сам собой соврал:

— Пошла гулять с собаками, а он на помойке сидит. Явно домашний, чистый, в ошейнике...

— Небось в форточку за птичкой сиганул, — вздохнула Катюша и порылась в густой шерсти гостя, — блох, похоже, нет. Надо все равно обработать спреем для надежности и расклеить объявление, наверное, хозяева обрыдались, а пока пусть живет. Пошли, дружочек, на санобработку.

Она подхватила кота под живот и потащила в ванную. Я налила себе еще кофе. Наверное, надо было сказать правду, но представляю, какие вопли поднимет Катерина, заставит идти в милицию, давать показания... Лучше промолчу.

— Лампуша, гляди, — заорала Катя.

В ванной, в тазике с теплой мыльной водой, преспокойненько сидел кот. В отличие от других кошачьих, этот просто нежился в пене и урчал от удовольствия, пока Катюша терла ему спинку, животик и грудку. Даже голову котяра преспокойно подставил под струю, лишь пофыркивал, когда вода попадала в нос.

— Первый раз встречаю такое! — искренне изумилась Катя. — Ну, давай лапку.

Кот моментально протянул переднюю лапу.

— Слушай, — взвизгнула Катерина, — он понимает! Ну-ка, дай лапу.

Гость покорно протянул другую, левую.

— Ох, и не фига себе, — пришла в полный восторг Катюха, — артист, да и только.

Несколько минут мы заставляли животное выполнять команды. Выяснилось, что он понимает почти все: лежать, сидеть, стоять. Но самое смешное произошло, когда я велела:

— Голос!

Котяра разинул клыкастую пасть и разразился душераздирающим мяуканьем. На вопль явились все животные и уставились на «циркача».

— Молодец, — похвалила Катя, — а теперь замолчи.

Кот разом заткнулся.

— Слушай, — пробормотала подруга, вытирая новое приобретение полотенцем, — может, он из цирка сбежал? Такая животина дорогого стоит. Давай позвоним в театр к Куклачеву, вдруг это их «прима»?

Оставив ее забавляться с котом, я пошла в

прихожую и, уже натянув сапоги и куртку, поинтересовалась:

— Как я узнаю этого Писемского? Опиши внешность.

— Моментально вычислишь, — усмехнулась Катя, — толще его человека просто не будет. Огромная гора, а сверху огненно-рыжая голова, ни за что не перепутаешь.

Глава 4

Катерина оказалась права. Олега Яковлевича было видно издали — невероятной толщины мужик, а кудрявые волосы — цвета взбесившейся лисы. Перед ним на подносе лежали остатки «скромного» обеда — несколько оберток от биг-маков, коробочка макчикен, два пустых пол-литровых стакана из-под колы, остатки жареной картошки и недоеденный пирожок. Наверное, он не слишком любит сладкое.

— Здравствуйте, — произнесла я, — меня прислала Екатерина Андреевна Романова.

«Гора» окинула взглядом мои сорок пять килограммов и сказала густым басом:

— Это вы? Вы Евлампия Андреевна?

— Что тут странного?

— Да нет, — замялся наниматель, — ничего.

Тяжелый вздох вырвался из моей груди. Я очень хорошо понимаю его сомнения. Выгляжу хрупкой, даже болезненной женщиной. Росточком чуть-чуть не дотянула до метра шестидесяти, вешу, как средний баран. Впрочем, особой красотой господь тоже не наградил. Лицо маленькое, нос острый, глаза серо-голубого оттенка, посажены глубоко, из-за чего кажется, что они карие. Волосы не слушаются ни расчески, ни щетки, ни фена, поэтому стригу их коротко, но пряди все равно стоят дыбом. Кирюшка говорит, что я смахиваю на весеннего ежика, такая же тощая и взъерошенная. Большое в моем организме только одно — ноги. Всякий раз, когда я покупаю обувь, продавцы не хотят верить, что такая мозглявка носит полный тридцать девятый и сначала приносят тридцать пятый, думая, что клиентка ошиблась. Со спины меня можно принять за двенадцатилетнюю девочку, но физиономия сразу выдает возраст.

Я села на стул и велела командным голосом:

— Принесите стакан воды, минеральной, пожалуйста!

Олег Яковлевич послушно пошел к кассе.

— Ну, — приказала я, когда он вернулся, — излагайте суть дела.

— Здесь? — изумился Писемский.

— А где?

— Может, лучше у меня в машине, там тише...

Мы завернули за угол, и Олег Яковлевич открыл роскошный «глазастый» «Мерседес». Я плюхнулась на кожаные подушки и вдохнула знакомый запах дорогого одеколона, хороших сигарет и качественного коньяка. Когда-то, в прошлой жизни, я ездила на таком же «Мерседесе», даже пахло там так же... Отогнав неприятные воспоминания, я слишком резко спросила:

— Ну, повествуйте!

— О чем? — спросил Олег Яковлевич и окинул меня оценивающим взглядом.

Мне не понравились ни его поведение, ни тон, которым он разговаривал, поэтому я решила расставить точки над ё!

В давнюю давность, когда я училась в консерватории, среди десятка предметов был один, казавшийся совершенно ненужным, — актерское мастерство. Ну к чему оно пианисту, скрипачу или арфистке... Но преподаватель, худой, носатый и невероятно экспансивный Федор Евгеньевич, был иного мнения.

— Дети, — внушал он нам в аудитории, — дети!

Студенты тихо пересмеивались, заслышав такое обращение, но Федор Евгеньевич не смущался и вещал дальше:

— Вот подумайте сами, отчего один и тот же исполнитель играет концерты по-разному? В понедельник — гениально, а во вторник — провально?

— Вдохновения нет, — крикнул кто-то.

— О, — поднял палец преподаватель, — в самую точку. Вдохновение, или, как говорят цирковые, — кураж! Пришел кураж — отлично, нет его — полный обвал. Но поджидать вдохновение дело долгое, а работать следует каждый день, как поступить?

Мы молчали.

— Вот тут на помощь и приходит актерское мастерство, — подпрыгивал от возбуждения Федор Евгеньевич, — стоя за кулисами, начинаете настраиваться, перевоплощаться, ну, допустим, в Рихтера, и потом выходите к роялю и гарантировано — сыграете, как он!

Аудитория загудела. Потом Леня Котов, самый талантливый на курсе, подающий невероятные надежды пианист, выкрикнул:

— Я совершенно не желаю копировать Рихтера, хочу играть как Котов.

— Сначала научись как Рихтер, — обозлился преподаватель, — а потом уж выпендривайся.

Спорить с Федором было невозможно. Мы подходили к роялю, как Михаил Плетнев, брали в руки скрипку, подражая Владимиру Спивакову, и выпархивали на сцену, словно Майя Плисецкая.

— Не верю, — кричал мне сумасшедший режиссер, — не верю, тяни шею!

Я старательно задирала вверх подбородок, совершенно не понимая, как можно тянуть то, чего нет. Но сейчас уроки безумного Федора могли мне пригодиться.

Сделав «каменное» лицо, я положила свою маленькую ладошку на лопатообразную руку нанимателя и спокойно сказала:

— Уважаемый Олег Яковлевич, мое время очень дорого, клиентов много, для того чтобы взяться за ваше дело, пришлось отказать кое-кому. Не скрою, я не слишком люблю заниматься неверными женами, предпочитаю убийства и похищения, но за вас очень просила Екатерина Андреевна Романова, а для нее я готова на все. Поэтому излагайте вашу проблему, желательно детально, стесняться не надо, сейчас я исполняю для вас роль врача или исповедника.

Но Писемский все еще колебался.

— Я не сумею помочь, если не узнаю правду...

Олег Яковлевич вздохнул:

— Знаете, ничего конкретного сообщить не могу, только весьма смутные подозрения, коекакие странности...Может, лучше станете спрашивать сами?

— Сколько лет вы в браке?

Писемский вздохнул:

— Год.

— До этого были женаты?

— Да.

— Что с прежней супругой?

— Уехала с новым мужем в Америку.

Интересное дело, мне что, из него каждое слово клещами вытягивать? Зачем тогда нанимает детектива, если не хочет ничего рассказывать!

— Где вы познакомились с нынешней женой?

Олег Яковлевич тяжело вздохнул и положил руки на руль. Очевидно, он принял решение, потому что неожиданно заявил:

— Ладно, слушайте.

Писемский до 1988 года спокойно работал преподавателем английского языка в третьесортном институте. Зарплата была маленькая, педагогическая нагрузка огромная. Кандидатскую он так и не написал, за что его нещадно грызла жена — Нина Михайловна. Она полностью преуспела в жизни, стала доктором наук, профессором, изучала грибы и добилась каких-то невероятных результатов. Характер дама имела просто железный, каждый день писала по десять страниц и выпускала одну за другой книги: учебники, пособия, монографии. На фоне преуспевающей, крайне активной супруги тихий, даже вялый Олег Яковлевич, предпочитающий после тяжелого лекционного дня поваляться с газеткой на диване, выглядел очень бледно. Правда, жена одно время пыталась заставить его писать. Торжественно усаживала к столу, закрывала дверь в кабинет и шипела на дочь.

— Тише, тише, папа работает над диссертацией.

Олег Яковлевич с тоской поглядывал на кипу девственно-чистых листочков, вытаскивал припасенный детективчик и спокойно погружался в чтение.

Процесс вождения ручкой по бумаге его злил, а больше всего бесила жена, ухитрявшаяся ваять свои опусы на углу кухонного стола как бы между делом, правой рукой помешивая суп и заглядывая одним глазом в тетради с детскими уроками.

Естественно, Нина Михайловна зарабатывала на порядок больше супруга. Правда, она не делила деньги на «твои» и «мои», а просто складывала бумажки в коробочку из-под печенья, служившую в доме кассой. Но у Олега Яковлевича каждый раз, когда он брал из «сейфа» рублишки, возникало жутко некомфортное ощущение — он казался себе альфонсом, жиголо, живущим за счет супруги. Да к тому же Нина Михайловна махнула рукой на творческую карьеру мужа и перестала изображать «написание диссертации». Перестройка демократизировала научный мир России, упростила выезд за рубеж, и женщина без конца моталась по заграницам, ее, как видного миколога, постоянно приглашали на симпозиумы, конференции и семинары.

Неизвестно, как бы сложилась дальнейшая жизнь Олега Яковлевича, но тут один его довольно близкий приятель предложил заняться торговлей машинами. Друг взялся обустроить все сам — наладить связи с заводом, транспортировку «Жигулей» в Москву, предпродажную подготовку автомобилей...

От Олега Яковлевича требовалось только одно — оформить фирму на свое имя и получать в месяц пять тысяч. Огромные, невероятные по тем временам деньги.

— Почему ты не хочешь выписывать документы на себя? — поинтересовался Писемский.

Приятель захихикал:

— Уже одна фирма, на меня зарегистрированная, работает, две нельзя.

Наивный Писемский, желавший, как все лентяи, совершенно не работая, огрести куш, согласился. Три месяца он и впрямь получал отличную «заработную» плату, но потом за ним пришли с понятыми.

Приятель оказался негодяем, набрал невероятную сумму от доверчивых людей в качестве предоплаты за автомобили и скрылся. Отдуваться пришлось Писемскому.

Мужика своlocкли в Бутырку и сунули в камеру на 120 человек. Ему грозил нешуточный срок за мошенничество, к тому же кое-кто из сокамерников просто покатился с хохоту, когда услышал о «преступлении».

— Ну, мужик, ты и попал, — ухмылялся местный смотрящий, угощая Олега Яковлевича «Примой», — книжек, что ль, не читал? Возьми в библиотеке Ильфа и Петрова, они как раз про такого зиц-председателя писали.

Вызванная следователем из очередной поездки Нина Михайловна не растерялась и моментально оформила развод. Любимая дочурка тоже не захотела иметь с папой-уголовником ничего общего. Никто из родственников ни разу не пришел на свидание и не передал Писемскому даже дешевенькой пачки печенья.

Но вялый, апатичный мужик неожиданно выжил. Господь наградил его недюжинной силой, и пары сломанных рук хватило уголовникам, чтобы понять — с этим лучше не связываться. Олег Яковлевич получил шконку поближе к окошку, занавесил ее тряпкой и поднял тем самым свой статус.

Однажды ночью он проснулся от шума. Одного взгляда на соседние нары хватило, чтобы понять — парочка сокамерников собралась «опустить» молоденького парнишку, только сегодня определенного на постой. Писемский пожалел парня, накостылял браткам по шее и положил мальчишку на свою шконку. Поступок героический по тюремным нравам. Целый месяц Олег охранял парнишку, впрочем, через тридцать суток того освободили, а на следующий день Писемский получил роскошную передачу с американскими сигаретами, осетриной горячего копчения и икрой. В сумке лежали новехонький фирменный костюм «Adidas», нижнее белье и мыло. Через час принесли телевизор, таз, ведро... А ночью надзиратель открыл кормушку и тихо оповестил:

— Писемский, на выход!

Ничего не понимающий Олег Яковлевич пошел за ним в следственную часть. Там, в маленьком кабинетике, сидел пожилой мужик в роскошном костюме от Хуго Босс. Выяснилась невероятная правда. Спасенный парнишечка — сын одного из влиятельнейших авторитетов. И теперь благодарный папа приехал в тюрьму и, называя Олега Яковлевича братом, обещал помощь и поддержку.

Дальнейшее сильно напоминало сказку. Назад его привели в другую камеру, всего на пять человек. Наутро появился пронырливый адвокат, суд, назначенный на декабрь, состоялся в августе. Олегу дали два года и тут же амнистировали. На свободе его поджидали уютная однокомнатная квартирка и официально оформленные бумаги на владение бензоколонкой.

Неожиданно в Писемском проснулся бизнесмен. Тюрьма явно пошла мужику на пользу. Он словно вынырнул из омута лени и развил бешеную активность. Словом, через два года в его руках была уже не одна бензоколонка. Вот тут-то любимая доченька и вспомнила про папочку, принялась звать к себе в гости. Но Олег Яковлевич сказал, как отрезал:

— Детей у меня нет.

Ему очень хотелось встретиться с Ниной Михайловной. Приехать в роскошном «Мерседесе», сверкнуть золотыми часами, небрежно снять пиджак от Лагерфельда... Но бывшая супруга успела удачно выскочить замуж за американского коллегу и укатить в Нью-Йорк.

Несколько лет Писемский жил холостяком. Но потом женился на Ксении Фединой, студентке экономической академии имени Резникова. Познакомились они случайно. Олег Яковлевич регулярно стригся в одной парикмахерской у смешливого и болтливого Максима. После очередной укладки Писемский вышел на улицу, сел в автомобиль, тронулся с места, и тут из-за угла дома выскочила тонюсенькая девушка на огромных каблуках. Не глядя по сторонам, она понеслась через дорогу, Олег Яковлевич в ужасе затормозил... Девчонка взмахнула руками и рухнула под колеса, прямо в весеннюю грязь.

Перепуганный Олег бросился к ней. Девица отделалась легким испугом, сломанным каблуком и вконец испорченным пальто. Безмерно счастливый оттого, что не задавил бедолагу насмерть, Писемский посадил ее в «Мерседес» и повез сначала в магазин за новой обувью и пальто, а потом в ресторан, чтобы отпраздновать «второе рождение». Они стали встречаться и через два месяца поженились.

Сначала все шло хорошо, Ксения училась, пропадала целыми днями в библиотеке. Впрочем, Олег Яковлевич не хотел, чтобы жена сидела взаперти дома, занимаясь домашним хозяйством. Для готовки, уборки и стирки есть прислуга. Если девочка хочет получить профессию — пожалуйста. Тем более что днем он и сам тотально занят, а вечера они всегда проводили вместе — ходили в рестораны, театры или клубы. Ксюша была неизбалованна и искренне радовалась любым знакам внимания — цветам, конфетам, хорошим духам. В полный восторг приходила она от возможности сорить деньгами, и квартира скоро стала похожа на лавку — кругом статуэточки, шкатулочки, подсвечники и курильницы с ароматизированными свечами. Но Олега Яковлевича это не раздражало, скорей умиляло. Впервые в жизни он оказался в роли дающего и испытывал сладкие ощущения, представая перед женой этаким джинном, выполняющим любые желания.

Неприятные сомнения в честности Ксюты стали закрадываться в его душу месяц тому назад. Сначала начались загадочные звонки по телефону. Если трубку брал Писемский, из нее доносилось сосредоточенное дыхание не желавшего отзываться человека, а на определителе номера высвечивались палочки и нули. Таинственный абонент явно пользовался телефономавтоматом. Потом Ксения стала нервничать, пару раз Олег Яковлевич заставал ее с заплаканными глазами. Жена изворачивалась, врала, будто сменила краску для ресниц и заработала аллергию.

Бензинщик не поверил и пару раз внезапно приехал домой днем. Ничего особенного он не узнал, кроме одного — жена, бывшая до этого старательной студенткой и никогда не пропускавшая занятий, теперь сидит дома. Дальше — больше. Ксюта рассчитала прислугу и принялась сама за ведение хозяйства — готовила супы, пыталась печь пироги и даже накупила кучу книг по домоводству и кулинарии. Писемский, в общем, был не против такого поворота событий, только ему стало казаться, что жена просто боится посторонних, вот и избавилась от горничной и кухарки. Но окончательно потерял он покой неделю тому назад.

Вечером, как раз накануне программы «Время», Олег сказал:

— Пойду кефирчику выпью.

— Сиди милый, — подскочила жена, — сейчас принесу.

Она с готовностью понеслась на кухню. Непонятно почему, Олег пошел за ней и начал подсматривать в щелочку. Супруга вынула из холодильника пакет Bio-Max, потом вытащила из кармана брючек пузырек и принялась сосредоточенно капать в чашку какую-то жидкость.

Писемский метнулся в гостиную. Получив из рук улыбающейся жены «угощенье» он поблагодарил ее и попросил:

— Милая, уж извини, так устал, сил нет шевелиться, сходи в гараж, принеси из машины газету.

Ксюша с готовностью схватила ключи. Писемский свистнул ротвейлера Карла и сунул тому под нос кружку. Всеядный пес в мгновение выхлебал кефирчик и через пять минут свалился на правый бок, издавая жуткий храп. Очевидно, в Bio-Max влили необычайно сильное снотворное.

Решив не путать планы жены, Олег лег на диван и притворился спящим. Ксюша сначала унесла и вымыла чашку, потом позвонила куда-то по телефону, но бормотала так тихо, что супруг ничего не разобрал. Потом она оделась и унеслась. Вернулась под утро, бледная, с синяками под глазами...

Сложив вместе всю информацию, Писемский пришел к неутешительному выводу — супруга ему изменяет. И вот теперь он хочет иметь полный отчет, желательно с фотографиями — где, когда, с кем, сколько раз и как. По-моему, абсолютно дурацкое желание. Ну не все ли ему равно, как зовут счастливого любовника, не в имени, в конце концов, дело!

Потом мы перешли к обсуждению финансовой стороны вопроса. Я постаралась не измениться в лице, услыхав подтверждение о получении десяти тысяч долларов, и потребовала две тысячи в качестве задатка и еще одну на расходы.

— Естественно, я представлю вам счет и квитанции, впрочем, наверняка придется пользоваться такси, а это усложняет отчетность.

— Умоляю вас, — махнул поленообразной рукой работодатель, — забудьте об этой ерунде!

Он вытащил роскошное портмоне из змеиной кожи и принялся сосредоточенно отсчитывать зеленые бумажки. Когда приятно шуршащая пачка оказалась у меня в руках, я мысленно перекрестилась. Все, обратной дороги нет, придется приниматься за работу.

Глава 5

Следующую неделю я провела в бестолковой суете. Сначала договорилась с тихой бабулькой, окна квартиры которой выходили как раз на подъезд дома, где жили Олег Яковлевич и Ксюша. За пятьдесят долларов пенсионерка разрешила мне целый день проводить у подоконника и даже угощала чаем.

К вечеру у меня заболела голова. Олег Яковлевич снабдил фотографией жены, но никто, даже отдаленно напоминающий худощавую, коротко стриженную брюнетку, из подъезда не выходил. В старинном доме, стоящем в тихой улочке, было только три этажа и шесть квартир. К концу недели я знала всех. Девочку-школьницу, уходившую из дома с завидной аккуратностью ровно в восемь и возвращавшуюся в три, няню, прогуливающую младенца, пока мать уезжала в шикарном «Вольво», элегантную пару, ведущую «артистический» образ жизни, и, конечно, Олега, работавшего день-деньской.

Узнала всех, кроме Ксении. Она не показывалась, высунулась только один раз в ближайший супермаркет. Если у дамы и был любовник, то она, очевидно, перестала с ним встречаться.

По ночам тоже не происходило ничего интересного. Тринадцатилетний внук приветливой бабки пришел в полный восторг, когда я предложила ему пятьдесят долларов за страшно интересное дело. Не спать несколько ночей, а сидеть у окошка и методично записывать всех, кто входит и выходит из подъезда. В случае появления Ксюши следовало моментально звонить мне.

Но по ночам дом спал. Только пара молодых супругов веселилась, раскатывая на шикарном автомобиле. Я загрустила. Простая на первый взгляд задача начинала принимать характер неразрешимой. На всякий случай я завела дневник и скрупулезно отмечала все перемещения жильцов дома. Если Олег Яковлевич потребует отчета, хоть будет что показать.

В четверг вечером бензинщик позвонил и сообщил, что они с женой идут в театр, а потом в ресторан, домой предполагают вернуться около двух часов. Я посчитала себя свободной от наружного наблюдения и, велев помощнику-подростку глядеть в оба, преспокойненько осталась дома.

В квартире стояла тишина. Катя дежурила в больнице, Сережка задерживался, а Юлечка поехала к сокурснице готовиться к экзамену. Лишь несчастный Кирюшка маялся над уроками. Изредка он выбегал на кухню, делал бутерброд и ныл:

— Повезло же Маше Галкиной, у нее мама учительница математики, а тетя преподает русский, никаких проблем. А у нас в семье кругом бесполезные люди, врачи да журналисты! Вот и мучайся теперь с уравнениями...

Около десяти вечера он, устав, засобирался спать. Влез под одеяло, схватил книгу «Смерть на чердаке» и вдруг заорал:

— Лампуша! Катастрофа!

Испугавшись, что мальчишка поранился, я влетела в детскую. Кирюшка судорожно рылся на полках.

— Что случилось?

— Катастрофа, — убивался Кирка, — совсем забыл, русичка велела завтра принести на урок литературы «На дне» Горького...

— Ну и что?

— А я забыл сходить в библиотеку...

— Подумаешь, завтра возьмешь!

Кирюшка уставился на меня круглыми глазами.

— Лампудель, ты не поняла, завтра на первом уроке книга должна лежать на парте. Иначе вломит два балла.

— Да уж, — вздохнула я, — не повезло. Впрочем, тебе наука.

— Ну забыл, забыл, — стонал Кирюшка, — скоро четверть заканчивается, а у меня по литре и так драма.

— Какая?

— Четыре тройки и две двойки.

— Да, в такой ситуации не рекомендуется игнорировать требования учителя.

— Ну придумай что-нибудь, Лампушечка! — взмолился Кирюша. — ты у нас умная, сообразительная, талантливая...

Я усмехнулась, ну, хитрец.

— Ладно, так и быть, загляну к соседям, может, у них есть.

На нашей лестничной клетке пять квартир. В двух живут молодые бездетные пары, зато в 47-й квартире есть школьники, и я позвонила в дверь. Высунулась растрепанная голова. Соседка Анна Сергеевна, довольно милая дама, всегда вежливо здоровается, гладит наших собак и никогда не торопится уехать в лифте, а ждет, пока вы подойдете к кабине. Впрочем, она иногда заглядывает вечером к нам померить давление, а когда ее сын, тринадцатилетний Антон, сломал руку, Катя поехала с парнишкой в травматологию. Словом, совесть меня не мучила, когда палец жал на звонок.

— Добрый вечер, Анна Сергеевна.

— Здравствуйте, Евлампия Андреевна, — пропела дама и уставилась на меня.

— Понимаете, тут у нас такое дело вышло, — забормотала я, — нет ли у вас случайно «На дне», просто позарез нужно!

Анна Сергеевна секунду помолчала, потом улыбнулась:

— Конечно, есть, заходите, сейчас дам, идите, идите прямо на кухню, холодильник там.

Не понимая, при чем тут холодильник, я вошла в небольшую кухоньку и села на табуретку. Анна Сергеевна открыла новехонький «Аристон», достала бутылку «Гжелки» и протянула мне:

— Вот.

Окончательно растерявшись, я проблеяла:

— Мне «На дне».

— А здесь как раз на дне и осталось, граммов пятьдесят, не больше, — мило улыбнулась соседка, — впрочем, если не хватит, могу дать непочатую, но вы вроде на дне просили...

С трудом сдерживая смех, я пояснила:

— Пьеса М. Горького «На дне», Кирюшке завтра в школу надо!

Анна Сергеевна всплеснула руками и захохотала, я следом за ней. Но, к счастью, у соседки дома была не только бутылка, но и хорошая библиотека. Получив вожделенный томик, я отнесла его Кирюшке и улеглась на диван перед телевизором, намереваясь приятно провести время. И тут затрезвонил телефон:

— Немедленно приезжайте, — велел Олег Яковлевич.

— Куда?

— Ко мне домой, — отрывисто сообщил мужик и бросил трубку.

Недоумевая, я взглянула на часы — без пятнадцати одиннадцать. Интересно, что у него случилось. И потом — зовет в квартиру, ведь договаривались, что я с его женой пока знакомиться не буду!

Писемский распахнул дверь сразу. Я шагнула в просторный холл. Сразу было видно, что человек не так давно получил богатство и теперь хочет его продемонстрировать. Или это убранство на Ксюшин вкус?

С потолка свисала чудовищная люстра — бронза с хрусталем. Нечто подобное находится в Колонном зале и вполне уместно там, в квартире же подобный светильник просто подавляет. На полу, прямо от дверей шел белый мохнатый ковер. Я с сомнением покосилась на свои сапоги.

— Где у вас тапочки?

Но хозяину, очевидно, было плевать на полы, потому что он буквально вытряхнул меня из куртки и велел:

— Идите в кабинет.

Уж не знаю, как он ухитрялся работать в подобной комнате! Все стены сплошь завешаны картинами, причем не было ни одного по-настоящему ценного полотна. Скорей всего их покупали для души, по принципу «мне это нравится». Штук пять отвратительных пейзажей, сильно смахивающих на увеличенные почтовые открытки, два натюрморта и тройка полотен с изображением щенков и котят. Здесь опять на полу лежал белый ковер, по стенам выстроились книжные шкафы с собраниями сочинений А. Дюма, В. Пикуля, Л. Толстого и Майн Рида. Очевидно, художественные вкусы Писемского оформились в коммунистические времена. На письменном столе, чудовищно огромном и вульгарно-дорогом, высился новехонький компьютер, и везде, куда ни взгляни, стояли безделушки — бронзовые зажигалки, всевозможные пепельницы, глобусы, писающие мальчики, фарфоровые балерины и позолоченные фигурки собак...

— Вот, — сунул мне Олег в руки листки.

Я развернула первый.

«Дорогой, верь, я полюбила тебя всей душой и не смогла сделать подлость. Не ищи меня, это бесполезно. Оформи развод и живи счастливо. Хочу предостеречь — будь осторожен с красивыми молодыми девушками, которые станут с тобой знакомиться, скорей всего ими будет руководить корысть. Прощай, очень люблю, Ксюша». Следующая бумага — заявление в суд о разводе.

— Что это? — удивилась я.

— Как видите, — пожал плечами Олег.

— Где вы это нашли?

Писемский нервно закурил и сообщил:

— В театре.

— Где?

— Мы пошли сегодня во МХАТ, — начал объяснять бензинщик, — там была премьера. Хороший спектакль, но очень тягостный.

В антракте они сходили в буфет, съели несколько бутербродов, выпили шампанское... Потом прозвенел звонок, и Ксюша внезапно сказала:

— Прихвати мою сумочку и иди в зал, я загляну в туалет.

Олег Яковлевич взял расшитый бисером мешочек и сел на место. Тут же потух свет и началось действие. Шли минуты, но жена не появлялась. Писемский подумал, что она опоздала к началу и тетки, стоящие на входе, не пустили супругу в зал во время действия. Мхатовские билетерши крайне ревностно относятся к своим обязанностям. Скорей всего, думал Олег, Ксюша сидит в буфете. Он даже хотел встать и уйти, но места у них были во втором ряду, в самом центре, пришлось бы на глазах у старательно изображающих трагедию артистов поднимать из кресел десять человек, и Олег Яковлевич постеснялся.

Лишь только упал занавес, Писемский вышел в холл, но Ксюши нигде не оказалось — ни в буфете, ни в фойе, ни у гардероба. Муж даже заглянул в дамскую комнату, но жена словно испарилась. Самое странное было то, что она ушла без верхней одежды. Красивая шубка из светлой норки преспокойненько осталась висеть на вешалке, да и номерок лежал в кармане у Олега Яковлевича.

В страшном волнении, дождавшись, пока публика покинет театр, Писемский побежал к администратору. Сначала сделали объявление по радио, потом методично обыскали театр, заглянули везде, даже на новую сцену, Ксюта словно испарилась. Ушла декабрьской ночью, при жутком морозе в бархатном платье с открытой спиной и элегантных лодочках на десятисантиметровых каблуках, без денег и документов.

Олег Яковлевич помчался домой в тайной

надежде найти там беглянку. Может, ей просто взбрела дурь в голову, опоздала к началу, не попала в зал, распсиховалась и уехала на такси. Мысль о том, что Камергерский проезд, где расположен МХАТ, превращен в пешеходную зону и до такси полуголой Ксюте пришлось бы идти на Тверскую, Писемский старательно прогнал.

Квартира встретила его темнотой и тишиной. Крикнув для порядка пару раз: «Ксюнчик, ты здесь?» — муж швырнул на пол бисерную торбочку.

Завязочки распустились, выпало письмо.

— Наверное, надо идти в милицию, — вздохнула я.

Олег Яковлевич прищурился и довольно зло сказал:

— Ну уж нет! Я предпочитаю не иметь дело с ментами. Гадкие, подлые люди, даже заявление не возьмут.

— Почему?

Писемский хмыкнул:

— Эти сволочи не хотят лишней работы, поглядят на письмо и заявят: «Ваша супруга не пропала, а ушла к другому, мы не ищем неверных жен. Сами разбирайтесь».

Резон в его словах был.

— Отчего вы решили, что Ксюта у любовника?

Бензинщик всплеснул руками:

— А у кого еще? Ясное дело, подогнал машину к дверям театра и увез. Сейчас небось посмеиваются надо мной.

И он скрипнул зубами. Я аккуратно положила листочки на стол и со вздохом сказала:

— Завтра верну задаток.

— Ну уж нет, — нахмурился Писемский, — нанялись, теперь работайте, ищите Ксению.

— Зачем? — изумилась я. — Вы хотели ясности и получили ее. Любовник имеется, она к нему съехала. Разводитесь и забудьте.

— Нет уж, — побагровел Олег Яковлевич, — давайте действуйте. Желаю знать имя, отчество, фамилию и адрес счастливчика.

— Да зачем? — недоумевала я.

— Какое вам дело, — вызверился бензинщик, — может, хочу удостовериться, что девочка попала в хорошие руки, она мне дорога...

Я только вздохнула и велела:

— Хорошо, показывайте ее комнату.

Писемский повел меня по бесконечному коридору и ткнул рукой в три двери:

— Вот — будуар, ванная и спальня.

Я приступила к осмотру. Очевидно, квартира делилась на две половины — женскую и мужскую. На Ксюшиной стороне располагалась ванная, сплошь забитая парфюмерией и косметикой. Огромное розовое джакузи с латунными кранами, на небольшой полочке — пузатая бутылочка «Арманьяка».

— Она пила?

— Нет, упаси бог, наливала в воду, когда ополаскивала голову, говорит, очень хорошо волосы после коньяка блестят.

Да уж, до такой феньки даже я не додумалась в прошлой жизни.

Десятки баночек, флакончиков, тюбиков громоздились в шкафчиках. В воздухе витал слабый аромат. Я повела носом. Надо же, Шанель, старая добрая классика. Сейчас молодежь не слишком жалует старушку Коко, предпочитая «Кензо», «Эскаду» и другой новомодный, но не всегда качественный парфюм. Ксюша же обладала хорошим вкусом и не гналась за модой.

Будуар напоминал комнату девочки-подростка, никак не желавшей расстаться с детством. Повсюду — на диване, креслах и комодиках сидели плюшевые игрушки: мягкие собачки, кошечки, слоники... Да и обстановка сильно смахивала на домик Барби. Розовые занавески с рюшечками, ковер цвета молочного поросенка, мебель, обитая ярко-красным бархатом, и куча позолоченных статуэток, изображающих псевдогреческих богов и богинь. В общем, мрак. Да еще повсюду торчали плошки с ароматическими свечами, и запах в будуаре стоял соответственный, меня чуть не стошнило от сладко-приторного аромата. Но Олег Яковлевич принюхался, грустно сказал:

— Детка так любила эту комнату, сама обставляла, украшала...

Из будуара дверь вела в супружескую спальню. Она была обставлена более скромно. Из мебели лишь огромная кровать с резной дубовой спинкой и две тумбочки. Но покрывало опять цвета закатного солнца и все усеяно бантиками. Подушки вдеты в чехлы. Очевидно, справа было место Олега Яковлевича, потому что там на тумбочке стоял пузырек с валокордином, лежали очки и стопочка детективов Незнанского. Слева же, на такой же тумбочке валялся новый «Космополитен» и пульт от телевизора. Большой «Филипс» был повернут влево, около него видик, внизу батарея видеокассет. В основном комедии, мелодрамы и порнуха. Ни шкафа, ни комода, ни трюмо...

— Где ее носильные вещи?

— В гардеробной.

Мы вновь вышли в коридор, и Олег Яковлевич толкнул небольшую дверку. Сказать, что я обомлела, это значит не сказать ничего.

Почти десятиметровое пространство было просто забито вещами. От стены к стене тянулись ряды полок, вешалок. Платья, костюмы, юбки, брюки, пальто, полушубки, дубленки, шубы...

Сбоку, на специальных подставках устроилась обувь, просто целый магазин! Здесь же был комодик, под завязку заполненный бельем и колготками. И лифчики, и трусики неожиданно оказались простыми и даже элегантными. Никакого синтетического кружева, ленточек, завязочек, не было и сексуальных боди, поясов с резинками, чулок с подвязками. Отличное белье дорогой немецкой фирмы «Триумф». Такое носят добропорядочные бюргерши, матери семейства — чистый хлопок, абсолютно закрытое, без прибамбасов. Странный выбор для девочки, выскочившей замуж за человека в два раза себя старше и сбежавшей с любовником...

— Где она хранит драгоценности?

Мы вернулись в кабинет, и хозяин открыл небольшой сейф, скрытый за чудовищной картиной с мордастым оленем.

— Вот, — вздохнул Писемский, вынимая на свет «золотой запас».

Я осторожно перебирала вещицы. В основном это были дорогие кольца с брильянтами и изумрудами. «Новодел» — так презрительно называют ювелиры подобную продукцию. Ничего оригинального или просто привлекающего взгляд. Дорого, но неинтересно, скорей вложение денег.

— Она ничего не взяла с собой?

— Нет, — покачал головой Писемский, — даже обручальное кольцо оставила.

— Да? — удивилась я.

— Вот оно — показал Олег Яковлевич на довольно широкий золотой ободок с россыпью мелких алмазиков.

— И вас не удивило, что жена, собираясь в театр, не надела украшений?

— Да нет, — пробормотал обманутый муж, — на ней было вечернее платье от Юдашкина, глухой воротник и почти голая спина. К такому наряду ни цепочки, ни кулоны, ни ожерелья не подходят. Спереди грудь украшает обильная вышивка из стразов.

Да, это логично.

— А серьги, кольца, браслеты?

— Ну браслеты она не любила, говорила, будто они похожи на наручники. Серег просто не заметил, у Ксюши волосы закрывают уши, а кольца... Она еще вчера жаловалась на боль в суставах, все вздыхала: «Старею, артрит начинается».

Вот и не надела ничего на пальцы, наоборот, все сняла, говорила, мешают очень и руки сильней болят.

Я вздохнула, похоже, взбалмошная дама и впрямь ушла голая и нищая.

— Ладно, давайте телефоны ее родителей и ближайших подруг.

— У меня их нет, — сказал Писемский.

— Как это? — обалдела я.

— Ксюша не москвичка, — принялся бестолково объяснять мужик, — родители у нее умерли, вроде есть тетка в Подмосковье, сейчас посмотрю.

Он порылся в бумажках и радостно сообщил:

— Точно, тетя, Раиса Константиновна Федина, проживает в Селихове, улица Космонавтов, девять, телефона нет.

— Тогда давайте номера подруг.

— Да она ни с кем не дружила...

Молоденькая девчонка не имела подружек? Студентка, живущая в общежитии, не бегала на дискотеки и вечеринки? Днями сидела на лекциях, а вечера проводила в библиотеке, чтобы в один прекрасный день упасть под колеса шикарного «Мерседеса», а потом завести любовника и убежать от богатого мужа? Чем больше я думала об этой истории, тем невероятней она мне казалась.

Глава 6

На следующее утро, выгнав домашних, кого на учебу, кого на работу, я поехала в экономическую академию.

Все-таки нельзя разрешать любому учебному заведению гордо именовать себя университетом или академией. Большинство из них и на звание института не тянет, кафедрами заведуют кандидаты наук, иностранного языка нет и в помине, а профилирующие предметы читают древние старушки, поминутно теряющие нить рассказа.

Экономическая академия, где обучалась Ксюша, была как раз из таких. Грязные, обшарпанные стены, тесные аудитории с поломанной мебелью и безвозрастные преподаватели в кургузых пиджаках. Интересно, как угораздило Ксюшу отдать сюда заявление! Хотя, если подумать, небось в аттестате теснились тройки, навряд ли в этом Селихове в школе давали отличные знания. Ну не в МГУ же поступать, там проходной балл о-го-го! Не всякий медалист преодолеет порог вступительных экзаменов. А в эту богом забытую «академию» скорей всего принимали всех.

Я толкнула заляпанную дверь с надписью «Канцелярия» и оказалась в довольно просторной комнате, заставленной желтыми шкафами. У окна, за письменным столом, мирно пила чай закутанная в платок тетка. Сегодня было холодно, противный северный ветер так и обжигал лицо, лучше всего сидеть в тепле и вкушать ароматный напиток. Причем, судя по отвратительному запаху, это был персиковый «Пиквик». И как только людям не жаль свои желудки?

— Вы ко мне? — довольно приветливо спросила служащая, отставляя дымящуюся чашку.

Я кивнула.

— Здесь учится моя племянница, Ксения Федина. Приехала навестить, пошла в общежитие, а девочки сказали, вроде она на занятиях. Подскажите, в какую группу податься?

Заведующая канцелярией нахмурилась:

— Федина, Федина... Факультет какой?

— Не знаю.

— А курс?

— Вроде второй.

Дама с неохотой вылезла из-за стола и принялась рыться в шкафу, периодически чихая и кашляя. Наверное, у нее аллергия на пыль. Время от времени в канцелярию заглядывали студенты и заводили:

— Любовь Павловна...

— Потом, сейчас занята, — отвечала Любовь Павловна.

Наконец пальцами с облупившимся лаком она ухватила тоненькую папочку и торжествующе оповестила:

— Нашла. Ксения Федина, только ее отчислили полтора года тому назад.

— За что? — изумилась я.

Любовь Павловна развела руками:

— Обычное дело, соблазны большого города сгубили. У нас такое часто бывает. Чаю хотите?

Терпеть не могу напитков «с запахом», но под чаек беседа станет доверительней, и я с жаром выкрикнула:

— С удовольствием, большое спасибо, обожаю «Пиквик»!

Любовь Павловна вытащила из своей чашки мокрый пакетик, сунула его в огромную кружку с надписью «Кофе Глобо» и стала лить кипяток. Я приуныла. Мало того что придется глотать отвратительный «Пиквик», так еще и спитой...

— К нам в основном провинциалы поступают, — принялась разъяснять женщина, завершив «чайную церемонию», — а точнее — девочки из Подмосковья. Приходят на первый курс такие тихони, воды не замутят, глазки в пол, косички по плечам. А к зимней сессии прямо метаморфоза. Юбки короче некуда, на лице боевая раскраска, вместо косичек — «мокрая» химия. Им не до учебы. Ну что они в своей жизни видели? Родители — алкоголики, туалет во дворе и корова недоеная орет...

Ошалев от огней большого города девчонки напропалую кидались в омут развлечений. Институт — не школа. Уроки каждый день не проверяют, посещаемость в журнале не регистрируют, гуляй — не хочу. Большинство так и поступало, отсыпаясь днем и бегая ночью по дискотекам и дешевым клубам. Отрезвление наступало во время сессии. Получив пару «неудов», студентки брались за ум и начинали непрожеванными кусками заглатывать знания по экономике. Кое-кому это удавалось, но на курсе всегда было три-четыре девчонки, которым море по колено. Таких не пугала ни сессия, ни отчисления. День, да мой. Вот Ксюша Федина оказалась из их числа.

В зимнюю сессию на первом курсе она не сдала экзамен. Ей сначала просто погрозили пальцем, потом в летнюю она завалила еще два и следующей зимой вновь оказалась с «хвостом». Терпение декана лопнуло, и на свет явился приказ о ее отчислении.

— Вы скажите своей племяннице, — внушала Любовь Павловна, — что наш ректор, Сергей Петрович, до безобразия добр. Сначала подписывает бумаги, а потом переживает и принимает дурочек назад, на следующий год просто восстанавливает. Пусть Ксения приходит, сдает задолженности и учится за милую душу. Небось поумнела.

Я вздохнула:

— Ксюша — девушка взбалмошная и своевольная. Она никому из нас не сообщила, что отчислена. И где живет, ума не приложу!

— А вы идите к ее бывшим одногруппницам, — посоветовала заведующая, — девчонки все друг про друга знают. Если поторопитесь, всех на третьем этаже застанете, группа 8 г, аудитория 34.

Поблагодарив за чай и дружеское расположение, я побежала вверх по выщербленным ступенькам. Тридцать четвертая аудитория оказалась закрыта, коридор пуст, но из-за угла доносился веселый смех. Я прошла в конец длиннющего коридора, обнаружила дверь на другую лестницу, а на ступеньках несколько девиц с сигаретами. При виде меня они настороженно замолчали и попытались спрятать тлеющий «Парламент». Чтобы не пугать их окончательно, я быстро произнесла:

— Здравствуйте, я ищу Федину.

— Ксюшу? — спросила хорошенькая брюнеточка в невероятно коротком и узком красном платье.

— Да.

Девица надула очаровательные губки и сообщила:

— А ее выперли.

— Знаю, только домой Ксения не вернулась, не подскажете, где она может быть?

— Зачем вам? — поинтересовалась маленькая, похожая на больного кролика девочка.

— Федина отправила свою фотографию на «Мосфильм», в картотеку статистов. Ее лицо понравилось Никите Сергеевичу, и он хочет пригласить ее в картину.

— Ох и не фига себе, — выкрикнули девицы в голос.

Потом брюнетка с жалостью сказала:

— Она не слишком с нами дружила.

— Да, — подтвердил «кролик», — все с Викой Поповой гужевалась, секретничала да хихикала. Ну да Викуша у нас девочка богатая, вот Ксюха небось и думала, что и ей обломится.

— Попова в общежитии живет?

— Нет, — усмехнулась черненькая, — ей западло, папашка квартиру снимает.

— Адрес знаете?

Девчонки покачали головами.

— У богатеньких своя тусовка, — пояснил «кролик», — мы им, так сказать, не пара.

И они оглушительно захохотали.

— Ксения тоже из обеспеченных?

— Голь перекатная, — вступила в разговор рыженькая девчушка в очках, — нищая, как мы.

— Как же богатые к себе пустили голодранку? — удивилась я.

— Ну должен кто-то за Викой сумку таскать и колготы стирать, — довольно злобно выплюнула брюнетка, — Ксюха просто в прислугу превратилась.

— Да уж, — протянул «кролик», — прямо противно смотреть было. Викуля пальчиком поманит, а Ксюха сломя голову несется.

— За кофточки старалась, — фыркнула рыженькая.

— Один раз ей Вика шубу скинула, из козлика, всю потертую, а наша дурочка в ней на занятия явилась, — ехидничал «кролик». — Хоть бы постеснялась, все кругом знали, с чьего плеча обновка.

Они еще долго могли самозабвенно сплетничать, но я прервала ядовитые речи:

— Кто-нибудь может знать координаты Вики?

— Может, Антон? — неуверенно пробормотала молчавшая до сих пор девица с прыщавым личиком.

— Точно, — оживилась брюнетка, — у них роман был, идите в библиотеку, на второй этаж, и спросите его.

— Думаете, он там?

Девчонки засмеялись. Потом рыженькая подтвердила:

— Где же ему еще быть, нашему Ломоносову. Там, там, не сомневайтесь.

Я двинулась было к лестнице, но притормозила.

— Как я узнаю его? Хоть фамилию скажите...

Девушки вновь захихикали, они находились в счастливом возрасте, когда любая сказанная фраза кажется остроумной.

— Он там один сидит, в читальном зале, — улыбаясь во весь рот, объяснила рыженькая, — больше таких идиотов нет — в пятницу над курсовой чахнуть!

— Красный диплом получить хочет, — хмыкнула рыженькая.

— Знания копит, — заржала брюнетка, — прямо обидно, такой красавчик, а книжный червь!

Провожаемая их глупыми репликами, я спустилась на этаж ниже и, поплутав по темным и не слишком чистым коридорам, нашла наконец библиотеку.

Девицы оказались правы. Довольно просторная комната, заставленная стеллажами и письменными столами, оказалась пуста. Никто из студентов не рвался изучать первоисточники и конспектировать обязательную литературу.

Только у окна, обложившись томами, лихорадочно строчил что-то в тетради темноволосый парень.

— Вы Антон? — спросила я, подойдя поближе.

Юноша вздрогнул, положил копеечную, пластмассовую ручку на стол и посмотрел на меня.

— Да.

Что ж, девчонок-сплетниц можно понять. Парень оказался хорош, словно греческий бог. Большие, слегка раскосые темно-карие глаза, легкая смуглота щек, прямой нос, будто нарисованные брови и рот, который авторы книг времен Возрождения называли «лук Амура». Каштановые волосы вились крупными кольцами, а руки с узкими ладонями и длинными пальцами выдавали артистическую натуру. Небось в детстве закончил музыкальную школу.

— Вы знаете где найти Вику Попову?

— Почему я должен давать вам ее адрес? — вопросом на вопрос ответил Ромео и встал.

Стало понятно, что и фигура у парня классная — рост примерно метр восемьдесят пять, плечи широкие, под тоненьким свитерком перекатываются литые мускулы, а талия узкая, любая манекенщица позавидует.

Я вновь рассказала сказочку о съемках у Михалкова и поинтересовалась:

— А что, адрес Поповой — стратегический секрет?

Парень улыбнулся:

— Нет, конечно, только она не хочет, чтобы

весь институт в гости шлялся. Тут такие кадры учатся, халявщики... Вам, конечно, дам, пиши- те — улица Самсоновская, дом восемнадцать, квартира шесть.

— Ксюша Федина у нее живет?

Красавец пожал плечами:

— Ксюха меня мало волнует.

Я почувствовала, что начинаю злиться.

— Разве я спрашивала о волнении? Живут они вместе?

Антон замялся:

— Сейчас не знаю, мы с Викой расплева- лись, не сошлись, так сказать, характерами, но, когда дружбу водили, Ксюха у нее вместо дом- работницы была — убрать, постирать, жратву приготовить...

— Она ей платила?

— Не деньгами, вещи сбрасывала, косметику дарила, ну и кормила, сигареты совала... Прав- да, пару раз баксы давала, вроде в долг, а уж вернула Ксюха или нет, честно говоря, не знаю, да и неинтересно мне это. А вам зачем?

— Господин Михалков предъявляет высокие требования к моральным качествам актеров, — принялась я врать, — прежде чем пригласить неизвестную девушку в картину, сначала хочет собрать о ней сведения.

— А-а, — протянул Антон, — понятно, толь- ко я грешным делом думал, что на студии все живут друг с другом. Езжайте к Вике, она все про Ксюху выложит, как на ладони представит...

Я кивнула и пошла к двери, на пороге обернулась и увидела, что Антон преспокойненько уселся за конспекты. Очевидно, его ничто не волновало, кроме учебы.

Самсоновская улица оказалась не так далеко, всего в двух троллейбусных остановках, а дом восемнадцать выглядел респектабельно, если не сказать богато. Просторный подъезд, застеленный完 ковролином, улыбающаяся консьержка, и в лифте пахло хорошими сигаретами.

Вика Попова сидела дома. Вернее, лежала, скорей всего вчера вечером девица шумно провела время в компании друзей и бутылок, а сегодня расплачивалась за это головной болью и тошнотой.

— Вы ко мне? — нехотя процедила она, прищуривая выпуклые глаза.

— Да, — коротко ответила я.

— Ну и зачем, интересно? — моментально встала в боевую стойку нахалка. — Кажется, мы незнакомы!

Краем глаза я заметила, что в большой комнате на столе полно грязной посуды, а среди мисок и тарелок возвышаются почти опустошенные бутылки...

— Мы с вами и впрямь незнакомы, — ласково пропела я, — только ваши соседи снизу вчера пожаловались в домоуправление на то, что в верхней квартире ужасно шумят и им не дают отдыхать. А поскольку вы снимаете квартиру, меня прислали разбираться в ситуации.

Вика слегка присмирела и сбавила тон:

— Ну какие странные люди, один-единственный раз пошумели, день рождения у меня вчера был!

— Поздравляю, — прочирикала я, входя в комнату.

Судя по разгрому, тут гулял целый эскадрон гусар, причем вместе с лошадьми.

— Да и сидели не допоздна, — пожимала плечами Вика, — в полдвенадцатого разошлись.

— По закону шуметь можно до одиннадцати.

— Ну неужели из-за получаса сразу надо на рога становиться, — заявила наглая девчонка, — и потом, могли в дверь позвонить или по телефону. Так ведь? Никто ведь не возражал, а утром вас прислали!

— Деточка, — тихо сказала я, — на вас собираются наложить штраф, но я попробую уладить миром, только...

— Сколько? — деловито осведомилась Попова, хватаясь за кошелек. — Давайте вам сразу уплачу, а вы дело прикроете.

— Денег мне не надо, лучше скажите, где найти Ксению Федину.

— Ксюху? — изумилась Вика. — Так вы не из домоуправления!

Поняв, что имидж был выбран неправильно, я ответила:

— Ну не совсем.

— Ага, — торжествующе взвизгнула девушка, — ага, так я и знала, еще когда говорила, что Ксюха дрянь. Вы из милиции, небось эта гадина на воровстве попалась!

— Отчего у вас такое мнение? — осторожно поинтересовалась я.

Но Вика была, очевидно, крайне избалованна и глуповата. Ее большие, но какие-то лягушачьи глаза зажглись мстительным огнем, пухлые губки надулись и выплюнули:

— Да ладно, передо мной чего прикидываться. Я милицию носом за три километра чую.

— Неужели? — изумилась я.

— А то, — фыркнула девчонка, — со мной можно говорить откровенно, знаете, кто моя мама?

— Ну? — осторожно поинтересовалась я.

— Генеральный прокурор Калабинского района, — ухмыльнулась Вика и торжествующе глянула неприятными глазищами.

— Это полностью меняет дело, — серьезно сказала я, — разрешите представиться, майор Романова с Петровки. Где мы можем поговорить?

— Пошли на кухню, — велела хозяйка и побежала по коридору.

Не слишком большая кухонька оказалась чистенькой и аккуратно прибранной. Вика вытащила из шкафчика банку дорогущего «Кап Коломбо» и, включив хорошенький чайник «Тефаль», с чувством произнесла:

— Так и знала, что она в розыск попадет. Что случилось?

Я развела руками:

— Ведутся оперативно-розыскные мероприятия, сами понимаете, тайна следствия!

— Да уж, не дура, — ответила Вика.

— Но раз ваша мама трудится прокурором, —

сладко пела я, — сделаю исключение и сообщу — Ксения Федина разыскивается по подозрению в совершении преступления...

Довольная, что ради нее нарушили букву закона, Вика быстро вставила:

— Воровка!

— Правоохранительные органы будут очень благодарны, если вы сообщите ее адрес и дадите психологический портрет.

— Сейчас все про эту дрянь расскажу, — воодушевилась Вика, — слушайте!

Глава 7

Вике повезло с самого рождения. На свет она появилась в более чем обеспеченной и благополучной семье. Папа — директор одной из крупнейших фабрик Подмосковья и мама — прокурор области. Добротный двухэтажный дом со всеми удобствами, две машины, домработница и никаких мыслей о деньгах — в такой обстановке прошло детство Вики. Городок, где жила семья Поповых, — небольшой, почти все взрослое население работало на фабрике у Викиного папы, Юрия Петровича. Можно смело сказать, что он был для жителей Калабина царь и бог. Мог наградить, а мог и прогнать, сделать безработным и нищим.

Маленькая Вика не очень хорошо понимала, почему все вокруг ей улыбаются. В школе она вначале великолепно училась. Почти у всех учительниц мужья утром шли на производство, где начальствовал Попов, наверное, поэтому ей ставили четверку тогда, когда другие дети получали тройку.

Где-то к пятому классу Вика разобралась в происходящем и принялась нещадно эксплуатировать свое положение. В классе ее не любили. Чуть что, Попова бежала к учителям с кляузой, а все споры всегда решались только в ее пользу. Но несмотря на такую лояльность педагогического коллектива, учеба шла все хуже и хуже, и к одиннадцатому классу в дневнике пестрели тройки. Юрий Петрович призадумался. Дочь должна получить диплом о высшем образовании, но в крохотном Калабине никаких институтов не наблюдалось, оставался только один путь — подыскать соответствующее учебное заведение в Москве, не слишком престижное, потому что на МГУ Вика явно не тянула. Родители могли поднапрячься и пропихнуть чадо на экономфак, но ведь мало преодолеть вступительные экзамены, нужно еще проучиться пять лет.

Вот поэтому и выбрали экономическую академию. Называется красиво, а требования такие, что даже Вика сможет успевать.

Поступила девчонка спокойно. На платное отделение принимали всех без исключения.

На первом курсе Вика с тоской констатировала, что больше не является уникальной личностью. В Калабине на всех вечеринках, которые она осчастливливала своим появлением, дочь всемогущего директора моментально становилась центром компании. Мальчики, побросав девчонок, сломя голову кидались ухаживать за ней, взрослые моментально сажали ее в центр стола поближе к коронному блюду хозяйки — пирожкам или холодцу...

В Москве все оказалось иначе. Курс четко делился на бедных и богатых. Последних было меньше, и Вику приняли в избранный круг, но на третьих ролях. Пальма первенства безоговорочно принадлежала Розе Глотовой, чей папа работал не где-нибудь, а в ООН. Потом шли Женя Пересветова с родителями — модными гинекологами, Наташа Рябкина, чья мама без конца писала дамские романы, Катя Кочина — дочь эстрадного певца... Словом, районный прокурор и директор фабрики в этой тусовке просто не котировались. Да и обеспечены эти студентки оказались намного лучше Вики. Роза подметала пол норковой шубкой, Женя щеголяла в брильянтах, а Катя и Наташа ездили на собственных машинах. У всех в элегантных сумочках лежали сотовые телефоны, на поясах висели пейджеры... В общем, Вика ощущала себя Золушкой, незнакомое и крайне некомфортное для нее состояние.

Девчонка метнулась домой и устроила предкам жуткий скандал. Папа почесал в затылке и признал законность ее требований. Его любимая дочурка не должна никому завидовать, и к Новому году у Вики появились прехорошенькая шубка, мобильный и новенькая симпатичная «Нива» цвета баклажан. Но все равно, это было не то. Шубку сшили из белки, «Нива» явно проигрывала рядом с красавцем «Фольксвагеном», а мобильник оказался подключенным к дешевому «кривому» номеру, через восьмерку.

Так что удивить богачек и прорваться в первую тройку Поповой не удалось. Ее, правда, всегда приглашали на вечеринки, но Вике приходилось сидеть в кресле, изображая усталость, потому что малочисленные местные кавалеры обращали на нее внимание только тогда, когда «основной состав» отказывался плясать.

От злости Вика завела дружбу с Ксюшой Фединой. Для тихой, робкой Ксюты материальное положение Поповой казалось невероятным богатством. Ксения родилась и выросла совсем в других, отнюдь не тепличных условиях. Мамочка, всю жизнь работающая дояркой на ферме, куча братьев и полное отсутствие отца. Ксюта, заикаясь, бормотала, будто папенька служил капитаном на военном корабле и погиб при исполнении особо опасного задания, но студентки только хихикали ей вслед. Капитан! Как же слышали, слышали...

С малолетства Ксюха умела все — наколоть дрова, притащить тяжеленные ведра с водой, запарить болтушку для свиней и вскопать огород под картошку. Но в придачу к умелым неленивым рукам господь наградил ее отличной головой. Девочка училась играючи, схватывая на лету любые объяснения. Алгебра, геометрия, английский... По всем предметам в ее дневнике тесной толпой стояли пятерки. После восьмого класса к Ксюшиной маме, Раисе Петровне, явился почти весь педагогический коллектив сельской школы и начал упрашивать разрешить девочке ездить в райцентр для продолжения образования.

Замороченная жизнью, Раиса только пожала плечами.

— Хрен с ней. Охота девке в шесть утра подниматься, чтобы на автобус поспеть, пусть ее, перечить не стану, лишь бы поросят вовремя кормила!

Ксюте была охота, уж очень хотелось выучиться «чистой» профессии — стать врачом, учителем или бухгалтером и сидеть весь рабочий день в теплом помещении, а не швырять лопатой навоз, как мамочка на продуваемом всеми ветрами дворе.

Встав в шесть утра, Ксюша бегала на автобус, ехать было далеко, а занятия в областных школах начинались в восемь, сельские жители спешат начать день пораньше. Что девятый, что десятый, что одиннадцатый класс были закончены на круглые пятерки. Ясным июньским днем у нее в кармане оказался аттестат и золотая медаль. С таким багажом Ксюша уехала покорять Москву, просто сбежала поздно вечером, когда мать улеглась спать. До этого они крепко поругались. Раиса Петровна категорически запретила дочери ехать в город.

— Где родился, там и пригодился, — изрекла мамочка расхожую крестьянскую истину, — ну за каким чертом тебе Москва ихняя? Вон в райцентре ветеринарное училище, поступай себе, чем плохо?

Но Ксения не хотела быть ветеринаром и бегать потом по локоть в грязи возле занедужившей коровы. Будущее представлялось ей иным — светлым и чистым.

Приехав в столицу, девочка купила в газетном ларьке справочник для поступающих в вузы. Плехановский и экономфак МГУ она отмела сразу, сомневаясь в своих силах. А в заштатную академию поступила моментально, сдав на пятерку математику.

Началось учение. Оно вновь давалось Ксюше легко, хуже было терпеть голод. Дома они питались просто, но сытно — щи, картошка... Мясо, молоко и масло были свои, в огороде вырастали овощи. В августе зрели яблоки... В сараюшке кудахтали несушки, и Ксюня частенько делала себе на ночь яишенку с луком и салом. На сытый желудок ей отлично спалось.

В столице потекла иная жизнь. Дороговизна просто ужасала. В первое время стипендию удавалось растянуть лишь на пять дней. Ксюта просто хваталась за голову. Молоко, которое она, как сельская жительница, и за еду-то не считала, стоило невероятную сумму, яйца и того больше. Масло, творог, колбаса были недоступны, а покупка новых, даже самых дешевых колготок пробивала в бюджете зияющую брешь. Ксения запасла пшена и варила кашу на воде. В зимнюю сессию она завалила экзамен. Голова кружилась и болела, в носу щипало, у нее начинался грипп.

В январе к ней подошла одногруппница из богатеньких, Вика Попова, и небрежным голосом заявила:

— Хочешь заработать?

Ксюша с надеждой глянула на нее:

— Очень.

— Тогда вымой мою машину.

Привычная к физическому труду, Ксюта в мгновение ока справилась с заданием и получила двадцать рублей. Так она превратилась в Викину прислугу: убирала квартиру, стирала белье, готовила, бегала за продуктами и писала за хозяйку рефераты. В мае Вика велела отправляться вместо нее на практику.

— Но у меня тоже практика, — попробовала возразить Ксюша.

— Что-нибудь придумаешь, — отмахнулась Вика.

— Не могу, — покачала головой Федина.

— Сто долларов, — коротко сообщила Попова.

Ксюша заколебалась. Мамочка давно простила дочери побег и теперь частенько писала письма с просьбами. Ксюта, приезжая домой, всегда привозила подарки. Сто долларов были нужны позарез, и девушка согласилась.

Благополучно отработав под именем Виктории Поповой в банке, Ксения получила самые благожелательные отзывы. Вика начала сдавать на тройки сессию, а у Ксюты появились нешуточные проблемы — практика не пройдена, и к экзаменам ее не допустили.

— Ты все пела, это дело, — процитировала куратор курса басню И. Крылова, — теперь выкручивайся, как хочешь.

И Ксюшу отчислили. Примерно месяц она жила у Вики, подавая той кофе в постель, но в ноябре, воспользовавшись выходными днями, Попова уехала к родителям, велев «домработнице» сделать генеральную уборку. Но вернулась она в неубранную квартиру.

Поставив в холле дорожную сумку, Вика вскипела от злобы. Повсюду мотались клоки пыли, воздух был затхлый, и в довершение всего на кухне обнаружилась початая бутылка псевдофранцузского коньяка, вспоротая банка шпрот и заветренные куски сыра. Прислуга явно принимала гостей.

Вне себя от негодования, Вика влетела в спальню и чуть не затопала ногами. Белье из большого шкафа было просто вывалено на пол, сверху лежала открытая коробочка из-под вафель. В ней Вика держала деньги. Не оказалось на месте и двух золотых цепочек, кольца с небольшим брильянтом и гранатовых серег, а из ванной исчезло кое-что из косметики и непочатый флакон французских духов.

Задыхаясь, от негодования Вика позвонила родителям. Но те неожиданно отнеслись к ситуации спокойно.

— Сколько денег пропало? — поинтересовался папа.

— Пятьсот долларов, — разрыдалась дочурка, — сейчас в милицию пойду.

— Даже не думай, — остановил ее отец, — не стоит из-за копеек нервы портить, начнутся допросы, станут придираться, что не живешь по месту регистрации, в общежитии, а на съемной квартире. Забудь, доченька. Деньги получишь в среду, как раз оказия в Москву намечается.

— Заодно наука, — добавила слушавшая по другой трубке мать, — незачем пускать в дом голодранок, дружить следует с ровней. Смотри никому не рассказывай, будешь дурочкой лопоухой выглядеть.

Скрепя сердце, Вика согласилась молчать о происшествии и даже не сообщила в учебную часть о случившемся.

— Когда это произошло? — поинтересовалась я.

— Полтора года тому назад, — охотно ответила собеседница и спросила: — Если вы сейчас ее за воровство поймали, могу я заявить о краже?

— Скорей всего нет, — охладила я мстительный пыл девчонки.

Та только раздраженно вздохнула.

— Значит, вы не знаете адрес Фединой?

— Понятия не имею.

— А где она жила, уйдя от вас?

— Черт ее знает, — отрезала Попова, — на помойке небось. Хотя скорей всего домой вернулась, к матери.

— Куда?

— Сейчас, — засуетилась Вика и принялась перебирать довольно пухлый ежедневник, —

где-то здесь был, ага, вот он, пишите — Московская область, поселок Селихово, улица Матросова, дом 12. Раиса Петровна — это мать.

Назад я ехала в полупустом вагоне, тихо покачиваясь в такт движению поезда. Час пик еще не начался, и в метро пока не было раздраженной, усталой толпы. В голове крутилось сразу много мыслей, что-то было не так... Странная девочка Ксюша! И где она только обреталась несколько месяцев до встречи с будущим мужем. Но ведь где-то же она спала, ела и, наверное, работала. Пятьсот баксов, конечно, неплохая сумма, да и цепочки с колечком можно продать, только вырученной суммы все равно не хватит на жизнь в Москве. Столица — дорогой город. Хотя, если питаться кефиром... Нет, наверное, она все-таки вернулась домой. Во всяком случае, такую возможность нельзя отметать. И потом, получается крайне логично. Если, совершив преступление, девица спешно спряталась в родном доме, то и сейчас небось, после побега от мужа, там. Правда, совершенно непонятно, зачем ей уходить от богатого мужа, выполнявшего все ее капризы? Может, нашла более обеспеченного любовника? Тогда она у него... И еще странность — Писемский тоже назвал деревню Селихово, но улица другая — Космонавтов.

Вздохнув, я попыталась собрать в кучу расползавшиеся мысли. Ладно, завтра поеду в это Селихово и произведу разведку боем, а сейчас лучше поразмышляем на тему ужина — что вкуснее: курица или мясо? Кирюшка обожает цыплят, зато Юля неравнодушна к котлетам с зажаренной корочкой...

Перебирая в уме разнообразные варианты еды, я вышла на улицу и, покупая у разбитной хохлушки мандарины, неожиданно подумала: «Интересно, откуда девушка, приехавшая из небольшого подмосковного городка, знает, как неудобны на запястьях наручники?» В уме сразу всплыл образ Олега Яковлевича и прозвучал его усталый голос: «Нет, браслеты жена не любила и никогда не надевала, говорила, что они напоминают ей наручники».

Напоминают! Она что, провела часть своей юной жизни со скованными руками?

Глава 8

Домой я влетела, как всегда, обвешанная пудовыми сумками. Животные необычайно оживились и принялись тыкаться носами в пакеты. Сейчас к нашей стае временно прибавился дрессированный кот, принадлежавший ранее умершей Светлане Ломакиной. Я не хотела рассказывать домашним про ночное приключение, и Кирилл увешал весь район объявлениями: «Найден необыкновенно умный, дрессированный кот, любит купаться. На шее дорогой ошейник с медальоном».

Правда, ошейник мы потеряли. Катя сняла его, перед тем как засунуть животное в ванну, и голубая полоска как сквозь землю провалилась.

— Неудобно получается, — вздыхала подруга, — объявятся хозяева, а мы куда-то ошейник задевали. Дорогая вещичка, широкий, похоже, из кожи, да и медальон сильно на золотой смахивал.

— Ну уж ты скажешь, прямо-таки золотой, — улыбнулась Юлечка, — кто же коту на шею драгоценность повесит!

— Не скажи, — вступил в разговор Сережка, — знаешь, какие хозяева бывают ненормальные, может, эти из таких, явятся за Морисом и потребуют: где наш ошейник с платиной и брильянтами, что тогда делать станем?

— Как ты его назвал? — переспросила Катя.

— Морис, — ответил сын.

— С чего ты взял, что это его имя?

— А я вчера взял словарь имен, — пояснил Сережка, — и начал вслух читать, да сами посмотрите.

Он сел возле кота и проникновенно спросил:

— Ну и как тебя зовут? Барсик? Рыжик? Леопольд? Андрей? Антон? Может, Морис?

Кот быстро повернул голову и издал короткий звук:

— Мяу.

— Видали? — сказал Сережка.

— Морис! — позвала я.

Кот встал, подошел к моим ногам, уселся прямо на тапочки и ответил:

— Мяу.

— С ума сойти, — пробормотала Юля, — может, он вообще все понимает? Морис, хочешь кушать?

Сохраняя полное достоинство, животное прошествовало к холодильнику. Положило передние лапы на дверцу и выжидательно глянуло на Юлю:

— Мяу.

— Просто дрожь пробирает, — ахнула девушка, доставая мелко нарубленную говядину, — а вдруг он инопланетянин, посланец вселенского разума?

— Или мальчик, которого заколдовала злая ведьма, — пустился в фантазии Кирюшка.

— Мальчик поглупей будет, — съехидничал Сережка, — этот на академика тянет.

— Я тебя сейчас тресну, — завопил младший.

— Попробуй, — ухмыльнулся старший.

Кирюшка с воплем налетел на брата, тот в мгновение ока скрутил его и поволок в ванную.

— Мама, — орал Кирюшка, — скажи ему...

— Мама тут ни при чем, — вещал Сережка, пуская душ, — никакая мама не поможет, только холодная вода остудит горячую голову моего братца.

Послышался плеск, потом визг... Сережка с грохотом протопал по коридору в спальню. Через секунду в ту же сторону с кличем команчей пролетел абсолютно мокрый Кирюшка, размахивающий щеткой с длинной ручкой, и с воплем: «Сейчас тебе мало не покажется», — мальчишка начал ломиться в дверь к брату.

Сережка неожиданно распахнул дверь, Кирюшка потерял равновесие и влетел внутрь.

— Ну, поглядим, кому мало не покажется, — возвестил Сергей и тотчас же до нашего слуха начали доноситься сочные шлепки, потом заскрипела кровать и задвигались кресла.

— Они сейчас мебель разломают, — вздохнула я.

— Главное, не вмешиваться, — сказала Катя, — сами разберутся.

В кухне весело пускал пар чайник, телевизор гремел, сообщая последние новости, Катя и Юля завели громкий разговор, планируя, как лучше провести выходные... В спальне уже не просто летала из угла в угол мебель, там, похоже, крушили стены и разбирали потолок. Собаки лаяли, бегая взад и вперед по коридору, кошки предпочли спрятаться, и только Морис тихо сидел на подоконнике, взглядом философа созерцая весь тарарам. Я погладила его крупную ушастую голову. Кот перевел на меня загадочные желто-зеленые глаза и вздохнул, как человек. Чувствуя, что сейчас упаду от усталости и засну прямо на полу, я, отказавшись от ужина, пошла к себе и рухнула на диван. Тут же принеслись мопсы и принялись шумно выяснять, кто займет лучшее место прямо у моего подбородка. В пылу спора Муля несколько раз грохалась тучным задом на мое лицо, а Ада бегала взад-вперед по подушке, нещадно царапаясь. Кое-как скинув их на пол, я закрыла глаза. Сквозь подступающий сон я почувствовала толчки: увидав, что хозяйка задремала, мопсы вновь принялись делить территорию.

Нет ничего гаже, чем вставать в выходной день около шести. Но у меня просто не было другого выхода. Селихово расположено на краю света. Сначала два часа на электричке до Коломны, а потом бог знает сколько на местном автобусе до некоего Ромашина, далее следовало передвигаться пешком либо на попутном транспорте.

В электричке стоял зверский холод. Не успела я развернуть только что купленный журнал «Мир криминала», как над головой раздался громовой бас:

— Граждане пассажиры, вашему вниманию предлагаются качественные газовые зажигалки по типу «Ронсон». Невероятно удобная вещь, элегантно оформленная, можно переделать клапан, и она станет многоразовой. Цена намного меньше, чем в ларьках и магазинах.

Я обернулась. Тощий парень с испитым лицом держал над головой дешевую зажигалку черного цвета с белой надписью «Ron-son». Пассажиры тихо дремали, уткнув носы в воротники. Продавец не спешил уходить, с надеждой оглядывая потенциальных покупателей, но никто не торопился обзавестись огнивом «по типу Ронсон». Мне стало жаль неудачника, и руки сами собой раскрыли кошелек. Но не успела я, пощелкав зажигалкой, убедиться, что та после исчезновения «дилера» моментально перестала работать, как над ухом зачастил высокий женский голос:

— Граждане пассажиры...

На этот раз моему «вниманию предлагалась» всякая мелочь — набор ниток, клеенки, кипятильники и жуткие китайские фломастеры. Торговала этим хабаром неопределенного возраста женщина с безграничной тоской в глазах. Рядом стоял белобрысый мальчишка в девчачьих сапогах. Возраст примерно Кирюшкин, но школу не посещает, таскается коробейником по вагонам. Одна из пассажирок, старушка в грязноватой китайской куртке, протянула пацану сдобную булочку, явно купленную для себя в дорогу. Мальчишка вежливо поблагодарил и тут же вцепился зубами в мякиш.

— Господи, твоя воля, — вздохнула бабка.

Я почувствовала, как к горлу подступает комок, и поманила представительницу малого бизнеса пальцем. На этот раз в руках оказались ножницы, которые не хотели резать.

Через полчаса сумка ломилась от ненужных предметов. Коробейники тянулись нескончаемой чередой. У всех был тоскливый вид, всех было жутко жаль. Примерно через час ассортимент сменился. Теперь предлагали газеты, домашние пирожки, отварную картошку... Пару раз пробегали тетки с огромными термосами, вопя:

— Чай, кофе, какао...

Потом появился тихий мужик и проникновенно зашептал:

— Кто желает согреться? Имеем ассортимент с закуской.

Мужская часть вагона крайне оживилась и стала вытаскивать кошельки. Продавец подходил к скамейке и раскрывал сумку-холодильник. Оттуда выглядывали бутылки с водкой. Из другой тары извлекались одноразовые стаканчики и нехитрые бутерброды, правда, целомудренно замотанные пленкой.

— А минеральная вода есть? — спросила я.

— Не держим, — вежливо ответила «рюмочная», — щас после «Кратова» Танька побегет, у нее все в наличии — «Спрайт», «Пепси» и «Буратино».

Так и вышло. На следующей станции в вагон вскочила толстощекая девчонка с рюкзаком, набитым пластиковыми бутылями. Я купила «Святой источник» и бездумно уставилась в окно. Там проносились заснеженные поля и какие-то полуразрушенные конструкции.

Наконец, спустя два часа, я оказалась в Коломне и чудом успела на отходящий в Ромашино автобус. Народу в небольшой желтый ящик на колесах набилась тьма. По Москве давно не ходят такие машины, но в области они, очевидно, единственный вид транспорта. Вниз по шоссе автобусик бежал довольно ходко, вверх еле полз, тяжело фыркая.

Через каждые три-четыре километра он останавливался возле очередной деревеньки, и пассажиры менялись, оставаясь парадоксальным образом внешне такими же — бабы в мохеровых шапках и пальто с «норкой», мужики в старых куртках. Одновременно с людьми в салоне мирно покачивались кролики, собаки и куры.

Только когда на остановке с милым названием «Крысово» сухонькая бабка стала затаскивать по ступенькам упирающуюся козу, водитель заорал:

— Вылазь, тетка, ты бы еще с крокодилом ехать надумала.

— Так какая от крокодила польза, — резонно ответила неконфликтная бабулька, втянув животину в салон, — ни молока, ни творога, а Машка — моя кормилица.

— Слазь, говорю, — вопил шофер, — вчерась одна такая с козлом ехала, так он все вокруг заблевал.

— Тише, тише, сыночек, — просила бабка, — моя Маня к машине привыкшая, тихонечко в уголку примостится.

— Слазь, — не успокаивался водитель, — пока не слезешь — не поедем.

Пассажиры загудели. Бабулька затряслась и чуть не плача спросила:

— Граждане, делать-то что? С собакой можно, а с козой нет?

— Слышь, парень, — буркнул огромный красномордый мужик, — хорош над людьми измываться, давай ехай!

— А ежели коза всех перепачкает, обосрется, мне убирать? — злился шофер.

— Давай ехай, — хором закричали селяне, — сами разберемся.

— Ну, как хотите, — присмирел парень и, выплескивая злобу, резко рванул вперед.

Стоящие люди попадали, как груши. Лишь одна коза удержалась на ногах. Наверное, на четырех конечностях удобнее стоять, чем на двух.

— Спасибо, граждане, — с чувством произнесла бабка, устраиваясь в углу, — кабы не вы, переть бы нам с Маней пехом.

— Отчего же пехом? — удивился тонкий парень в рваной кроличьей шапке, — ты бы, бабуся, на козу села и галопом домой!

Автобус грохнул от хохота, даже водитель засмеялся. Так, хихикая, мы добрались до церкви. Народ потянулся на выход. Ромашино, конечная.

— Где Селихово? — спросила я у шофера.

— Туточки, — ответил тот, пиная скаты, — через лесок, недалеко, километров пять будет.

— Доехать нельзя?

— На попутной только, — сообщил водила и закурил.

Я уныло оглядела пустое шоссе. Никаких признаков автомобилей, только где-то далеко-далеко тарахтит мотоцикл. Минут через пять звук приблизился и стало понятно, что это не мопед, а совершенно диковинный вид транспорта, никогда ранее мной не виданный. Впереди один мотор без признаков капота, от него тянется длинная ручка к небольшому железному ящику на колесах. Перед ящиком на скамеечке, держась за повод, сидела баба в резиновых сапогах.

— Чего маешься? — крикнула она мне. — Подвезть?

— Спасибо, — с чувством произнесла я, устраиваясь возле водительницы.

— Не за что, — ухмыльнулась тетка, ловко

управляя таратайкой, — не на плечах несу. Колеса везут. В Селихово?

Я кивнула.

— Докторша, что ли, новая?

— Нет, к Фединым, по делу.

— А-а, — протянула баба и потеряла ко мне всякий интерес.

Мы мирно тряслись по колдобистой дороге, до носа долетала вонь, очевидно, в кузове лежал навоз. Наконец тетка притормозила у пригорка и ткнула черным пальцем вбок.

— Гляди, Селихово.

— Спасибо, — вновь сказала я, одурев от тряски и запаха.

— Ступай себе, — вздохнула добрая самаритянка и добавила: — Ты там у Фединых поосторожней.

— Почему?

— Хулиганы они, — пояснила бабка и завела колымагу.

Провожаемая треском, я дошла до поворота и увидела несколько почерневших избенок с полупокосившимися заборами. «Улица Матросова, дом 12»,— было намалевано белой краской на первом домишке. Недоумевая, куда подевались одиннадцать предыдущих зданий, я толкнула калитку и оказалась в захламленном дворе. Значит, Писемский ошибался, Ксюша жила не на улице Космонавтов. Слева, у полуразбитого кресла стояла огромная ржавая ванна, справа высилась поленница. Покосившиеся ступеньки жалобно запели под моей тяжестью, дверь распахнулась, и ноги ступили внутрь невероятно грязной комнаты. Всюду, куда только хватало глаз, тянулись немытые банки, висели вонючие тряпки, ведра и сита.

— Есть кто живой? — крикнула я.

— Чего надоть? — раздался голос.

Тут же отворилась другая дверь, на меня пахнуло стойким ароматом перегара. В проеме стояло существо мужского пола неопределенного возраста. Красные опухшие глазки, всклокоченная сальная шевелюра, трехдневная щетина, на плечах — драный ватник, на ногах — калоши. Ален Делон, да и только. Небось как французский актер, тоже не пьет одеколон. Правда, про бурбон, наверное, не слышал, обходится самогонкой.

— Чего надоть? — повторило небесное создание, яростно скребя подбородок черными ногтями. — Ты кто будешь, пенсию носишь?

Его глаза с надеждой заблестели, но я порушила его мечты:

— Ксения Федина здесь живет?

Если бедная девочка пошла на кражу, чтобы вырваться из этой обстановки, ее даже и упрекать нельзя!

— Ксения, Ксения, — забормотал хозяин, морщась, — кто ж это такая будет?

— Сестра твоя, уебище, — донеслось из избы.

— Ксюха! — обрадовался братец. — Так она померла!

— Когда? — спросила я, чувствуя ужасную усталость. — Когда?

Собеседник расстегнул ватник и начал чесать грудь. Может, у него блохи?

Отойдя на всякий случай подальше, я повторила:

— Когда?

Мужик перестал скрестись и крякнул:

— Ленк, не помнишь?

— Года два назад, — ответил голос и тут же в комнату вошла довольно молодая востроносенькая женщина в застиранном байковом халате.

— А вам зачем? — поинтересовалась она.

Секунду я колебалась, что ответить. Для таких киностудия — как другой мир, а милиционеру тоже ничего не скажут, испугаются.

— Видите ли, я представляю лотерею «Поле чудес». Ксения Федина выиграла большой приз, но в квитанции указала этот адрес.

— Да вы проходите в залу, — оживилась Лена, услышав про деньги.

Мы прошли в довольно опрятную, явно парадную комнату, в которой стоял дикий холод.

— Ксения померла, — сказала невестка и спросила, — а чей теперь приз?

Я развела руками:

— Во-первых, мы должны удостовериться, что девушка мертва, у вас есть свидетельство о смерти?

Лена покачала головой.

— С чего вообще вы решили, что она покойница? И где Раиса Петровна?

— Свекровь тоже померла, — спокойно ответила Лена, — силосом задавило.

— Чем?

— Она в яме вилами корм для коров доставала, а тут силосораздатчик сломался и на нее целую тонну комбикорма высыпал. Враз задохнулась, — спокойно пояснила женщина. — А о Ксюхе бумага есть.

— Какая?

Лена встала, выдвинула ящик буфета, порылась и подала мне листок.

— Вот.

Справка из больницы №1754. «Ксения Федина находилась на лечение, доставлена с травмами, несовместимыми с жизнью. Скончалась 28 сентября. Тело кремировано, как невостребованное». Ни даты, ни круглой печати, только подпись — доктор Иванов и штамп. Филькина грамота! Да еще с грамматической ошибкой — на лечениЕ. Ни один здравомыслящий человек не поверит данному, с позволения сказать, «документу». Но тот, кто состряпал бумажонку, хорошо знал Ксюшиных родственников, для них подобная справка — документ.

— И вы, конечно, не в курсе, где она похоронена?

Лена пожала плечами. Ну не дура ли! О каком невостребованном теле может идти речь, когда «извещение» отправили родственникам?! Впрочем, бабе просто все равно: умерла сестра мужа, и ладно!

— У нее есть кто из близких?

— Только мы, — быстро ответила Лена, — наследство наше.

— А Витька? — очнулся муж. — Витька-то...

Женушка пнула его ногой, но поздно. Я сердито сдвинула брови и сообщила:

— Сокрытие родственников при получении

наследства карается по закону, можно в тюрьму угодить. Кто такой Витька?

— Тоже мне, родственник, — фыркнула Лена, — сколько лет не виделись, одно название.

— Кто он? — настаивала я.

— Брат ихний старший, — пояснила Лена, — в Москве живет, богатым стал, загордился. Домой носа не кажет, помощи никакой...

— Адрес давайте!

Лена вздохнула и вновь полезла в буфет. На этот раз она долго рылась в коробочке и, наконец, сообщила:

— Приютский переулок, дом один.

— Кто еще есть из родственников?

— А никого, — сказала женщина, — четыре брата было и Ксюха, ну и мать еще. Сенька помер, Костька сидит, Раиса Петровна задохнулась, Ксюха тоже убралась. Только и осталось, что Васька мой, да Витька-хмырь.

— Константин когда выйдет?

— Никогда, — пояснила Лена, — пожизненное получил за убийства, девять человек порешил, маньяк!

Я только вздохнула, ну что за люди могли вырасти в подобной обстановке? Только алкоголики да маньяки.

Глава 9

Домой я вернулась около десяти вечера в отвратительном физическом и моральном состоянии, крайне злая и усталая. Даже за миллион долларов не выйду больше сегодня из дому.

Впрочем, подняла голову жадность, за миллион обязательно побегу, не задумываясь. Хотя пока никто не собирается предлагать мне подобные суммы. Сейчас лягу на диван, возьму детективчик и пару бутербродиков...

Но не тут-то было. Открывшая дверь Юля буркнула:

— Иди скорей на кухню, ждем не дождемся!

— Что случилось? — испугалась я, оглядывая домашних и животных.

Вроде все живы, крови и бинтов не видно.

— Пока ничего, — ответила Катя, — вы меня сейчас внимательно послушайте, дело серьезное, требует совместного решения.

После подобного заявления все помрачнели еще больше и уставились на Катерину. Та смахнула худенькой рукой волосы со лба и начала выкладывать ошеломляющие новости.

Несколько лет тому назад Катя оперировала милейшую тетку, Евгению Николаевну, архитектора. Потом они слегка подружились, архитекторша пару раз приходила в гости, а Катя ездила к ней на дачу. Милые, добрые, приятельские отношения, почти дружба.

Сегодня Евгения Николаевна в страшном волнении позвонила Катюше и велела ждать своего приезда. Недоумевающая подруга осталась дома, гадая, что могло приключиться с бывшей пациенткой.

Примерно около двух Евгения Николаевна, расшвыривая в разные стороны собак и кошек, влетела на кухню и шлепнула на стол папку.

— Вот, — сказала она.

— Что это? — изумилась Катерина.

Архитекторша плюхнулась на стул и принялась, размахивая руками, объяснять. Суть вкратце такова. Летом будущего года на месте переулка, где стоит наш дом, начнут прокладывать огромный проспект, часть третьего кольца. Причем прямо под нашими окнами пройдет линия так называемого «легкого» метро, а попросту, надземка, городская электричка, альтернатива троллейбусам и трамваю. Только метрополитен упрятан под землю, а эта бегает поверху, оглашая окрестности диким ревом. Добрый мэр велел установить вдоль будущей трассы шумозащитные щиты, только они в данном случае помогут мало, мы гарантированно лишимся покоя и сна.

Проект держится в страшном секрете, чтобы москвичи, оказавшиеся в «зоне риска», не подняли вопль и не начали ходить с транспарантами вокруг мэрии. Собственно говоря, пострадают только три башни. Наша и две соседние. Остальные дома, пятиэтажки первой серии из унылых, серых блоков, подлежат сносу. Их разберут, а жителям дадут новые квартиры в Митино или Марьино, а может, в Бутово. Во всяком случае, не в центре.

Нас же никто переселять не собирается, и очень скоро жизнь превратится в кошмар.

— И что делать? — испугалась Катя.

— Быстро продавать квартиру и покупать в другом месте, — посоветовала Евгения Николаевна, — причем, действовать следует немедленно. Как только до риэлторских контор дойдет слух о строительстве проспекта, цена на ваши хоромы упадет ниже некуда.

Перепуганная Катерина, подталкиваемая энергичной Евгенией Николаевной, побежала в контору по продаже недвижимости. У активной Евгении Николаевны имелась подружка, весьма успешно работающая агентом.

В фирме их встретили с распростертыми объятиями и моментально выдали большой лист со списком квартир, приготовленных на продажу. Катя сразу наткнулась на подходящий вариант.

— Две квартиры, соединенные в одну. Прямо как наша, — щебетала подруга, — и самое главное! В двух шагах отсюда, Майский переулок. Дом хороший, кирпичный, потолок три метра...

— Боже, — пришла в ужас Юля, — нам придется делать ремонт и переезжать, просто катастрофа!

— Это не катастрофа, — отрезала Катя, — ужас начнется, когда под окнами понесутся электрички, прикинь на минуту: летом жара, духота, а мы паримся в закрытом помещении.

— Почему в закрытом? — удивился Кирюшка.

— Потому что окна из-за грохота открыть нельзя.

— А куда денется наша хата? — поинтересовался Сережа.

— Там целая цепочка, — ажиотировалась Катя. — Семья Никитиных разъезжается. Дети отправляются в двухкомнатную, родители в трехкомнатную. Из трех комнат люди переезжают в две. А из тех двух Петровы отправляются в четыре, а уже из этих четырех Михалевы едут в наши, вместе с Поповыми из трехкомнатной, куда переселяются старшие Никитины. Понятно?

У меня закружилась голова, но на всякий случай я кивнула.

— Они хотят жить в коммунальной квартире? — изумилась Юля.

— Кто? — спросила Катя.

— Ну Поповы с Никитиными...

— Они родственники, двоюродные сестры, и хотят жить вместе.

— Зачем? — изумилась я.

— Ну это не наше дело, — начала потихоньку закипать Катерина, — завтра пойдем. Поглядим на квартиру и, если подойдет, тут же оформим сделку, нужно успеть до Нового года.

— Почему? — спросил Кирюшка.

— Ну, — слегка растерялась Катюха, — так в агентстве сказали, вроде в январе могут начаться трудности.

— Какие?

— Не знаю, — рассердилась Катя, — да вы не волнуйтесь, если нам в Майском понравится, Сонечка бумаги оформит, везде пробежит, останется только подписи поставить.

— Кто такая Сонечка? — насторожилась Юля.

— Риэлторша, подруга Евгении Николаевны...

— Небось думает до Нового года комиссионные получить, вот и торопит, — буркнул Сережка.

— Впрочем, — вздохнула Катя, — я не настаиваю. Не хотите — не надо. Правда, потом станем локти кусать. Да, боюсь, поздно.

Поспорив еще с полчаса, мы достигли консенсуса. Завтра утром смотрим предлагаемую жилплощадь и принимаем окончательное решение. Не успела я двинуться в ванную, как где-то запищал телефон.

В нашей семье первой на звонок всегда отвечаю я. И тому есть множество причин. Очень часто Катю беспокоят надоедливые люди, ипохондрики, желающие поплакаться. Я знаю их всех наперечет и холодным голосом отвечаю:

— Нет дома.

Юлечка боится, что начнут разыскивать из редакции, а Сережка хочет провести вечер спокойно. Но его начальник обожает трезвонить после семи и раздавать путаные, часто взаимоисключающие указания. В мои обязанности входит говорить всем коротко:

— Хозяева отсутствуют.

Впрочем, после подобного заявления у ребят начинают надрываться пейджеры, но, в конце концов, это односторонняя связь. Мы давно хотим купить автоответчик. Только на дорогую игрушку все время не хватает денег. То Кирюшка разобьет ботинки, то поломается чья-нибудь машина... Так что пока роль секретаря выполняю я.

Писк несся из гостиной. Кто-то бросил трубку возле телевизора.

— Алло, — пропела я, чуть задыхаясь.

— Вас беспокоит телефонный узел, — завел безукоризненно вежливый мужской голос, — если не оплатите счет на две тысячи четыреста рублей, будем вынуждены отключить телефон.

— Какой счет! — возмутилась я.

— За разговор с Минском.

— Тут ошибка, — с жаром кинулась объяснять я, — с Белоруссией мы не созванивались.

— Не знаю, не знаю, — настаивал голос, — вот он счетик — две тысячи четыреста.

— Черт-те что, — возмутилась я, — может, перепутали?

— Вполне возможно, — неожиданно легко согласился собеседник, — давайте адрес, проверю.

Мой рот раскрылся, чтобы начать диктовать координаты, но вдруг неприятное подозрение затормозило процесс. Телефонная станция? Почти в полночь? И потом, голос мужской, как правило, там трудятся женщины, а последнее время звонит компьютер. Мы один раз забыли внести плату за месяц, и я долго не могла понять, что за существо вещает в трубке замогильным тоном.

— Поздно работаете, ночь уже!

— Из дома звоню, — вздохнул мужик, — нам сдельно оплачивают за каждого неплательщика. Вот завтра сбегаете в сберкассу, мне дадут десять рублей. Да днем я тоже пытался дозвониться, только никого не было.

Ситуация прояснилась. Но все равно какое-то чувство подсказывало: дело нечисто. Решение пришло моментально. На нашей улице три абсолютно одинаковые блочные башни, похожие, как яйца. Ничего не случится, если я сообщу номер соседнего дома, а завтра позвоню на телефонный узел и узнаю в отделе расчета — правда это или нет. И если мужик не соврал, извинюсь и продиктую правильный адрес, а то ведь сейчас не отвяжется...

— Пишите...

— Давайте, — ответил мужик.

Сообщив слегка неверные сведения, я швырнула трубку на диван, и она тут же запищала вновь. Теперь беспокоил Олег Яковлевич Писемский, желавший узнать, как идет расследование.

— Пока ничего утешительного. Скажите, Олег, вы вроде говорили, будто у Ксюши в Селихове тетя?

— Да, — подтвердил мужик, — жена так рассказывала. Все родственники скончались, осталась лишь сестра отца Раиса Константиновна.

— Может, Раиса Петровна?

— Сейчас проверю.

В трубке воцарилась тишина, несколько минут до уха доносилось потрескиванье, потом Писемский уверенно произнес:

— Здесь написано тетя Раиса Константиновна, деревня Селихово.

— Они общались?

— Нет, Ксюта говорила, будто тетка ее терпеть не может...

Было над чем подумать! Неужели девушка перепутала отчество родной матери, превратила ту в тетку, да еще сообщила неверную улицу? Хотя, если вспомнить семейную обстановку в Селихове... Наверное, Ксюша побаивалась, что родственники, узнав об удачном замужестве дочери и сестры, моментально сядут на шею Писемскому, требуя материальной помощи. А мать она превратила в тетку из простого соображения — не хотела выглядеть в глазах супруга плохой дочерью. Непонятно лишь одно, зачем она изменила отчество...

Я набрала номер Писемского и спросила:

— Извините, Олег, а на свадьбу она тетку не звала?

— Я предлагал ей, — ответил мужик, — но Ксюша отказалась, сказала, что тетка ее постоянно обижала, попрекала куском хлеба. Я, помнится, возразил, что кто прошлое помянет — тому глаз вон, давай поможем твоей тете, денег пошлем! А она жутко занервничала, чуть не заплакала...

Я отключилась и пошла спать. Утро вечера мудренее.

На следующий день, часов в двенадцать, мы стояли в Майском переулке и дивились на дом. Здание оказалось не кирпичным, как обещали в агентстве, а блочным. Более того, оно точь-в-точь походило на наше. Да и квартиры, соединенные в одну, оказались такие же, лишь стены оклеены чужими обоями, и вокруг стоит незнакомая мебель.

— Ну и что мы выиграем? — напустилась на Катю Юля. — Даже смешно, будто дома побывали!

— Какой-то цыганский бизнес получается, — вздохнул Сережка.

— Почему цыганский? — удивился Кирюшка.

— Цыган покупал в магазине яйца по пятнадцать рублей, варил их и продавал на рынке за те же пятнадцать. А когда его спросили, где прибыль, он ответил: во-первых, остается бульон, а во-вторых, я при деле.

— Разве от вареных яиц получается бульон? — изумился Кирка. — Вода водой и остается!

— То-то и оно, — усмехнулся Сережка, — мы тоже только головную боль получили, ремонт да переезд, а квартирка точь-в-точь наша.

— Лучше подумай о перспективе жить прямо над железной дорогой, — рассердилась Катя, — по-моему, это просто счастье, что квартира похожа. Все останется по-прежнему, только избежим шума.

Тихо переругиваясь, мы пошли назад. Дети и Катя поднялись наверх, а я, вспомнив, что у нас нет ни куска хлеба, завернула за угол соседнего дома, там прямо у подъезда стоит вагончик с горячими батонами. Но на этот раз булок не оказалось. Входная дверь башни была распахнута настежь, возле ступенек припарковались «Скорая помощь», милицейский микроавтобусик, рядом толпились возбужденные жильцы.

— Что случилось? — поинтересовалась я у молодой женщины, держащей на руках щекастого ребенка в синем комбинезоне.

— Ужас! — ответила та. — Верку Зайцеву ночью убили из сорок девятой. Такой кошмар, вроде ей голову отрезали, а у Марьиных, этажом ниже, по потолку утром кровавое пятно пошло. Они просыпаются, а им на подушку кап-кап... Жуть, с ума сойти.

У меня в голове бешено завертелись мысли. Наша квартира тоже номер сорок девять. Когда Катюша и Юлечка разбили стены, превратив свои квартиру в одно помещение, вход сделали через двухкомнатную, принадлежавшую девушке. И я вчера дала назойливому мужику с телефонной станции наш адрес, изменив только номер дома. То есть, получается, сообщила я координаты некой Веры Зайцевой...

— Глядите, — толкнула меня молодая мать, — несут!

Из подъезда и впрямь показались мужчины, тащившие нечто, больше всего похожее на гигантскую оранжевую мыльницу, внутри которой виднелся черный пластиковый мешок.

Толпа тихонько загудела, кое-кто вытянул шеи, пытаясь получше рассмотреть тело. Но зевак ждало разочарование. Мешок был наглухо закрыт. Санитары принялись засовывать носилки в трупповозку. Из дверей вышла группа мужчин. Впереди с папкой под мышкой шел майор Костин.

— Володя! — обрадованно крикнула я.

Майор притормозил, провел взглядом по любопытным и удивился:

— Лампа, ты откуда?

— Хороший вопрос, — усмехнулась я, — ты забыл, что мы живем в соседнем доме. Вот выскочила хлеба купить, а тут такое! Пойдем к нам, суп есть вкусный и котлеты.

— Здорово, — обрадовался майор и крикнул, — давайте, ребята, без меня возвращайтесь, пообедаю и приеду.

Мы медленно двинулись в сторону проспекта, все-таки надо было купить батон!

С Володей нас свела судьба недавно. Он расследовал дело, к которому оказались причастны мы с Катей, и проявил он себя тогда как отличный профессионал, моментально разобрался что к чему и вычислил преступников. Майор сразу понравился всем в доме. Я так и не могу понять, то ли он отличный психолог, то ли просто добрый человек, но с Сережкой он беседует о рекламном бизнесе, с Юлей — о теории и практике газетного дела. При виде Костина поднимают невероятный шум собаки, потому что знают, этот гость сейчас вытащит из пакета замечательные подарки — кости с бычьими жилами. Между прочим, весьма недешевое лакомство. Кирюшку майор «купил» моментально, дав тому подержать в руках табельное оружие, ну а мне таскает детективы. И откуда только узнал о моей невинной слабости!

Мы вошли в булочную, и Володя мигом рванул к тортам.

— Слышь, Лампа, какой лучше взять: «Полет», «Марику» или «Птичье молоко»?

Я усмехнулась:

— Если хочешь всем сделать приятное, прихвати пирожки с мясом, здесь их отлично пекут. А сладкое только Кирюшка уважает, больше никто не ест.

Щедрый майор моментально набил пакет пирогами, схватил три киндер-сюрприза, «Птичье молоко». Я купила батон, и мы пошли домой.

Встретили нас радостными криками. Раздав подарки, Володя, хитро прищурившись, вытащил несколько детективов. И откуда взял? Неужели носил в портфеле на всякий случай.

— Класс, — завопил Кирюшка, ломая шоколадное яйцо, — динозаврик!

— Как дела? — спросила Катюша, наливая суп.

— Дела идут, контора пишет, — отозвался майор, быстро-быстро глотая наваристые щи, — ну, Лампа, супец ты варишь первый сорт.

Вот ведь дамский угодник! Впрочем, тут он прав, щи я делаю по всем правилам, с большим куском мяса, лук и морковку пассирую и обязательно кладу свежие помидоры.

— А что случилось у соседей? — поинтересовалась я, когда вслед за супом исчезли и котлеты.

— Жуткая дрянь, — произнес Костин, вытаскивая сигареты. — Некая Вера Зайцева не поладила с любовником, и он ее зарезал кухонным ножом. Словом, бытовуха, ничего интересного. Сели, выпили, добавили, поругались, схватились за ножи... Сплошь и рядом такое.

— Почему решили, что любовник? — удивилась я.

— Да там все ясно, — отмахнулся Костин, — он к ней вчера вечером пришел уже под газом, а Вера его на пороге обматерила, соседка слышала. Ругать отругала, но впустила. Впрочем, она сама была не дура выпить, частенько за воротник закладывала. Ну, очевидно, пошли в комнату и продолжили праздник, а потом кавалер и прирезал даму. Да еще ухитрился ей по горлу полоснуть. Кровищи хлестало! А сам, очевидно, совсем пьяный был, потому что добрел до дивана и рухнул. Зайцева осталась на полу лежать, и к утру у соседей внизу с потолка закапало. Они и вызвали милицию.

— Странно, что тебя туда направили, — вздохнула я, — почему не районное отделение.

— Зайцева — дочь высокопоставленной шишки, — пояснил майор, — папенька ее — замминистра, вот мне и велел проследить.

— Надо же! — удивилась Юля. — Отец при чинах, а дочь балбеска.

— Еще не такое бывает, — продолжал Костин, — подчас положение родителей лишь усугубляет дело. Детки-конфетки ни в чем отказа не знают и живут, как хотят. Повяжешь такого, вот где головная боль начинается — звонки, вызовы к начальству, просто мрак. Этот-то, который Зайцеву прирезал, ни больше ни меньше как сынок Бурлевского.

— Федора Бурлевского? — изумился Сережка. — Продюсера группы «Делай, как я»?

— Точно, — подтвердил Володя, прихлебывая кофе, — именно Федора. Представляю, что сейчас начнется. Папаша Зайцевой против папаши Бурлевского. Просто борьба слона с тигром. Только чует мое сердце, в результате больше всего нагорит мне. Слава богу, хоть дело ясное. Сыночек на диване дрых, когда мы вошли, нож рядом, отпечатков полно.

— Он признался? — спросила я.

— Он пока ничего не соображает, — отрезал Костин, — лыка не вяжет...

— Сколько же надо выжрать, чтобы за ночь не очухаться? — изумился Сережка.

— И не говори, — вздохнул Володя, — прям беда. А уж квартира-то! Разгром полный, мы сначала подумали, что кто-то там обыск проводил — вещи на полу, белье грязное и книги вперемешку с продуктами. Только соседка сказала, что Зайцева всегда в подобном пейзаже жила. Неаккуратная, жуть. Меня чуть не вывернуло, когда стада тараканов увидел!

— Фу, — вмешалась Катя, — давайте переменим тему, лучше послушай наши новости.

И она стала рассказывать про новый проспект, линию надземки и предстоящий переезд. Я начала потихоньку мыть посуду. Слава богу, Зайцева погибла в результате пьяной разборки, а то мне на какую-то страшную минуту показалось, будто я виновата в смерти несчастной, дав ее адрес мужику с телефонной станции.

Чтобы окончательно успокоиться, я ушла в спальню и позвонила на телефонный узел. Сегодня воскресенье, но там всегда есть дежурный. Через две минуты милый, очень вежливый женский голос терпеливо отвечал на мои дурацкие вопросы. Да, у них работают мужчины. Но только монтерами или другими техническими сотрудниками. На расчетах сидят сплошь женщины, и они теперь сами не звонят должникам, для этого есть компьютер. Никаких лиц мужского пола, подрабатывающих обзвоном, на станции нет.

Я тупо села в кресле, глядя на противно пищащую трубку. В голове вновь зароились мерзкие подозрения. Кто же вчера пытался узнать наш адрес и как связано с этим звонком убийство несчастной Веры Зайцевой?

Глава 10

Рассудив, что вечер воскресенья самое лучшее время для того, чтобы застать человека дома, я поехала к Виктору Федину, брату Ксюши, выбившемуся в богатеи.

На звонок в дверь ответил звонкий детский голос:

— Вам кого?

— Позови папу.

Дверь распахнулась, и на пороге возникла женщина лет тридцати.

— Извините, — пробормотала я, — мне показалось, ребенок спрашивает.

— Да я уж привыкла, — засмеялась хозяйка, — что по телефону, что за дверью... Вечно говорят: детка, позови папу. Я сопротивляться перестала и просто мужа зову. Вы к Виктору?

— Да.

— Витя! — крикнула жена. — Выгляни, к тебе пришли.

— Иду, — донеслось из коридора, и в холл вышел полный, слегка обрюзгший парень на пороге тридцатилетия, — чем обязан?

Секунду поколебавшись, я спросила:

— Вы брат Ксении Фединой?

Хозяин сердито сдвинул брови:

— Вроде да, только если вас из Селихова за деньгами послали, можете возвращаться. Я на пьянку не даю.

— Скажите, Ксюша к вам не обращалась на днях?

— А что случилось? — поинтересовался Виктор.

— Давайте в комнату пройдем, — предложила я.

— Идите, — весьма нелюбезно предложил Федин, — да сапоги снимите, грязь на улице.

Покорно натянув протянутые резиновые шлепки, я пошла за Виктором. Меня привели в элегантно обставленную гостиную, указали на кожаное кресло и слегка свысока велели:

— Излагайте проблему.

Решив не обращать внимания на хамский тон, я довольно миролюбиво произнесла:

— Давайте сначала познакомимся. Романова Евлампия Андреевна, частный детектив. Меня нанял муж Ксении Фединой. Дело в том, что она пропала, и супруг крайне этим обеспокоен. Вы давно не виделись с сестрой?

Виктор крякнул:

— Ксюха вышла замуж? Небось за состоятельного мужика, раз он вас к работе привлек. Надо же, а я думал это так, ерунда, просто кавалер...

— Вы знаете ее супруга? — осторожно спросила я.

Виктор вздохнул:

— Она у меня денег просила, да родственнички, впрочем, всегда бабки тянули, пока Таисия, жена моя, их не шуганула.

— И правильно сделала, — донесся из коридора детский голос, — просто цыганский табор ненасытный. Ты бы, Витюша, все по порядку рассказал...

Виктор опять вздохнул и протянул:

— Может, я и не прав был, что тугрики Ксюхе не отсчитал тогда, только надоели эти просьбы до полусмерти.

— С самого начала рассказывай, — велела жена, вбегая в гостиную, — все объясни, и про интернат, и про болезнь...

Муж махнул рукой:

— Ладно, только не знаю, чем вам это поможет.

У Раисы Петровны Фединой один за другим рождались сыновья. Отца их никто в глаза не видывал, и мальчишек звали в Селихове байстрюками. Виктор оказался последним в череде мальчиков, потом в деторождении наступил пе-

рерыв на пять лет, а затем на свет явилась Ксюша. Больше Раиса Петровна не плодила нище-
ту. То ли кавалеры закончились, то ли болезнь
завелась. Витя вспоминал детство, как кошмар.
Зимой они сидели в нетопленой избе, денег на
дрова и уголь не было. Рубашки, брюки и обувь
он донашивал за старшими, чайник мать разрешала кипятить только два раза в день, чтобы не
переводить зря дорогой баллонный газ. Правда,
ели они хорошо, выручал огород. Но пища была однообразная, хоть и сытная — картошка,
молоко, яйца, лук...

К Новому году забивали кабанчика, впрочем, частенько варили курицу. Пеструшек по
двору бегало немерено. Но разных городских
лакомств не покупали — шоколадные конфеты,
мармелад, сгущенку, любительскую колбасу и
апельсины Витя попробовал только тогда, когда на его голову свалилась болезнь.

Сначала у парня просто ныли ноги, потом
однажды он не смог встать. Когда сын, исходя
криком от боли, отвалялся на кровати месяц,
Раиса Петровна, тяжело вздохнув, вызвала доктора. Она была абсолютно уверена — Витька
валяет дурака, чтобы не ходить в школу. Мальчишка и впрямь терпеть не мог учение и пользовался любой возможностью сбежать с уроков.

Старенькая докторша долго щупала горев-
шие огнем неподвижные ноги и сурово сказала:

— Раньше почему не обратились? Теперь в
больницу повезем.

— Не надо, — замахала руками Раиса Петровна, — лучше укол сделайте.

— У вашего сына неприятная вещь, — грозно нахмурилась терапевт и произнесла длинное, малопонятное слово.

— Ага, — растерялась Раиса, — он че, помрет?

— Нет, — со вздохом сказала врач, — но станет инвалидом, передвигаться сможет лишь на костылях, ну в лучшем случае с палкой!

— Не — замотала головой Рая, — пусть дома лежит, коли так. Вы же его небось в райцентр свезете.

— В Москву, — ответила терапевт, думая, что обрадует мать.

Но та расстроилась:

— Во, в столицу, туда не наездишься, один билет сколько стоит, не, пускай уж тут гниет, все равно не помощник растет.

Докторица сначала растерялась, но потом вызвала машину и, пригрозив милицией, отправила Витю в клинику.

Не было бы счастья, да несчастье помогло. Виктору сказочно повезло. В палате вместе с ним лежало еще четверо мальчишек, дети отлично обеспеченных родителей. Чего только не таскали им любящие папы и мамы. На столике громоздились интересные книжки, в углу работал телевизор.

Каждый день в палату приходили санитары и развозили ребят по классам. Писали полусидя в кроватях, на специальных досочках, и неожиданно Вите понравилось учиться.

В клинике он провел два года. Мать приехала всего один раз, привезя в качестве подарка наволочку, набитую яблоками-падалицей.

— Ты их съешь быстренько, — наставляла родительница, — а то погниют.

На следующий день к Витюшиной кровати подошел сам главврач, картинно-красивый, седовласый Михаил Николаевич, и завел длинный разговор о мужестве, тяжелых испытаниях и настоящем мужском характере.

Из долгих речей Витя понял одно — мать от него отказалась, и ему предстоит после излечения отправляться в детдом. Присмиревшие соседи по палате тут же растрепали новость родителям, и на Виктора обрушился шквал подарков. Но самый дорогой сделал ему главврач, поговорил кое с кем в Министерстве просвещения, и паренька отправили не в приют по месту прописки родителей, а в экспериментальный детский дом, где директорствовала Ольга Петровна Куликова.

Из больницы его провожал весь медперсонал, сам Михаил Николаевич доставил парнишку на новое местожительство в машине. Только не подумайте, что паренек не мог двигаться. Очевидно, болезнь захватили в самом начале, потому что Витюша ловко ходил, а через год стал бегать и прыгать. Палку и костыли он никогда не брал в руки.

В детдоме ему дали отличную профессию парикмахера, а как стукнуло шестнадцать, прописали в комнате на Симоновом Валу и устрои-

ли на работу в салон «Русалка». И тут выяснилось, что у Вити золотые руки, необыкновен-
ный талант. Из нескольких тоненьких волос он
сооружал пышную прическу, его стрижки пора-
жали четкостью линий и необычностью. Спустя полгода клиенты ломились к юноше толпа-
ми, затем последовало приглашение в «Чаро-
дейку», следом на него обратили внимание
эстрадные актеры... Витюша стал гордо назы-
ваться стилистом, открыл собственное дело,
купил квартиру, машину, женился... Расцвета
он достиг пять лет назад, получив во Франции,
на международном конкурсе парикмахеров,
главный приз — «Золотые ножницы».

Вот тут к нему со всех ног кинулись газетчики, в основном дамы. Под предлогом интервью
женщины усаживались в кресло, и Витя, щелкая ножницами и манипулируя расческами,
рассказывал о себе, сооружая на голове у жур-
налисток прически.

Четыре года назад, зимой, Виктор отдыхал у
телевизора после напряженного дня. Неожи-
данный звонок в дверь заставил его вздрогнуть.
Чертыхаясь, парикмахер открыл и обомлел. На
пороге, улыбаясь, с грязным пакетом в руках
стояла Раиса Петровна.

— Не признал маму? — спросила она. — Что
же ты, Витька, загордился совсем, о родне не
вспоминаешь.

Витя, считавший своей матерью директрису
детдома Ольгу Петровну, поморщился, но сказал:

— Проходи.

Раиса Петровна ввинтилась в прихожую, стащила боты, потертое пальто и принялась ахать.

— Богато живешь, сынок, ну и мебель, а картины, а пол блестит!

Следом полились жалобы. Крыша прохудилась, корова подохла, дрова кончились...

— Сколько? — спросил Витя, понимая, что иначе от попрошайки не отделаться.

— А сколько не жаль? — быстро сказала Раиса Петровна.

По своей крестьянской хитрости она боялась назвать сумму, чтобы не продешевить.

Витя вытащил портмоне, отсчитал несколько бумажек и сунул Раисе. Та быстро запихнула деньги в носовой платок и принялась рассказывать о плохом здоровье. Витя весь извелся, поджидая, пока назойливая посетительница уйдет.

Дней через десять вновь объявились гости. На этот раз старший брат Василий, надевший ради визита в город невероятный двубортный костюм с обтрепанными рукавами.

— Здорово, братуха, — заорал он с порога, пытаясь обнять Витю, — давненько не видались, давай со свиданьицем.

И он вытащил из кармана бутылку дешевой водки. Пришлось приглашать мужика на кухню, выставлять на стол угощение. Виктор, на дух не переносящий спиртное, только пригубил омерзительно воняющее сивухой пойло, все остальное выхлебал Василий. Как все алкоголики, братец моментально пьянел и терял человеческий образ.

Утром Таисия поманила мужа в ванную. Супруг вошел туда и ахнул. Милый брат, очевидно, никогда не видавший биде, использовал его вместо унитаза.

— Я за ним говно выносить не стану, — отрезала Тая и сунула супружнику в руки тряпку, — твои родственнички, тебе и убирать!

От алкоголика удалось избавиться, только сунув ему несколько бумажек. Но на этом ужас не закончился. «Любимые» родственники начали без конца наезжать в Москву с жалобами и просьбами. Таисия терпела, терпела, но однажды, когда весной Раиса Петровна явилась с очередным требованием денег, невестка не выдержала. Вышвырнув на лестницу пакет с подгнившими яблочками, Тая заорала:

— Вы от него официально отказались, Витька вам больше не сын, пошла вон отсюда, побирушка проклятая.

— Тише, тише, — замахала руками свекровь, — незачем нам свариться, дай только копеечку.

Но Таисия не на шутку разозлилась. Она ухватила свекровь за плечи и пинком вытолкала ту за дверь. Невестка ничего не боялась, Виктор уехал в Будапешт на конкурс парикмахеров и не мог защитить Раису.

После этого случая визиты прекратились, зато пошли письма. Тая, встававшая рано, чтобы прогулять собаку, частенько вытаскивала из почтового ящика мятые конверты. Послания тут же отправлялись в мусоропровод, до Виктора они не доходили, жена не хотела волновать мужа.

Вскоре поток корреспонденции иссяк, и Таисия немного успокоилась. Вновь занервничала она несколько лет тому назад, в ноябре. Придя с работы, Тая нашла на кухне Витю и моложеньку девушку.

— Сестра моя, Ксюша, — пояснил супруг, — поступила в экономическую академию, в гости вот заглянула.

Женщина окинула новую родственницу взглядом. Студентка не походила на алкоголичку и выглядела аккуратно. Но ее одежда была крайне дешевой, обувь — проще некуда, к тому же болезненная худоба без слов свидетельствовала о недоедании. Дождавшись, пока Виктор уйдет на лестницу курить, Таисия резко спросила:

— Тебе небось денег надо?

— Ну, вообще-то, — растерялась Ксюша, — только в долг, заработаю и отдам.

Тая вытащила банкноты и велела:

— Можешь взять, но только учти, больше не приходи, Витя не станет вам помогать, цыганам бессовестным. Бросили его сначала в больнице, потом в детдоме, а теперь обрадовались, упыри.

Ксюша молча встала и пошла в прихожую. Ассигнации она оставила на столе. С тех пор больше Таисия девушку не видела. Но у Виктора была еще одна встреча с ней полтора года назад. Его затащили на презентацию нового альбома Алисы Сон. Алиса была одной из клиенток Виктора, крайне капризной, но денежной. Отказываться показалось не с руки. Первый, кого он увидел, был известный продюсер Федор Бурлевский с дамой. На девушке красовалось роскошное вечернее платье, дорогое, но безвкусное. Молоденькое личико покрывал толстый слой косметики, из волос чьи-то умелые руки соорудили невероятную прическу, а на носу сидели элегантные очки с затемненными стеклами.

Виктор удивился до крайности, когда услыхал, что девчонку зовут Ксюша Федина. Так ее окликал Бурлевский, именно называя и фамилию — Ксения Федина. Виктор принялся исподтишка наблюдать за девчонкой, гадая: это его сестра или однофамилица. Возраст вроде совпадал, но волосы были другого цвета и лицо густо-густо накрашено.

Впрочем, как парикмахер, он великолепно понимал, что шевелюру можно изменить за полчаса. Весь вечер Виктор терялся в догадках, но с Бурлевским он не был хорошо знаком, а Ксюша мило всем улыбалась, и в ее лице ничего не менялось, когда взгляд фокусировался на стилисте. В конце концов он совсем было собрался подойти к девушке, но тут Бурлевский крикнул:

— Дорогая Ксения Федина, пора!

Ксюта одарила всех улыбкой. Виктор машинально отметил, что прежде плохие, неровные и желтоватые зубы сестры сейчас радовали глаз белизной. В голливудский оскал было вложено немало средств.

— И больше вы не встречались? — спросила я, когда Виктор замолчал.

— Нет, — покачал головой мужчина, — ни разу.

— И слава богу, — добавила Таисия, — нам такие родственнички без надобности, что богатые, что бедные... Одинаково противные. И вообще, где они были, когда Витюша в больнице гнил, а потом в детдоме по ночам плакал! Никто не приехал, гостинчик не привез, вычеркнули из жизни, и все.

— Ну, Ксюша, предположим, совсем маленькая была, — попробовал встать на защиту сестры брат.

— Да удаленькая, — не успокаивалась Таисия, — как деньги понадобились, живо прилетела...

Домой я ехала грустная. Подчас родственники бывают друг к другу безжалостны. Братья и сестры могут переругаться до полусмерти, пытаясь делить наследство, бросают родных в трудной ситуации... Стоит только вспомнить, как обошлись жена и дочь с Олегом Яковлевичем Писемским, когда тот попал в тюрьму. Со спокойной душой отказались от мужа и отца. Неудивительно, что теперь, став обеспеченным, мужик не хочет иметь с прежней семьей ничего общего. На память пришел мой собственный экс-супруг Михаил и, чтобы выбросить из головы тягостные мысли, я купила на лотке новехонькую Дашкову и с упоением погрузилась в увлекательное чтение.

Глава 11

Дома никого не было. На холодильнике висела записка: «Лампа, отправились за подарками». Внизу было приписано другим почерком: «Мать вызвали в больницу». Все понятно, дети решили готовиться к Новому году. Праздник уже не за горами, и следует подумать о презентах. Неплохо бы и мне включиться в предпраздничную суету. Встречать собираемся дома, в узком кругу, ну Володя придет, больше никого не ждем...

Хорошо бы слегка убраться. Полная энтузиазма, я влезла в старый Сережкин спортивный костюм и принялась стаскивать с полочки в кухне статуэтки. Катюша собирает гжель, и бело-синие фигурки, чайнички, сахарницы вкупе с медовницами да кружечками просто заполонили кухню. Пользоваться ими по прямому назначению она не дает, поэтому коллекция медленно покрывается пылью и жирным налетом. У меня давно чесались руки добраться до грязной красоты, но Катерина кричит как ненормальная, когда кто-нибудь приближается к полочкам.

— Не троньте, разобьете! Сама помою.

Но ей катастрофически некогда, и сегодня очень удачный день, чтобы навести чистоту.

Минуты через две мне надоело носить вазочки и масленки по одной в ванную. Я взяла наволочку и аккуратно принялась складывать туда посуду. Сейчас осторожно оттащу все разом...

Вдруг за спиной прогремел голос:

— А ну, паскуда, руки за голову и слазь с табуретки.

От неожиданности мои ладони разжались, и прехорошенький самоварчик упал на пол. На пороге кухни стояло несколько милиционеров, их хмурые лица не предвещали ничего хорошего.

— Кто вы? — залепетала я, пытаясь удержаться на шаткой табуретке. — Как сюда попали?

— Ну и наглая, — буркнул один.

— Облом у тебя вышел, — добавил второй, — квартирка на пульт подключена, собирайся в отделение.

— Фу, — вздохнула я, — все в порядке, ребята, я живу тут, просто забыла охрану снять, когда вошла.

— А зачем посуду в мешок складываешь? — поинтересовался один, рыжеволосый и конопатый.

— Решила вымыть.

— Ага, — хихикнул другой, толстый и довольно неуклюжий, — надо же такой дурой быть, красивые, дорогие вещи в мешке до ванной тащить.

— Паспорт предъявите, — велел рыжий.

— Видите ли, его нет.

— Да? — издевательски спросил толстяк. — Дома документики не держим?

— Я развелась с мужем и обратилась в паспортный стол с просьбой обменять паспорт.

— Имя, отчество, фамилия, — велел рыжий.

— Романова Евлампия Андреевна.

Мент схватил телефон и велел:

— Ну-ка быстренько справочку на Евлампию...

— Стойте, стойте, — завопила я, — по документам я — Ефросинья.

— С ума сойти, — вспылил толстяк, — ты нас совсем за идиотов держишь! Стоишь на кухне с мешком дорогой посуды, документов не имеешь и собственного имени не помнишь! Слезай, пока по-хорошему разговариваем!

Вздохнув, я слезла с табуретки и покорно дала себя увести. Скоро явится Катя, прибегут дети, и недоразумение выяснится. Все равно мне никто не поверит, хотя я говорю чистую правду. Не так давно Сережка принес французскую кинокомедию, и мы обхохотались, глядя на злоключения главного героя. Он ждал гостей, поставил в духовку утку, завел таймер на полвосьмого и поехал в магазин за вином. Как на грех, из близлежащего цирка сбежал слон и сел на крышу его малолитражки, посидел несколько секунд и убежал, а парень остался в изуродованном автомобиле. Приехали спасатели, достают несчастного и спрашивают:

— Как вы так разбили машину?

Водитель преспокойно отвечает:

— На крышу сел слон.

Дело происходило в центре Парижа, и спасатели тут же вызвали психиатрическую перевозку. Бедный мужик отбивается, кричит:

— Отпустите, сейчас утка позвонит в пол-восьмого...

Но никто ему не поверил, а ведь он твердил святую правду. И слон сидел, и утка звонила...

В отделении меня затолкали в пустой обезьянник. Минуты текли томительно, наконец в конце коридора раздался раздраженный Катин голос:

— Немедленно отдавайте Лампу.

— Мы не брали у вас никакой лампы, — отвечал мужчина.

— Евлампию отпускайте, — велела Катя.

— Но она была без документов, в грязном костюме, с мешком посуды, да еще в квартире с неотключенной сигнализацией, — оправдывался некто, гремя ключами.

— Безобразие, — выкрикивала Катерина, — по-вашему выходит, ей следовало на кухне в бальном платье топтаться!

— Ну документов-то нет, — продолжал оправдываться мужик.

Дверь распахнулась, Катерина влетела в холодную комнату и, увидев меня сидящей на полу в углу, всплеснула руками:

— Ну не свиньи ли! Даже стула нет! У вас что, люди вот так и проводят время в грязи?

Милиционер хмыкнул, но ничего не сказал. Я кряхтя поднялась на ноги и примирительно заметила:

— Ладно, не кипятись, они выполняли свой долг, а если бы и впрямь воровка попалась.

— Уж больно ты добрая, — шипела Катерина, волоча меня за руку по коридору.

Возле дежурного она притормозила и велела:

— А ну быстро доставайте машину! Привезли сюда ни в чем не повинного человека зимой в одном тонюсеньком костюме, как она теперь домой пойдет, по морозу, голая!

Дежурный поднял голову и вежливо сказал:

— Ну, положим, я никого не привозил, а машин нет.

— Черт-те что, — продолжала кипеть подруга.

— Катюня, ты такси поймай, — посоветовала я, — а я здесь посижу пока.

Катюша выскочила на улицу, хлопнув дверью так, что с потолка на стол посыпалась штукатурка. В коридор ворвался холодный декабрьский ветер. Я поежилась и попросила дежурного:

— Сейчас Катя вернется, скажите ей, что я сижу вон там, на стульях у кабинета, а то у двери холодно.

Лейтенант кивнул. Я пошла вглубь и устроилась на твердом и жутко неудобном сиденье. Очень не люблю тосковать просто так на одном месте, без дела.

Внезапно по коридору с топотом понеслись милиционеры, они влетели в расположенный передо мной кабинет, и оттуда послышались крики, стук и звон.

Не успела я испугаться, как дверь распахнулась, и менты выволокли в коридор парня. Лицо несчастного покрывали ссадины, из разбитой губы тоненькой струйкой стекала кровь.

Молодой человек упирался что было сил и кричал:

— Пустите, сволочи, гады, дряни, пустите, менты позорные! Не убивал я ее, не убивал...

Конвойные сопя пытались справиться с юношей. Но худощавый арестованный оказался неожиданно сильным и вертким. Он ужом извивался в руках державших его людей и вопил на одной ноте:

— Не убивал, не убивал...

Потом его глаза сфокусировались на мне, и он перешел на визг:

— Скажите немедленно моему отцу, Федору Бурлевскому, немедленно скажите... Здесь издеваются, смотрите, что со мной сделали, телефон...

И он принялся выкрикивать цифры. Один из милиционеров довольно сильно пнул несчастного.

— Не смейте его бить! — возмутилась я.

Но менты не обратили на меня никакого внимания. На помощь к ним подбежали несколько человек в штатском и быстро-быстро поволокли рыдающего парня в глубь отделения. Послышался лязг замка, я уставилась на капли крови, ярко выделявшиеся на светлом линолеуме.

— Неприятная сцена, — раздался голос.

Возле кабинета стоял мужчина лет сорока, тот самый, что выпускал меня из обезьянника.

— Да уж, — вздохнула я, — порядки тут у вас, однако. То невиновную женщину арестовываете, то заключенного бьете.

Мужчина сел возле меня и вытащил сигареты.

— Разрешите?

Скажите, какой джентльмен! Я кивнула.

— Меня зовут Илья Николаевич, — представился он.

— Очень приятно, Евлампия Андреевна.

— Так вот, уважаемая Евлампия Андреевна, вас никто не арестовывал.

— Как это?

— Просто задержали для выяснения личности, и я приношу свои извинения. Попытайтесь понять, нашими сотрудниками руководили лучшие чувства.

— Да уж, хорошо, хоть не поколотили, как этого несчастного заключенного.

— Во-первых, он не заключенный, а подследственный, — пояснил Илья Николаевич, — во-вторых, он убил молодую женщину с особой жестокостью, просто перерезал горло, как барану, а в-третьих, никто его не бил. Сам ударился мордой о стол, пьян был, ничего не помнит!

Я усмехнулась, слова об «унтер-офицерской жене, которая сама себя высекла» были мне хорошо знакомы с детства.

— Он правда сын Бурлевского?

— К сожалению, — вздохнул Илья Николаевич.

— Лампа, — завопила Катерина, — машина ждет.

Я побежала на зов, судорожно повторяя про себя телефон, который выкрикнул парень.

Дома первым делом я стянула воняющий

чем-то кислым костюм и, надев халат, вышла на кухню. Там пила чай довольно полная девушка с красивыми белокурыми волосами.

— Вот, — велела Катюша, — знакомься, это Валентина, впрочем, можно звать ее просто Тина. Поживет пока у нас недельку-другую.

Тина подняла большие томные карие глаза и улыбнулась. Обычно люди от улыбки хорошеют, но эта девушка стала похожа на гиену. Круглые щеки, тонкие губы и довольно большие уши. Мне она сразу не понравилась. Интересно, кто такая?

Желая узнать подробности, я вошла в спальню к ребятам и спросила у Юли:

— Кого к нашему берегу прибило?

Девушка вздохнула.

— Понятия не имею! Катерина привела ее с собой.

Подробности мы узнали только около полуночи, когда гостья спокойно заснула.

— Тина отправилась в Москву на заработки из Кашинска, — принялась разъяснять Катюша, — нанялась делать ремонт, и тут ей стало плохо.

— Она строитель? — поинтересовалась Юля.

— Нет, учительница младших классов. Только в Кашинске безработица, вот ее подруги и подбили обои клеить.

— Странно, — протянул Сережка, — раз больная, чего поехала.

— А она не знала о болезни, — бестолково объясняла Катя, — первый раз приступ случился. Мы оказали помощь, но идти ей некуда. Подружки уже уехали, родственников или знакомых в Москве нет.

— Пусть домой отправляется, купим билет, — влез Кирюшка.

— Ты бы спать шел, — велела Юля.

— Обязательно купим билет, — кивнула Катя, — только она еще очень слабая, может не доехать. Пусть недельку у нас поживет.

— Катя в своем репертуаре, — фыркнула Юля, — надеюсь эта убогая не задержится у нас на год, как баба Маня, которую ты тоже на пару деньков из жалости приволокла.

— Еще Зина, которая все время после завтрака громко рыгала и в туалете воду не спускала, — вздохнул Сережка.

— А Наташа, — захихикал Кирюшка, — помните Наташу?

— Еще бы, — прошипела Юлечка, — как не помнить! Бегала по коридору в одном халатике до пупа и перед Сережкой голым задом вертела!

Я промолчала. Между прочим, меня Катя тоже подобрала на улице, когда я, желая покончить с собой, прыгнула под ее «Жигули». Так что не имею никакого морального права осуждать других. Хотя упитанная, даже толстая Валентина с деланно сладкой улыбкой мне совершенно не понравилась.

В понедельник, когда все разбежались, я заглянула в комнату к гостье. Та мирно спала, выставив из-под одеяла не слишком чистую ногу.

На кухне было тепло, собаки и кошки толкались возле плиты, ожидая раздачи завтрака. Быстренько накормив и тех и других, я посмотрела на часы — девять. Модный продюсер, наверное, мирно почивает в кроватке... Делать нечего, придется разбудить. Но в трубке неожиданно прозвучал бодрый голос:

— Слушаю.

— Господин Бурлевский?

— Да.

— У меня есть сообщение от вашего сына.

— Говорите.

— Желательно при личной встрече.

— Приезжайте, Орликов переулок, до одиннадцати успеете?

— Обязательно.

Бурлевский мигом отключился, я бросилась одеваться. Потом окинула глазом мойку, забитую доверху грязной посудой, и написала записку: «Валентина, будьте добры, уберите на кухне!»

Орликов переулок находится недалеко от станции метро «Красные ворота». Когда-то она называлась по-другому — «Лермонтовская». Интересно, чем не угодил великий поэт новым властям? Походив немного по кривым старомосковским улочкам, я неожиданно вышла на нужный дом, большой, явно построенный в начале века. В подъезде — невероятная красота. Прямо от дверей вверх по широкой, похоже, мраморной лестнице идет красная дорожка. У ее подножия высятся кадки с пальмами, сбоку — стол, за которым сидит безукоризненно одетый парень. Серый костюм, светлая сорочка, подобранный в тон галстук, лацкан украшает значок «Студия ФеБу».

Значит, Бурлевский дал мне адрес офиса, а не квартиры.

— Вы к кому? — крайне вежливо, но настороженно поинтересовался охранник.

— Я договорилась с господином Бурлевским...

— Да-да, — закивал парень, — второй этаж, комната 24.

Я потопала по дорожке, оставляя черные следы.

Коридор второго этажа тоже оказался застлан ковром, но на этот раз зеленым. Мои сапоги успели оставить всю грязь на лестнице, и нежно-салатовое покрытие осталось чистым. Двадцать четвертая комната представляла собой огромное помещение, одну из стен которого сплошь занимали фотографии эстрадных артистов с нежными надписями и клятвами в вечной дружбе. Я невольно стала читать автографы.

— Не верьте ни одному заявлению, — раздался сочный густой голос, — сначала обещают любовь, но стоит оступиться и полететь в болото, тут же наступят сапогом на голову, чтобы захлебнулся побыстрей.

— Вижу, вы их обожаете...

— Не то слово, — фыркнул продюсер, — впрочем, вам, наверное, подобные нравы в диковинку. Служите в сизо?

Я покачала головой:

— Нет.

— Где же вы встретили моего сына?

— Он очень просил вас о помощи!

— Раньше следовало думать, — возмутился Федор и принялся раздраженно барабанить пальцами по столу.

— Он утверждает, что не убивал Зайцеву...

— Он был, как всегда, пьян, — отрезал Бурлевский, — когда я просил его взять себя в руки, пойти к врачу и бросить жрать водку ведрами, Антон лишь усмехался: «Не грози, папаня, уже вырос, сам разберусь». Вот теперь пускай и выкручивается, как может.

— Его там сильно бьют, — тихо сказала я, — вчера все лицо было в кровоподтеках, губа разодрана...

Бурлевский покраснел и резко спросил:

— Откуда вам известны подобные подробности? Где встречали моего сына?

На секунду я заколебалась, сказать, что меня арестовали, а потом отпустили? Ну уж нет!

— Я работаю частным детективом и находилась в отделении милиции в связи с делами клиента, Антона тащили по коридору конвоиры, окровавленного. Он успел выкрикнуть ваш номер телефона.

— Понятно, — еще больше помрачнел Федор и уставился в окно.

Я потихоньку разглядывала мужика. Невозможно было поверить, что у него взрослый сын. Больше тридцати Бурлевскому никак нельзя дать, хотя я знала, сколько лет продюсеру.

Не так давно все желтые газеты взахлеб рас-

сказывали, как он широко, с размахом, празд-
новал пятидесятилетие.

— Сколько я вам должен за услугу? — пришел в себя Федор.

— Ничего.

— Как это ничего? — удивился собеседник.

— Очень просто, мне было не трудно передать просьбу несчастного, наймите адвоката и не
бросайте парня в беде, он виноват, но он ваш
сын.

— Во всяком случае, его мать так уверяла, —
вздохнул Федор, — как же вас все-таки отбла-
годарить? Я не люблю быть в долгу.

— Если хотите отплатить, ответьте на пару
вопросов.

— Только не о доходах, — ухмыльнулся Федор.

— Кем вам приходится Ксения Федина?

— Федина, Федина, — забормотал Бурлевский, — кто она такая? Певичка? Подтанцовка?

— Нет, студентка экономической академии,
несколько лет тому назад вы вместе с ней весе-
лились на презентации у Алисы Сон. Ксения
явилась на вечеринку в качестве вашей дамы.
Вот, смотрите.

И я сунула ему под нос фото, которым снабдил меня Писемский.

— Хорошенькая телка, — одобрил Бурлевский, — только не помню напрочь.

Я расстроилась:

— Может, напряжетесь? В телефонную книжечку поглядите?

— Незачем, — спокойно сообщил Федор, — эту даму я не знаю.

— Но она ушла с вами, ночью...

— Господи, — вздохнул продюсер, — называть эту соску дамой просто смешно! Да к чему это вам?

— Ксения Федина — жена богатого, уважаемого бизнесмена. На днях она исчезла, и я занимаюсь ее поисками. До меня дошла информация, что вы водили с ней дружбу.

— Нет, — покачал головой Бурлевский, — не водил. Ладно, слушайте.

Федор сейчас не женат. Его первая и единственная супруга Светлана развелась с продюсером несколько лет тому назад. Но они охладели друг к другу давно, и Лана не появлялась на тех тусовках, куда приглашали Федора. Еще не так давно Бурлевский работал аккордеонистом в ресторане, исполняя всевозможные песни по просьбе пьяноватых клиентов. Денег особых не было, супруги перебивались с воды на квас. Потом началась перестройка и стремительный взлет Бурлевского. За один год из полунищего музыканта он превратился во всесильного шоумена. Теперь женщины — певицы, танцовщицы, журналистки — просто вешались ему на шею. Но продюсер понимал: им интересен не он, их привлекают его деньги. Пару раз Федор отшил особо назойливых баб. Среди тусовки моментально понесся слух — Бурлевский голубой. Бабы отвязались, зато стали приставать вертлявые парни из балетных, затянутые до невозможности в узкие кожаные штаны.

Пришлось спешно завести роман с тогда еще мало кому известной Алисой Сон. Несколько месяцев связи с ней Федор вспоминал с содроганием: скандалы с битьем посуды, невероятные капризы и наглая уверенность посредственной певички в том, что Бурлевский просто обязан сделать из нее звезду... Продюсер не выдержал и закрутил роман с манекенщицей Наташей. И вновь наступил на те же грабли. Безголосая Наталья немедленно запела, требуя записи компакт-дисков и организации сольных концертов в «России». На смену ей пришла Оля, следом Настя, потом Маша... Менялись имена, но не сущность дам сердца. Они были словно «двое из ларца, одинаковы с лица». В конце концов Бурлевский устал и решил: пусть его считают голубым, зеленым или малиновым в крапинку. Очевидно, в его среде нет нормальных баб, а где взять такую, которая не захочет тут же схватиться за микрофон, он не знал.

Ну не останавливать же посреди улицы «Мерседес», чтобы приставать к проходящим девушкам. Каких только гадостей не читал про себя в газетах Федор! Бывшие любовницы называли его одновременно педиком, импотентом и жутким потаскуном. Потом разнесся слух, что продюсер подцепил СПИД и поэтому избегает женщин.

Неожиданно помощь пришла от старого приятеля, банкира Сухова.

— Чего один кукуешь? — спросил он на какой-то вечеринке у Бурлевского.

— Ну не все же, как ты — каждый раз с новой любовницей, — хмыкнул Федор, — а Света никуда принципиально не ходит.

Сухов захихикал:

— Знаешь, Федька, скажу тебе, как другу, бабы мне по фигу, даже виагра не помогает. Да и насрать на них, у меня весь кайф от бизнеса, прям кончаю, когда прибыль подсчитываю. Но чтобы обезопасить себя от охотниц за мужьями да реноме не терять, завел себе Аню. И тебе советую!

— Не понял, — буркнул Федор, — этой Ане что, ничего не надо?

— Не-а, — хохотнул Сухов, — только гонорар за работу, сто баксов берет, ну и еда еще, иногда мелочи дарю. Зато никаких проблем. Всегда в хорошем настроении, щебечет и место свое знает. Можно ногами лупить — только улыбнется. Нужна — звоню, не нужна — пошла вон. Да там выбор большой, на любой вкус... Блондинки, брюнетки, толстые, худые...

— Где там? — спросил Федор.

— В агентстве «Лаура», — пояснил Сухов, — хочешь, дам телефончик?

Продюсер воспользовался дружеским советом и с тех пор не знал горя. Теперь он являлся повсюду с разными подругами, разговоры о СПИДе умерли, замолчали и о голубизне. Ксюшу Федор, очевидно, тоже взял в «Лауре». Обычно он таскал девок с собой не более трех недель. Потом менял. Бурлевский считал, что больше месяца не стоит показываться с одной и той же бабой, чтобы не заводить слишком близких отношений.

Глава 12

Недолго думая, я рванула в «Лауру». Располагалось агентство не где-нибудь, а на Новом Арбате, в одной из уродских башен. У входа переливалась всеми цветами радуги роскошная вывеска, а холл поражал своим великолепием. Там было все — аквариумы с рыбками, комнатные фонтанчики, ветвистые пальмы, сверкающий ламинат и невероятное количество ламп, торшерчиков и вонючих ароматических свечей.

Посреди всего этого великолепия за кокетливым письменным столом, имитацией чиппендейла, сидела толстая молодая дама в розовом пиджаке и голубой водолазке. Каштановые кудри свешивались вдоль щек, губы сильно блестели...

Окинув оценивающим взглядом мое простое кашемировое пальто, подаренное Сережкой, служащая вздохнула и скорей всего решила, что я не слишком выгодный клиент, но профессиональная выучка одержала верх. Мило улыбнувшись, дама пропела густым меццо:

— «Лаура» к вашим услугам.

Я села в предложенное кресло. Канули в Лету те времена, когда не слишком хорошо одетого человека не пускали на порог бутика или ресторана. Теперь служащие знают: под грязной курткой может скрываться миллионер, эксцентричный чудак. Сама видела, как секьюрити задержал на входе в салон «Версаче» бомжеватого вида парня в нечищенных с прошлой зимы ботинках. Покупатель молча сунул за пазуху руку и ткнул охраннику в нос пачку долларов толщиной со словарь русского языка. Так что мое пальтишко с Черкизовского рынка ни о чем не говорит.

— В чем проблема? — пела служащая. — Ищете домработницу или гувернантку? Можете не сомневаться, все кандидаты имеют высшее образование, рекомендации, справки из поликлиники. Если речь пойдет о репетиторах, то первое занятие бесплатно. Наши услуги дешевы не потому, что...

— Нет, нет, — прервала я поток заученных слов, — мне посоветовал обратиться в ваше агентство господин Бурлевский.

— Федор Петрович? — вскинула дама брови и расцвела, словно пион душным июльским утром, — не желаете кофе?

Отметив, что упоминание имени продюсера мигом вознесло мой рейтинг на недосягаемую высоту, я мило прочирикала:

— С удовольствием, но только чай, цейлонский, крупнолистовой, без сахара, желательно заваривать две минуты и с лимоном.

Приемщица нажала на звонок, появился мальчишка, одетый в нечто, напоминающее форму офицера наполеоновской гвардии. Слушая, как дама раздает указания по поводу приготовления чая, я усмехнулась. Что ж, я сама была не так давно праздной женой богатого человека, и тон капризной тетки, отдающей приказы прислуге, освоен мной до мельчайших деталей. Местная служащая поняла сразу, с кем имеет дело, и теперь таяла, как масло на горячем тосте.

— Так в чем ваша проблема? — улыбнулась она, демонстрируя безупречные коронки.

Я вздохнула.

— В двух словах не опишешь. Впрочем, попробую объяснить, надеюсь, умеете держать язык за зубами.

— Ах, — закатила дама глаза, — можете не сомневаться, многие могут сказать: Наденька Ивлева надежнее швейцарского банка!

Я окинула Наденьку критическим взором, поколебалась для вида минутку и выдала заготовленную по дороге историю:

— Мой муж — человек состоятельный и крайне общительный. После напряженного рабочего дня несется в клуб или ресторан, на худой конец, посещает театр. Словом, ведет светский образ жизни. В психологии подобный тип называется экстраверт. Я же — существо тихое, больше всего на свете любящее посидеть у телевизора с вязаньем в руках. От громкой музыки у меня болит голова, а от ресторанной пищи начинаются желудочные колики. Но супруг не любит показываться один на тусовках, и я вынуждена, скрипя зубами, таскаться вместе с ним. Надоело до жути. Но тут Федор присоветовал мне «Лауру». И вот теперь я хочу нанять девушку, которая будет сопровождать гиперактивного муженька.

— А он согласится? — спросила Надя.

Я хитро прищурилась:

— Я попрошу партнершу назваться моей дальней родственницей из провинции.

— Что ж, давайте смотреть, — оживилась Надежда, вытаскивая пухлые альбомы, — какие у вас запросы?

Я растерялась.

— Ну интересная внешне...

Надя улыбнулась:

— Сначала определим возраст.

— До двадцати пяти.

— Значит, вот здесь, — пробормотала женщина, откладывая огромный темно-красный том.

Я принялась листать страницы. На каждой красовалось четыре фотографии. Лицо крупным планом, потом девушка в полный рост в купальнике, вечернем платье и деловом костюме. Тут же шел не слишком пространный текст: «№ 9. Марина. Натуральная брюнетка, 170, 92-62-90, размер ноги 36, владеет английским, водит автомобиль, образованна, филфак МГУ, не курит, хорошо танцует, готова сопровождать в командировках. 60$ в час». Или «№ 13. Лена. 88-62-80, 168 см, размер ноги 37, незаконченное высшее МВТУ имени Баумана, танцует, может много выпить не пьянея — 40$ в час».

— Почему такая разница в цене?

Надя пояснила:

— Чем больше девушка умеет, тем она дороже. Вот Соня, например, английским владеет свободно, водительские права и за плечами пять лет работы в модельном агентстве, естественно, ее стоимость сто долларов, а Женечка языкам не обучена, машину не водит, и вообще, очень хорошая девочка, но попроще, без изыска и особой элегантности. Ей красная цена пятьдесят зеленых.

Я медленно перелистывала страницы и, захлопнув альбом, поинтересовалась:

— Других нет?

— Ни одна не подходит? — изумилась Надя.

— Здесь кто? — ткнула я пальцем в другие альбомы, проигнорировав вопрос.

— Эти не для вас, возраст старше.

— Давайте сюда.

Вновь замелькали фото. Великолепно ухоженные дамы тридцати, сорока, пятидесяти лет. Завершали экспозицию фото благообразных, интеллигентных старушек. Волосы уложены старомодными кудельками, на кофточках камеи.

— Неужели есть спрос на столь пожилых...

Надя мило улыбнулась:

— Еще какой.

— Но зачем?

— Частенько на свадьбу нанимают.

— На свадьбу?!

— Ну да. Выбирается молодой человек в Москву из провинции, неожиданно удачно начинает заниматься бизнесом, быстро богатеет. Потом подыскивает невесту из хорошей семьи, надо ее со своей матерью знакомить. Только маменька нашего богатея сидит в каком-нибудь Мухосранске, по уши в навозе. Ну не тащить же такую в столицу, растеряется в непривычной обстановке, опозорит сыночка. А тут, пожалуйста, Эмма Марковна, вдова художника, настоящий бомонд. У нас один «новый русский» целую семью заказал — папу, маму, брата и сестру. Очень доволен остался.

— Господи, — искренне поразилась я, — как же они потом женам объясняют, куда родительницы подевались?

— А это уж кто как придумает, — пояснила Надя, — одни говорят — мамуля в Америку эмигрировала, другие сообщают о смерти. Вот Эмму Марковну, например, девять раз хоронили. Ей, кстати, очень нравится, гробы роскошные, службы заупокойные, цветов море...

— Она что, в гроб ложится? — окончательно растерялась я.

— Нет, конечно, — усмехнулась Надя, — берем бомжиху из невостребованных, одеваем, гримируем и, пожалуйста, плачьте на здоровье, дорогие дети. Я же вам говорила — «Лаура» делает для клиентов все. Кто к нам один раз обратился, потом всех друзей присылает.

Я только покачала головой. Эрзац-родители, надо же до такого додуматься!

— Федор дал мне фотографию девушки, Ксении Фединой, почему ее нет в альбоме?

Надя повертела в руках снимок и пробормотала:

— Не припомню такую! Подождите, пожалуйста, секундочку.

Потом позвонила по телефону:

— Нора, подойди сюда.

На зов явилась полная брюнетка с кроваво-красными губами.

— Скажи, — спросила Надя, — вот эту помнишь, Ксения Федина... Говорят из наших.

Нора повертела в руках снимок и безапелляционно заявила:

— Федину отлично знала, только она давно здесь не работает, а на снимке, похоже, не Ксения.

— Как так? — удивилась я.

— Хотя, — засомневалась Нора, — вроде похожа, но цвет волос иной, прическа другая, да и макияж не так наложен. На первый взгляд, кажется, что это не она, но, если присмотреться...

— Где ее можно найти?

Нора пожала плечами:

— Кто же знает, уволилась и все.

— А почему? Ее выгнали?

— Нет, сама ушла, может, замуж собралась. Девушки, если кавалера найдут, никогда не откровенничают...

— Хочу только Федину, — твердо заявила я и повернулась к Наде, — а говорили, что «Лаура» все для клиентов делает, вот и найдите Ксению.

Надежда растерянно глянула на Нору. Та задумчиво пробормотала:

— Желание клиента закон. Знаете, поговорите с Ритой, вроде они дружбу водили.

— Давайте Риту, — велела я.

— На какой срок, — сразу ухватила быка за рога Надя.

— На час.

— Сто долларов.

Отдав требуемую сумму, я попросила чек. Подошью к списку расходов и вручу Олегу Яковлевичу.

Надя ловко заполнила квитанцию и щелкнула рычажком селекторной связи.

— Звягинцева, выходи.

Через пару минут в холл вошла хорошо сложенная, но довольно полная девушка в элегантном темно-сером костюме.

— Слушаю, Надежда Павловна.

— Клиент к тебе.

Рита повернулась в мою сторону, приветливо улыбнулась и спросила:

— Ресторан или театр? Надевать вечернее платье?

— Нет, — поспешила я ее остановить, — костюм вполне подойдет. Беру вас всего на один час для разговора в кафе.

— Очень рада знакомству, — вновь улыбнулась Рита, — готова полностью.

Она сняла с вешалки элегантную темно-серую норковую шубку, и мы вышли на улицу. Стоял зверский холод. Ледяной декабрьский ветер горстями швырял в лицо пригоршни колючего снега. Рита мигом посинела, но стойко продолжала улыбаться, изображая безумную радость от встречи.

— Здесь есть где-нибудь ресторан? — спросила я.

— Кафе в соседнем доме, — вымолвила Рита, стуча зубами, и мы побежали по обледеневшему асфальту.

— Вы хорошо знали Ксению Федину? — спросила я, когда девушка проглотила чашечку плохо сваренного кофе.

— Ксюшу? — удивилась Рита. — А зачем она вам?

Мне надоело изображать из себя зефир в шоколаде, поэтому я рявкнула:

— Я оплатила час разговоров, а не ваших вопросов!

— Простите, — пролепетала Рита и принялась размазывать ложечкой кофейную гущу.

Я посмотрела на ее тоненькие пальчики с аккуратным маникюром и внезапно почувствовала стыд.

— Это вы меня простите, Рита, выместила на вас плохое настроение.

Девушка заученно улыбнулась:

— Ну что вы, я и впрямь куплена на время.

— Риточка, — ласково сказала я, — Ксения Федина весьма удачно вышла замуж за крайне обеспеченного и не слишком молодого мужчину. Жизнь ее текла без забот и хлопот, но потом вдруг, в один прекрасный момент, Ксения убежала от супруга. Он крайне обеспокоен и нанял меня для поисков. Так что я такой же подневольный работник, как и вы.

— Может, ее похитили? — предположила Рита. — Сейчас по телевизору постоянно рассказывают, как чеченцы людей увозят.

— Непохоже, — помотала я головой, — никто выкуп не просил, да и письмо Ксюша оставила... Кстати, муж ее крайне приличный человек, он совершенно не собирается наказывать ветреную жену и мешать ей жить счастливо. Просто хочет убедиться, что у нее все в порядке. Так что, если знаете, где Федина, лучше скажите, получите небольшое вознаграждение.

Рита покачала головой:

— Мы были в хороших взаимоотношениях, но не более того. Просто одевались в одной комнате, одалживали друг другу губную помаду или колготки, но не откровенничали. Я про нее совсем ничего не знаю, да и клиентура у нас разная. Мной в основном финансовые работники интересуются, закончила мехмат и могу спокойно рассуждать о цифрах. А Ксюту брали люди шоу-бизнеса. Она пела отлично, танцевала, на рояле могла играть.

— На рояле? — изумилась я, разом припомнив грязную избу в Селихове.

Хотя, может, в школе был музыкальный кружок... И потом, что значит играла... Небось тыкала одним пальцем по клавишам или барабанила чижика-пыжика, ну собачий вальс.

— Ее очень пожилые клиенты уважали, — продолжала вспоминать Рита, — просто млели, когда Ксюта Первый концерт Чайковского исполняла.

Я чуть не свалилась со стула. Чайковский? Первый концерт?! Да у нее, как минимум, Центральная музыкальная школа за плечами?! Просто бред, не может быть такого.

— Ксюта говорила, будто родители ее в детстве приковывали к пианино, а она рыдала, глядя, как другие дети носятся во дворе.

Я вытащила фотографию и сунула Рите под нос.

— Это она?

Рита внимательно принялась разглядывать снимок.

Потом протянула:

— Фигура вроде похожа, а вот лицо... Ксюша носила очки, большие, в тонкой оправе, крайне элегантные, с затемненными стеклами. Она без них очень плохо видела. Пару раз она их снимала при мне, совсем другое лицо делалось. А на вашем снимке девушка без очков. Наверное, линзы вставила, давно ей советовала.

— Так она это или нет?

Рита пожала плечами:

— Вроде похожа, хотя точно не скажу. Ксюта излишне ярко красилась — пудра цвета загара, помада пурпурная, румянец, фиолетовые тени... Другая в подобной раскраске будет выглядеть дешевой проституткой, а Ксюша смотрелась очаровательно. А на фото девушка почти без косметики... Нет, не скажу точно. Хотя похожа.

Я удрученно молчала. Час от часу не легче.

— Ксения не говорила ничего про своих родителей?

— Нет, мне кажется, они скончались.

— А братья, сестры?

Рита отрицательно покачала головой.

— Где она жила?

— Знаете, — вздохнула Рита, — они снимали квартиру вместе с Ниной Сорокиной. Тоже у

нас работала девушка. Вот та с Ксенией по-настоящему дружила, неразлейвода, а я просто
соседкой по раздевалке была.

— Как найти эту Сорокину?

Звягинцева спокойно закурила и ответила:

— Практически невозможно.

— Почему?

— Ниночка вышла замуж за модного писателя Селиванова и страшно боится напомина-
ний о своей прежней работе. Небось скрыла от
мужа, что наемной партнершей служила!

— Селиванов, — повторила я, — что-то я не
слыхала о таком...

— Так он под псевдонимом Николая Серого
пишет.

— Это тот, что без конца выпускает тома
про отморозка? Отморозок на зоне, отморозок
на воле, отморозок среди своих?

— Он самый, — засмеялась Рита, — я его
книги читать не могу, сплошная кровь и порнуха, но мужики тащатся...

Я в задумчивости принялась вертеть пепель-
ницу. Николай Серый! Как же подобраться к
известному автору и его женушке?

Глава 13

Браться за такое дело, как визит к капризной супружнице модного прозаика, нельзя с
наскока, и я поехала домой. Следовало обду-
мать дальнейший план действий.

В квартире стояла звенящая тишина, собаки

отчего-то не вышли меня встречать, но уже через минуту до слуха донеслось царапанье и повизгиванье. Кто-то запер всех животных на кухне, и они, не привычные к такому обращению, обиженно плакали.

Я распахнула дверь и обозрела поле боя. Так, все ясно. Муля залезла на стол и опустошила вазочку с шоколадными конфетами. Мопсиха умеет ловко разворачивать носом бумажки, и сейчас на клеенке валялась куча фантиков от «Белочки», «Мишки» и «Грильяжа». Ада побоялась последовать примеру сестры. В тандеме мопсов Ада занимает низшую ступень. Она не такая активная, шкодливая и хулиганистая. Если Муля может на ваших глазах нагло лезть в бачок с грязным бельем, чтобы выудить оттуда какую-нибудь вещичку для сладострастного обжевывания, то Ада проделает то же самое ночью, в полной тишине. Она тише лает, второй подходит к миске и на улице моментально откликается на зов. Даже странно: две собачки, рожденные одной матерью с разницей в десять минут, оказались совершенно разными. А коммунисты еще хотели создать человека нового типа! Нет уж, что родилось, то и выросло. Воспитывай, не воспитывай, генетика возьмет верх.

Муля с невинным видом посмотрела на меня.

— Можешь сколько угодно корчить из себя ангела, — сердито сказала я, — но твоя маленькая, гадкая морда вся перемазана шоколадом. Так что не надейся на калорийный обед и вкусный ужин. Еще скажи спасибо, что Катерины нет дома, а то бы сейчас получила гигантскую клизму.

Услыхав про неприятную процедуру, псы мигом испарились. Ну кто же все-таки додумался запереть их на кухне? Я уходила вроде последней. И где Валентина? Спит, что ли?

Окинув глазом Эльбрус из грязных тарелок и чашек, я вышла в коридор и толкнула дверь комнаты. Валентина преспокойненько лежала в кровати с книжкой в руках. «Кошмар в подворотне»! Только вчера я купила этот детективчик и еще не успела дотронуться до новинки. Значит, гостья заглядывала в мою спальню, конечно, скрывать мне нечего, но все равно, данный шаг характеризует Тину не с лучшей стороны. То ли бесцеремонна, то ли любопытна без меры.

— Ты встала? Что же не позавтракала?

Валентина послюнила палец, загнула угол страницы и вздохнула. Меня передернуло. У всех нас есть маленькие слабости. Сережка видеть не может людей с грязной головой, Кирюшка даже не притронется к чужой чайной ложке, Катерина обожает мыть руки, а Юля доходит до нервного припадка, начищая и без того блестящие сапожки. Я же обожаю читать книги и газеты первой и ненавижу измятые листы и страницы, залапанные чужими руками.

— Не слишком удобно в постороннем доме по холодильнику шарить, — ответила она.

— Это ты заперла собак на кухне?

Тина кивнула.

— Они все время лезли на кровать и лизались, а потом одна из этих, толстеньких, уселась мне прямо на лицо.

Так, Муля в своем репертуаре.

— В другой раз просто выгони их из спальни и прикрой дверь, мопсы не смогут войти, впрочем, Рейчел тоже.

— Закрывала, — обиженно пробормотала девушка, — а они вновь тут как тут.

— Этого не может быть! — категорически ответила я.

— Сами проверьте!

Я выставила псов в коридор. Что бы там Тина ни говорила, но ни одна из наших собак не умеет поворачивать ручку. Секунду стояла тишина, потом раздалось пофыркиванье, повизгиванье, царапанье. Красивая бронзовая ручка медленно наклонилась и свора влетела в комнату. Я обомлела. Мопсам просто не достать до запора, их рост едва превышает тридцать сантиметров, впрочем, и Рейчел не дотянуться...

— Слушай, — велела я Тине, — сейчас я уйду на кухню и заберу псов, а ты позови их через минуту, интересно, как они такое проделывают?

Спустя несколько секунд я, раскрыв от удивления рот, наблюдала за происходящим. Сначала мопсы ткнулись мордами в закрытую дверь, потом попытку предприняла Рейчел. Не добившись результата, псы сели и тихонько заскулили. И тут из Кирюшкиной детской величаво выступил Морис, ну не кот, а тигр, что походка, что посадка головы. При виде его собаки принялись радостно повизгивать. Морис подошел к двери и снисходительно глянул на мопсов и стаффордшириху. Весь его вид говорил: «Ну вот, опять выручай вас, идиотов!» Мгновение котяра сидел без движения, потом, коротко мяукнув, подпрыгнул и всем тяжелым, сытым телом повис на ручке. Язычок щелкнул, вход открылся. Собаки радостно кинулись в спальню. Морис разжал лапы, пружинисто приземлился на пол и торжествующе глянул на меня. В его глазах горел бесовский огонек. Онемев, я наблюдала, как он не торопясь уходит в детскую. На пороге Морис обернулся и коротко произнес «мяу». Звучало это, как «ха».

Ошеломленная, я побрела на кухню мыть посуду, ну не котище, а кладезь талантов. Интересно, что он еще умеет?

Самые кровожадные мысли приходят мне в голову во время чистки сковородок. Смывая противный, засохший жир, я перебирала в уме варианты подхода к Нине Сорокиной. Не придумав ничего хорошего, еще раз позвонила Бурлевскому:

— Не вспомнили, где живет Федина?

— Вы можете приехать ко мне в офис?

— Только через час с небольшим, — обрадовалась я.

— Жду, — коротко ответил Федор и отключился.

Я бросилась к вешалке, выкрикивая на ходу:

— Тина, помой посуду и возьми в холодильнике еду.

— Ладно, — донеслось из комнаты.

На этот раз Бурлевский предложил кофе. Я посмотрела на чашечку с коричневой жидкостью и подавила вздох. Чаю я могу выпить канистру, но только цейлонского, растворимый же «Нескафе» не выношу, мне дурно от одного запаха. Просто не понимаю, как можно называть *кофе* эту смесь химикатов... Но для пользы дела придется притвориться, что нахожусь в телячьем восторге.

— На кого вы работаете? — резко спросил Федор.

Я улыбнулась:

— Не все ли равно, надеюсь, вы не ждете, что я назову имя клиента...

— Какое агентство представляете, — настаивал продюсер.

— Я занимаюсь частным сыском.

— Лицензию имеете?

Простой вопрос поверг меня в ступор.

— Нет.

— Понятно, — протянул Федор, — от налогов уходите, нехорошо, мадам!

— Слушайте, — обозлилась я, — какая вам разница, если вспомнили адрес Фединой, давайте, а не хотите, зачем звали тогда?

— Ну-ну, не горячитесь, — усмехнулся продюсер, — о Фединой ничего не знаю.

— Так какого черта...

— Тише, тише, хотел предложить вам работу.

Я уставилась на Федора и хмыкнула:

— Совершенно не умею петь, танцевать, впрочем, тоже.

Бурлевский ухмыльнулся:

— Я вовсе не собирался приглашать вас на сцену. Хочу, чтобы вы помогли моему сыну.

— Абсолютно невозможная вещь, — отрезала я.

— Почему?

— Я занята по горло с другим клиентом.

— Бросьте его.

— Как это бросьте? — возмутилась я. — Человек заплатил деньги!

— Сколько стоит день вашей работы? — поинтересовался Федор.

— Пятьсот долларов плюс расходы, — ляпнула я в надежде, что, услышав астрономическую сумму, мужик отстанет.

Но Бурлевский выдвинул ящик письменного стола и принялся отсчитывать купюры. Я во все глаза глядела на растущую стопку.

— Здесь пять тысяч за десять дней и еще штука на расходы, берите, — велел Федор.

Я покачала головой:

— Знаете, все-таки я не являюсь суперпрофессионалом, обратитесь лучше в агентство.

— Не хочу, — четко сказал Федор.

— Почему?

— По кочану, считайте, такой у меня каприз, берите деньги и начинайте.

— Ну, а если я ничего не узнаю или, наоборот, выясню, что ваш сын виноват...

Федор потер ладонью затылок.

— На нет и суда нет, коммерческий риск. Деньги все равно останутся у вас.

Человек слаб, и мои руки сами по себе потянулись к деньгам. Я смогу купить Сережке новую машину! Говорят, у простых сотрудников уголовного розыска в работе одновременно по пять-шесть дел... Может, и мне удастся справиться, не боги горшки обжигают. Допустим, понедельник, среду и пятницу я стану заниматься поисками Ксении, а вторник, четверг, субботу посвящу младшему Бурлевскому. Чтобы не испытывать угрызений совести от того, что взяла деньги сразу у двух клиентов, я буду трудиться не покладая рук, вернее ног, с девяти утра до полуночи, сократив время на сон, еду и чтение детективов.

— Хорошо, — пробормотала я, — рассказывайте суть.

— Только что я вернулся из милиции, — пояснил Федор, — Антон наконец-то проспался и смог внятно ответить на вопросы. Так вот, он клянется, что не делал Вере Зайцевой ничего плохого. Пришел к ней около девяти вечера в легком подпитии. В желудке плескалось несколько бутылок пива. Вера встретила Антона нелюбезно и даже попыталась выставить за дверь, но парень показал ей деньги, полученные недавно от меня, и она его впустила.

— Они давно были знакомы? — поинтересовалась я.

— С детства, — вздохнул Бурлевский, — учились в одном классе. Я был против этой дружбы.

— Почему?

— Она отвратительная девчонка, хотя о покойных плохо не говорят. Лживая и без всяких стоп-сигналов. С двенадцати лет таскалась по подвалам с мальчишками, нюхала клей, жрала таблетки, курила и пила. Это она Антона с толку сбила. Я его даже поколотил один раз, да без толку, прямо тянуло парня на дерьмо. Ни дня без сучонки прожить не мог. Конечно, я виноват, целыми сутками был занят, матери все по фигу. Словом, когда спохватился, пришлось укладывать Антона в клинику.

— Он сильно пил?

— Не то слово, — махнул рукой Федор, — чего я только не пробовал — кодирование, зомбирование, всякие «Эспераль» и торпеды, гемодиализ... Даже в церкви молебен заказывал, да толку чуть! Он держался максимум неделю — держался, и вперед, по новой, ползет домой на животе.

— Он с вами жил?

— Раньше да, а пару лет назад я купил ему квартиру. Честно говоря, махнул на парня рукой. В конце концов, он не мальчик, двадцать пять стукнуло, может отвечать за свои гадкие поступки. Мне, между прочим, в его возрасте приходилось пахать как лошади, бегая с аккордеоном по ресторанам. Добренького папочки, оплачивающего счета, не было. Сам лапками бил, старался, из дерьма вылезал, а этот! Ну ничего моего: ни трудолюбия, ни целеустремленности, ни силы воли... Весь в мать. Та такая же рохля.

— С чего бы ему убивать подружку детства?

— Сам не пойму, — пожал плечами Федор, — он, когда нажрется, никогда не буянит, ляжет на диван и спит тихонечко. Не кричит, не ругается. Знаете, есть люди, которые под воздействием алкоголя дуреют, в драку лезут, злобятся, а Антон, наоборот, ласковый делается, плачет, всех ему жаль. Деньги прохожим раздает, пальто с себя снимет, часы... Ну не в его характере за ножик хвататься. И потом — он патологически боится крови, в детстве, если разбивал колени, моментально в обморок шлепался. Да что ссадины, в ресторанах блюдо подают — говяжье филе на вертеле. Разрежешь кусок, а он внутри сочный, розовый. Так Антоше становилось дурно при одном виде. Ну как, скажите, он мог перерезать горло девчонке, да еще преспокойненько лечь спать, сжимая окровавленными руками нож? Ладно бы задушил, или отравил, ну по башке треснул, я могу в такое поверить. Но полоснуть лезвием по шее! Там, говорят, кровь фонтаном хлестала.

Я молча теребила в руках пачку «Вог», алкоголь делает с человеком дикие вещи!

— Антон уверяет, — продолжал Бурлевский, — будто в тот день выпил сущие капли. Сначала две бутылки пива, затем Верка поставила водку, крохотную бутылочку «мерзавчик», всего 250 грамм. Себе налила граммов сто пятьдесят, а остальное предложила кавалеру.

Он возмутился, почему ему меньше достается, но хозяйка быстро заткнула гостя. Не успел он опрокинуть рюмку, как алкоголь мигом ударил в мозг. Антон еле-еле добрался до дивана и рухнул, словно подкошенный. Тяжелый, дурной сон не прошел даже к утру, и, когда его забирали в отделение, Антон ничего не соображал. Хмель начал отпускать только сейчас, по прошествии слишком большого количества времени.

— Может, он врет, вылакал ведро, а вам поет песни про две бутылки пива и сто грамм.

— Нет, — вздохнул Федор, — не врет. Анализ крови показал ничтожное содержание алкоголя и присутствие клофелина. Значит, кто-то хотел одурманить сына. Но кто и зачем? Что, если эта таинственная личность специально опоила Тошу, чтобы свалить на него убийство?

— Погодите, погодите, — попробовала разобраться, я — водку-то из «мерзавчика» они пили с Зайцевой вдвоем?

— Вроде да, но Антон сразу прошел в комнату, может, на кухне кто прятался?

— Ну не глупо ли, — фыркнула я, — значит, Зайцева подносит вашему сыночку водку с клофелином, а потом дает себя зарезать... То есть сама готовит алиби для преступника...

— Антон уверяет, что заснул не сразу, сначала впал в какое-то состояние между сном и явью и в этом полузабытьи услышал, как Вера набрала номер и сказала: «Слышь, Пончик, все готово, жди». А Пончиком они называли своего одноклассника, Никиту, сына модного писателя, Николая Серого, небось слыхали — про отморозка томищи ваяет. Вот поезжайте к парню и потрясите за жирные бока.

Первую секунду я не верила своим ушам, потом, стараясь изо всех сил скрыть торжество, велела:

— Давайте адрес и телефон.

— Погодите, — сказал Федор, тыча пальцем в кнопки, — Серый на старости лет с ума совершенно сошел, развелся с прежней женой и женился на девчонке в два раза себя младше. Да что там себя, она моложе Никитки, Нина зовут. Ну так данная Ниночка всех старых приятелей мужа отшила, попробую сейчас ее уговорить вас пустить.

Минут пять он щебетал в трубку, потом спросил:

— А что, Кит дома? Хочу подослать к нему одну даму... Нет, нет, Нинуля, это мне нужно, будь добра, дай им поговорить.

Из трубки понесся возбужденный писк.

— Откуда ты знаешь? — оторопел Федор. — Ладно, сдаюсь, она и впрямь из милиции. Только рассуди сама, Никитку все равно вызовут, может, лучше дома побеседовать.

Трубка коротко всхлипнула, и понеслись гудки.

— Вот дрянь, — с чувством произнес Федор, — хорошо хоть, эта дура мечтает о карьере певицы и боится со мной откровенно ругаться. Видали, уже вся столица про Антона знает! «Московский комсомолец» сообщил. Ладно, езжайте, пока Нинка не передумала, там все дома, улица Усиевича... Кстати, — остановил меня Федор.

— Что?

— Держите, — он протянул мне пейджер.

— Зачем?

— Такие у всех моих служащих, понадобитесь, сброшу информацию.

Я пошла к метро, тихо радуясь. Утром ломала голову, как выйти на Сорокину, а вечером уже спешу к ней в гости.

Глава 14

Модный писатель не зря положил глаз на Нину. Девчонка оказалась хороша экзотической, восточной красотой. Изящная, стройная фигурка, нежно-смуглый цвет юного лица, иссиня-черные, абсолютно прямые волосы. Слегка раскосые глаза, похожие на кошачьи, свидетельствовали о родственниках с Востока, высокие скулы и круглый овал лица...

— Это вы из милиции? — нежным, словно звук хрустального колокольчика, голосом пропела Нина.

Я кивнула.

— Проходите, — приказала хозяйка и крикнула, — Кит, к тебе пришли.

В коридоре послышались шаги, и в холл вышел высокий плечистый парень в мятой рубашке и потертых джинсах. На щеке виднелось красное пятно. Скорей всего он спокойно спал.

— Где будем разговаривать? — сухо осведомилась я.

Раз уж я из милиции, значит, не стану разводить китайские приседания, сотрудники правоохранительных органов не отличаются излишней вежливостью. Во всяком случае в моем любимом сериале «Улицы разбитых фонарей» менты не слишком церемонятся со свидетелями.

— Можно у меня, — вежливо ответил Никита.

Мы вошли в большую просторную комнату с двумя окнами. Да, здорово живут дети преуспевающих писателей. Отличная новая мебель, компьютер, музыкальный центр, дорогой туркменский ковер и суперплоский «Филипс» — парень явно устроился со всеми удобствами. В противоположной от окна стороне, у стены стоял рояль, не пианино, которое обычно тоскует в домах, где детей учат музыке, а настоящий концертный инструмент с открытой крышкой. Около него помещался пюпитр, а на диване лежала скрипка. Когда-то я училась в консерватории, правда, по классу арфы, но на фортепьяно и на скрипке, естественно, играю не слишком хорошо.

Не в силах скрыть любопытства, я окинула взглядом скрипку. Потом спросила:

— Разрешите посмотреть?

— Только аккуратно, — напрягся хозяин, — инструмент не любит чужих рук.

Я осторожно взяла скрипку. На первый взгляд мне показалось, что она — произведение великого Амати, вот я и не утерпела, захотела прикоснуться к раритету. Но сейчас стало ясно — передо мной копия виолы гениального мастера. Скорей всего работы немецких мастеров. Завиток маловат для Амати... Но все равно подобный инструмент стоит несколько десятков тысяч долларов. Впрочем, если бы на диване лежала скрипка Амати, счет пошел бы на сотни тысяч...

Я вскинула скрипку, и чистый, нервный звук поплыл в комнате. Отличная, великолепная вещь...

— Вы играете? — поразился Никита.

Быстренько положив скрипку на место, я ответила:

— Я в детстве музыкальную школу посещала...

— Надо же, — восхитился Никита, — а теперь в милиции работаете, ну не странно ли?

— Не нахожу в этом ничего удивительного, жизнь делает с людьми чудесные превращения. Вот ваш одноклассник Антон, мальчик из приличной семьи, тоже небось в музыкалку бегал, а стал алкоголиком и убийцей.

Кит вздохнул:

— Это все Верка, такая оторва!

— Говорят, вы дружили?

Никита помялся.

— Не слишком, просто мы живем в одном доме, вернее жили раньше, пока папа не развелся. Сейчас в той квартире осталась мама...

— Если не секрет, почему вы с отцом поселились?

Парень слегка покраснел.

— С мамой очень трудно, ругается все время, обижается, упрекает...

Ну понятно, климакс в полном разгаре, а еще муж сбежал к молоденькой, начнешь тут свариться.

— Мы поэтому и в одном классе оказались, — продолжал Кит, — лет до четырнадцати вместе в школу ходили, а потом... — Никита махнул рукой.

— Что? — подтолкнула я парня. — Что потом?

Юноша поколебался минуту, потом ответил:

— Ну все равно вам кто-нибудь расскажет, слушайте.

Родители Веры Зайцевой занимали по советским временам довольно высокие посты: отец — начальник отдела в Министерстве просвещения, мать — инструктор горкома КПСС. Хорошая зарплата, продовольственный паек, казенная дача и государственная машина с шофером... Не было у них только свободного времени, и Верой занималась бабушка. Старушка не слишком расстраивалась, обнаружив у внучки в дневнике сплошные двойки, намного больше ее огорчал плохой аппетит девочки.

— Да брось, детка, уроки, — бормотала бабуля, входя вечером в детскую, — глаза испортишь, съешь лучше пирожка...

Бабушка, всю жизнь счастливо прожившая с мужем-профессором и теперь ведущая крепкой рукой домашнее хозяйство у дочери, пребывала в счастливой уверенности — образование женщине ни к чему. Главное, удачно выйти замуж, нарожать детей, поднять внуков...

Когда Вере исполнилось двенадцать лет, бабуля умерла. Тут же была нанята гувернантка Елена, призванная помогать делать уроки. Лена пришла в полный ужас. Рослая, красивая девочка, выглядевшая не на двенадцать, а на все шестнадцать лет, писала с чудовищными ошибками, математику не знала вовсе, а по-английски с трудом могла произнести два слова. Положение дел объяснила родителям. Те отдали приказ — немедленно научить. Но сказать легче, чем сделать. Привыкшая ничего не делать, Вера отчаянно сопротивлялась. Гувернантки, потом репетиторы менялись, как колготки, долго с девочкой не выдерживал никто. Вере было не до учения, ее приняли в свою компанию старшеклассницы, и девица попала на дискотеку. Там дали хлебнуть водки и угостили таблеткой «экстази».

Через год Вера превратилась в самую настоящую алкоголичку. Родители первое время не могли понять, в чем дело. Сами они были людьми непьющими, но частенько приносили домой бутылки, подарки подхалимов. Однажды отец раскупорил для гостей «Наполеон» и ахнул — внутри оказался чай. Ревизии подвергли все емкости, и почти везде находилась либо заварка, либо вода...

Веру моментально положили в больницу. Она отвалялась там несколько месяцев и принялась пить по новой. Следующие годы родители провели в битве с зеленым змием, а когда, испробовав все средства, поняли, что дурочка

невменяема, купили ей квартиру и отселили чадо. Естественно, Вера нигде не работала, перебивалась случайными заработками. То наймет-
ся продавщицей в ларек, то сидит лифтершей,
то метет двор... Но ни на одной работе девушка
не удерживалась, постепенно скатывалась вниз.
Вместе с ней проделывал тот же путь и Антон
Бурлевский. Одно время они жили вместе, потом поругались, снова сошлись. Стоило Антону
где-то разжиться деньгами, как он бежал к подруге, и сумма радостно пропивалась. Родители
давно перестали давать милым детям наличные
деньги. Мать Веры оплачивала квартиру, раз в
неделю забивала дочери продуктами холодильник, приносила все, включая сигареты, но деньги не давала в кошелек, понимая, что дочурка
тут же купит водки. Но Вера, хитрая, как все
алкоголички, нашла выход: продавала у метро
за бесценок принесенную еду и мчалась за бу-
тылкой.

Потом стало круче. В ход пошли наркотики,
сначала чистая ерунда, вроде «экстази» и мари-
хуаны, потом «колеса», и в конце концов Вера
подсела на героин. Теперь в ее голове билась
только одна мысль, где взять денег на укол. Вот
тогда Зайцева и вспомнила про Никиту.

В отличие от своих бывших однокласcни-
ков, Кит рос беспроблемным ребенком. Утром — общеобразовательная школа, вечером —
музыкальная. В девятом классе всем стало ясно — его путь лежит в консерваторию. Так и вышло, Никита благополучно отучился по классу

скрипки и сейчас работает, даже начал приобретать кое-какую популярность, во всяком случае, играет в оркестре Анатолия Добровского и на жизнь не жалуется.

Вера и Антон надоели ему чрезвычайно. Если младший Бурлевский хоть немного стеснялся и обращался за деньгами крайне редко, то Зайцева появлялась с пугающей регулярностью.

— Кит, — ныла она, — ну дай в последний раз, ну ей-богу, завтра отдам.

Никите было одновременно и жаль ее, и противно.

Почти потерявшая человеческий облик, бывшая одноклассница тряслась на пороге, распространяя жуткий запах немытого тела, бомжиха, да и только. Никита, с трудом преодолевая брезгливость, совал девушке деньги. Естественно, ни о какой отдаче речи не шло. В конце концов скрипачу надоело служить дойной коровой, и он решительно заявил:

— Убирайся и больше не приходи!

Вера поныла еще немного на пороге, размазывая по щекам слезы, но Никита был настроен сурово:

— Все, хватит, деньгопровод закрыт!

Пришлось наркоманке убираться. Никита даже удивился, как легко он избавился от надоедливой особы.

После обеда Нина засобиралась в магазин, и тут выяснилось, что пропал ее кошелек. Красивое портмоне из крокодиловой кожи, сумма там лежала невеликая — всего сто долларов, но Сорокина искренне недоумевала:

— Ну куда мог он подеваться? Хорошо помню, я положила его вот тут, у зеркала, вместе с перчатками! Кит, отодвинь комодик, наверное, туда упал.

Никита покорно передвигал мебель, хорошо зная, куда подевался бумажник. Когда Нина ушла, скрипач кинулся к телефону вне себя от злобы.

— Слушай, — заорал он в трубку, услыхав слабое «алло». — Ну ты, дрянь, верни немедленно кошелек.

— Какой? — попробовала прикинуться дурой Вера.

— Вот что, — отчеканил скрипач, — чтобы сегодня вечером портмоне и сто долларов лежали на месте, в прихожей. Имей в виду, если не вернешь, сообщу в милицию.

Никита и сам не понимал, почему так обозлился. Сумма в сто долларов не решала в его бюджете ничего, Нина совершенно не горевала о потере кошелька... Просто парню стало противно до крайности, и он решил слегка припугнуть наглую знакомую. Естественно, ни на какой возврат украденного он не рассчитывал.

Около десяти вечера раздался телефонный звонок:

— Пончик, — прочирикала Зайцева, — все в порядке, сейчас привезу.

Она появилась на пороге в половине одиннадцатого и, протягивая хорошенький, элегантный бумажник, защебетала:

— Надо же, как глупо получилось, брала свои перчатки и случайно прихватила Нинин кошелек, ты проверь, там все на месте?

Никита глянул внутрь и изумился до крайности — сто долларов лежали нетронутые.

— Слышь, Пончик, — попросила Вера, — налей рюмашку, плохо мне.

Кит окинул девушку взглядом. Тощее тело сотрясала дрожь, губы посерели, а глаза совершенно провалились внутрь черепа... Вере и впрямь было не слишком хорошо.

Вздохнув, Никита сходил в кабинет и вынес стакан водки. Зайцева одним глотком опрокинула емкость, отказалась от бутерброда с колбасой и, рухнув на стул в передней, принялась жаловаться на жизнь. Никита с трудом улавливал мысль в потоке полусвязных слов. Проклиная себя за жалостливость, скрипач попытался выставить назойливую гостью за дверь, но та, рыдая, причитала:

— Сил нет, не дойду, оставь тут переночевать, тихонечко в углу, прямо на полу лягу, ну Никиточка!

Парень пришел в полный ужас, представив, что скажет ему вернувшаяся домой Нина, и полез за деньгами.

— На, только убирайся.

Вера посмотрела на бумажку и с чувством произнесла:

— Ну и гад ты, Пончик! У самого денег куры не клюют, а у меня сто баксов назад затребовал!

— Воровка! — не удержался скрипач. — Пошла вон отсюда и не смей больше никогда приходить.

— Эх ты, — ныла Вера, — денег пожалел, бумажек вшивых, а я, между прочим, когда ты сто долларешников затребовал, человека ограбила.

В ее голове все перевернулось невероятным образом, Зайцевой и впрямь казалось, будто она сделала героический поступок, принеся деньги.

— Ограбила? — испугался Никита, отступая назад. — Кого?

Дурацкий вопрос, и задавал он его риторически, не ожидая ответа, но Верка неожиданно ухмыльнулась:

— Антона!

— Антона?!

— Угу, — кивнула бывшая одноклассница, — он пришел ко мне вечером, довольный такой и баксы показывает, папахен дал. Ну а мне как раз тебе кошелек возвращать, вот и отняла!

— Как отняла? — чувствуя, что у него начинает кружиться голова, поинтересовался Никита.

— Просто, — пожала плечами Зайцева, — набросала в водку клофелин и угостила, он задрых, а я денежки вытащила, и к тебе бегом. Цени меня, всегда выручу. А вот ты помочь не хочешь, ну оставь переночевать, ноги не держат.

— Ну уж нет, — озверел Никита и пинками вытолкал одноклассницу за дверь, — хватит, надоела. Имей в виду, еще раз сунешься, милицию вызову, катись отсюда.

Вера заскулила, словно побитая собачка, но в сердце бывшего одноклассника не было места жалости. Он захлопнул железную дверь и с тяжелым сердцем отправился играть экзерсисы.

И вот теперь его мучает совесть. Может, оставь он тогда ее у себя, она оказалась бы сейчас жива...

— Она пришла в пол-одиннадцатого?

Парень кивнул.

— Пьяная?

— Как всегда, впрочем, я не разбираю, когда она под дурью, а когда водкой напилась. Плохо ей было, это точно.

Я молча теребила красивый плед, лежащий на диване. Интересная картина вырисовывается. Вера подсыпает в бутылку клофелин и едет к Никите. Наверное, еще сохранила остатки человеческого облика или и впрямь испугалась милиции. Если у нее в кармане или в квартире найдут героин, запросто можно срок огрести. Значит, она вернула деньги и поехала домой. А Антон преспокойненько в это время спал на диване. Следовательно, кто-то другой хладнокровно убил девушку в присутствии одурманенного парня, а потом испачкал того кровью Зайцевой и вложил в руки нож. Вот почему Антон никак не мог прийти в себя, и вот почему он, как заведенный, уверяет, будто никого не трогал... Кто же, а главное, почему убрал Зайцеву? Неужели таинственный мужик, прикидывавшийся работником телефонной станции, и есть преступник? Но тогда выходит, что на самом деле он пытался прирезать меня или Катю, а может, Юлю? За что? Мы абсолютно безвредны, словно бабочки Махаон. Может, какой родственник умершего больного решил мстить хирургу? Но зачем пытаться узнавать адрес по телефону, достаточно поинтересоваться в больнице, Катюшины координаты не секрет...

Чувствуя, что голова начинает идти кругом, я довольно резко переменила тему:

— Никогда не слышал имя — Ксения Федина?

Никита хмыкнул:

— Как же! Только лучше у Нины спросите, как ее подружка тут скандал закатила, а я обещал молчать! Честное слово давал!

Удивленная такой реакцией, я крикнула:

— Нина, подойдите сюда, пожалуйста.

Дверь растворилась, и мадам вплыла в комнату, следом за ней ворвался одуряющий запах отвратительных духов «Рондо».

Дама подбоченилась и весьма капризно пропела:

— В чем дело? Только на одну минуту, я жутко тороплюсь!

Интересно, куда это? Небось на массаж или в солярий, но придется наглой вертихвостке изменить планы.

— Меня интересует ваша подруга Ксения Федина.

— Не знаю такую, — недовольно фыркнула дама.

— Надо же, а ваш пасынок утверждает, будто вышеназванная особа приходила сюда и даже закатывала скандал.

Нина метнула на Никиту разъяренный взгляд. Парень мигом съежился и пробормотал:

— Ну я пошел, поговорите наедине...

— Никита ошибся, — как ни в чем не бывало ответила врунья, — ослышался, наверное.

Вот это она зря, у скрипачей, как правило, с ушами полный порядок, хотя бытовой слух и музыкальный — разные вещи.

— Хорошо, — согласилась я, — только в агентстве «Лаура» тоже припоминают, что вы дружили с Фединой.

Краски разом покинули лицо красавицы. Из смуглого оно стало землисто-серым.

— Кто вы? — прошептала дама, мигом превращаясь в маленькую, глуповатую девчонку.

— Сотрудник милиции, майор Романова Евлампия Андреевна.

— Только не говорите мужу и Никите, — залепетала Нина, — умоляю, хотите денег? Тысячу долларов?

Я покачала головой.

— Мало? Тогда две?

— Мне не нужны деньги.

— А что, что вам нужно? — принялась заламывать руки Нина. — Пришли разбить мою жизнь? Доложить мужу?

— Нет, — успокоила я ее, — просто я ищу Ксению Федину и, когда узнаю, где она, сразу уйду.

Нина схватила со стола пачку «Собрания» и,

не предложив мне сигарету, принялась нервно
щелкать зажигалкой.

— Я с ней давно не имею дела!

— Хорошо, поставим вопрос иначе, где она
жила раньше?

Нина принялась усиленно пускать дым.

— На квартире, в Колодезном переулке.

— Вы ведь жили вместе?

— Предположим!

— Познакомились в «Лауре»?

— Может быть!

— Что вы про нее знаете?

— Ничего!

Мне надоел подобный разговор, и я резко
встала:

— Что ж, прощайте.

— Скатертью дорога, — окрысилась Нина.

— Завтра, — холодным тоном заявила я, —
явитесь вместе с мужем на Петровку, сейчас
выпишу повестку, давайте паспорт.

— Зачем с мужем? — растеряла весь боевой
пыл Нина.

— Не хотите по-хорошему вспомнить ничего про Ксению, придется попросить вас сделать
это в присутствии супруга.

— Ладно, ладно, — быстро пошла на попят-
ный девушка, — ну при чем тут муж? Он никогда не видел Ксению... а я правда про нее ничего
не знаю, мы давно дружить перестали.

— Почему она явилась к вам со скандалом?

Нина аккуратно загасила окурок.

— Дайте честное слово, что это останется
между нами!

С легким сердцем я ответила:

— Честное милицейское.

Нина печально вздохнула:

— Не всем так везет, как Никите, дом — полная чаша, отец и мать пылинки сдувают, а когда мачеха появилась, хуже не стало. Я ведь моложе Кита и изо всех сил стараюсь стать ему хорошим другом. Но порой просто злоба душит, ну почему одним все, а другим ничего! Ну чем я хуже? Только тем, что родилась у придурков!

Глава 15

Ниночке и впрямь не повезло. Нет, ее родители не пили горькую и не вели асоциальный образ жизни. Как раз наоборот. И папа и мама были страшно правильные, самозабвенные зануды. С младенчества Нина росла в системе глупых, необъяснимых запретов. Спать надо ложиться в восемь тридцать, на ночь нельзя есть мясо, телевизор можно смотреть только полчаса в день... Но эти родительские придури можно было объяснить заботой о состоянии здоровья ребенка. Кое-как оказывались доступны для понимания постулаты — «юбка у приличной девочки прикрывает колени» и «воспитанная девушка никогда не пойдет гулять с мальчиком». Но почему было нельзя сидеть в кресле нога на ногу, пользоваться дезодорантом, читать Майн Рида, ходить в бассейн и насыпать заварку в кружку, не знал никто. Нельзя, и точка!

— Жить следует правильно, — изрекал папа, выдумывая новый запрет.

— Бери пример с нас, — наставляла мама, покупая шестнадцатилетней девочке фетровые сапожки.

Сдерживая слезы, Ниночка натягивала боты «прощай, молодость» и понуро плелась в школу. Она, со своими невероятными нарядами, давно превратилась в объект насмешек. Но открыто бунтовать девочка побаивалась. Стоило ей проявить малейшее сопротивление, как папа-военный вытаскивал из брюк широкий офицерский ремень. Нечего было и думать о том, чтобы разжалобить маму, та целиком разделяла педагогические воззрения мужа.

— Без хорошей порки ребенка не воспитать, — поднимал кверху палец папа.

— Учи дитя смолоду, — подводила итог мама.

Ниночка закончила школу и пошла в педагогический. Вообще-то ей хотелось стать врачом, но папе казалось, что это стыдная профессия для женщины, ведь придется смотреть на голых мужчин...

Так и жила Нина, укладываясь спать до начала программы «Время», и неизвестно, сколько бы продлилось такое существование, но однажды, вернувшись домой, девушка застала невероятную сцену.

— Дрянь, скотина, мерзавец, сволочь, — вопила всегда спокойная, даже апатичная мама, швыряя в отца все, что стояло на столе — чашки, тарелки, масленки и сахарницу.

— Тише, тише, — бормотал папа, ловко увертываясь от «снарядов», — не надо...

Но его благодушие моментально испарилось, лишь только маме удалось попасть в мужа довольно тяжелым блюдом.

— Уродина, — завизжал отец и ухватил жену за волосы.

Ниночка чуть не потеряла сознание, глядя на драку. В их доме всегда царила полнейшая тишина, даже радио не работало на кухне. Впрочем, может, родители когда и ссорились, но делали это тайком, во всяком случае ранее скандалов в их скучной семье не случалось.

— Твой отец — кобель, — заявила мама, когда супруг, хлопнув дверью, выскочил на лестничную клетку.

— Что произошло? — робко осведомилась Нина, на всякий случай отступая подальше от потерявшей всякий человеческий облик мамаши.

Наверное, пережитый стресс был и впрямь велик, потому что обычно невозмутимая мать, никогда не откровенничавшая с дочерью, разразилась рыданиями и выложила невероятную, шокирующую правду. Тихий, правильный и занудливый отец, оказывается, имел любовницу, молодую девчонку, чуть старше собственной дочери...

Нина слушала, раскрыв рот. Потом со дна души поднялась мутная волна злобы пополам с обидой. Значит, ей нельзя было ничего — ни кино, ни дискотеки, ни модной одежды, ни косметики, а папочка в это время жил в свое удовольствие! Раздавал занудные указания и категоричные приказы, требовал жить «по правилам», а сам... От негодования девушка чуть не потеряла сознание.

— Я ему покажу, — причитала мать, — найду управу, в газету напишу, ославлю на весь свет, на работу пойду, пусть примут меры!

Мамочка явно выпала из жизни. В наше время никого давно не волновал моральный облик сослуживцев, исчезли парткомы, стоящие на страже обманутых жен, и газетам было совершенно наплевать на какого-то Сорокина, свернувшего налево от супруги. Вот если бы он был эстрадным певцом, депутатом, ну, на худой конец футболистом...

Целую неделю мать рыдала, а потом, утерев слезы, с удвоенным усердием принялась за воспитание Нины. Теперь дочери разрешалось только дышать, все остальное категорически запрещалось. Но в девушке что-то сломалось. Всегда послушная, даже покорная, она неожиданно решила проявить своеволие и в один прекрасный момент вместо того, чтобы, как всегда, после лекций явиться домой, отправилась с веселой студенческой компанией в кафе. Ничего плохого они не делали, просто заказали по бокалу сухого вина и мороженое. Потом танцевали... Словом, Нина явилась домой около одиннадцати, и до квартиры ее проводил Андрюшка Данилин.

Мать распахнула дверь, и не успела Нина

раскрыть рот, как на ее голову обрушилась тяжелая палка от швабры.

— Проститутка, шваль, — вопила мать, нанося удары дочери по голове, — сволочь подзаборная. Завтра пойдешь к гинекологу на осмотр, небось сифилис подцепила!

Плохо понимающая происходящее, Ниночка пыталась закрыть лицо руками, но удары сыпались один за другим, страшно болезненные, озверевшая матушка норовила ткнуть шваброй в губы и нос. Успевший спуститься на один лестничный проем, Андрюшка понесся назад.

Он вмиг отобрал у озверевшей бабы деревяшку и заорал:

— Вы чего? Белены объелись?

Полная негодования мать взвизгнула:

— Ах так! Хахаля на подмогу вызвала! Ну и убирайся вон на панель, там тебе место!

Дверь с громким стуком захлопнулась. Нина осталась стоять на лестнице, вытирая дрожащими руками кровь.

— Часто тебя так? — участливо поинтересовался Андрюшка.

Девушка даже не смогла ответить, пытаясь справиться с подступающими рыданиями.

Данилин повез ее к себе домой. Его отец служил в их институте заместителем декана, поэтому для Нины сделали исключение: закрыли глаза на московскую прописку и дали общежитие. В комнате, кроме Сорокиной, оказалась еще одна девушка — Ксюша Федина.

— Кто? — удивилась я.

— Ксения, — спокойно ответила Нина.

Я разинула рот, ну ничего себе, она что, училась одновременно в двух институтах?

В отличие от робкой забитой Нины, Ксюша была настоящая сорвиголова. Единственная дочь достаточно хорошо обеспеченных родителей. Мама работала главным бухгалтером на птицефабрике, папа владел авторемонтной мастерской, расположенной на трассе Москва—Калуга. Ксюте присылали достаточно денег, но та, не приученная к бережливости, моментально просаживала дотацию и оказывалась на нуле. Впрочем, жадной она не была и охотно помогала Нине.

Именно Ксюше первой пришла в голову идея наняться в «Лауру», чтобы слегка подзаработать. Сначала девушки успешно совмещали учебу и службу, но потом бросили институт и целиком отдались бизнесу. Сняли квартиру и зажили в свое удовольствие. Но «правильно воспитанной» Ниночке скоро надоела разгульная жизнь. Ксюша устраивала каждый день вечеринки, где рекой лились вино и водка, не стеснялась менять мужиков и даже подбила Нину завести роман с красавцем Гришей. Потом появился Леня, следом Миша, Павел, Петр... Однажды утром Ниночка проснулась и, глядя на мирно похрапывающего кавалера, судорожно пыталась вспомнить его имя — Леша? Саша? Костя? Внезапно ей стало нехорошо, неужели она и впрямь превратилась в проститутку... А ведь работала она в «Лауре» всего два месяца!

Решив взяться за ум, Нина восстановилась в институте и стала посещать занятия. В тот год декан пригласил Николая Серого читать курс советской литературы. Писатель увидел в аудитории скромно сидящую Нину и пропал. Стрела Амура пронзила его насквозь. Начался бешеный роман.

Нина правильно оценила шанс, подаренный судьбой, и повела себя соответственно — невинная девушка, благосклонности которой можно добиться, только имея на руках свидетельство о браке. Ксюша была в курсе действий подруги и лишь посмеивалась, глядя, как та смывает с себя косметику и стягивает волосы в простой хвостик. Но когда заявления были поданы в загс, Нина внезапно испугалась. В первую брачную ночь обман выяснится, Серый поймет, что целомудренная невеста давно не девственница.

— Эка печаль, — хмыкнула Ксюша и сунула подруге в руки газету, — гляди, объявление.

«Восстанавливаем девственность» — кричали громадные буквы. Испытывая к Ксюше глубокую благодарность, Ниночка воспользовалась подсказкой и успешно стала женой модного писателя. Накануне бракосочетания она набралась смелости и сказала подруге:

— Извини, но нам придется прервать общение.

— Понимаю, — хмыкнула Ксюша, — от свидетелей избавляешься.

— Извини, — твердо повторила Нина, — но я хочу вести спокойную семейную жизнь. Знаешь, я поняла, все эти гулянки не для меня.

— Ну-ну, — пробормотала Ксения, — давай разбежимся.

Целый месяц от нее не было ни слуху, ни духу, но однажды, распахнув дверь, Нина увидела перед собой подругу.

— Что тебе надо? — растерянно спросила она.

— Неласково встречаешь, — прощебетала Ксюша и ввинтилась в прихожую, — поговорить хочу.

Слава богу, муж был на даче, но в комнате занимался Никита, и Нина, обмирая от ужаса, провела нежданную гостью к себе. Ксюша плюхнулась в кресло, вытянула ноги и завела пустой разговор, суть которого в конце концов свелась к одной простой мысли — если Нина хочет, чтобы никто не знал о ее прошлом, она должна платить Ксюше дань — двести долларов ежемесячно. Сумма вполне приемлемая для солидной дамы. Но Ниночка хорошо понимала, что, если даст слабину, — она пропала. Ксюша не отцепится до конца жизни, а ее аппетит начнет только расти.

— Нет, — вырвалось у Нины.

— У меня сейчас затруднения, — принялась объяснять коллега по «Лауре», — с деньгами плохо, считай, в долг даешь.

Но Ниночка упорно качала головой.

— Ладно, — пробормотала Ксюша, — тогда посижу, подожду твоего мужа.

Нина испугалась, но решила не подавать вида и заявила:

— Сколько угодно, только не в моей квартире.

— А ты меня выгони, — хихикнула Федина.

Сорокина ухватила подругу за запястье, та принялась отбиваться, началась драка. В пылу схватки девушки задели торшер, и тот с ужасающим грохотом упал, засыпая все вокруг мелкой стеклянной пылью. На шум явился Никита и попытался их разнять.

— Погоди, Нинуся, — вопила гостья, — запомнишь ты меня, Ксению Федину, всю правду о тебе выложу, слушай, парень, кто она такая!

Никита лишь обалдело хлопал глазами.

— Это я про тебя всю правду знаю, — неожиданно тонким от напряжения голосом завизжала Нина, — не думай, что тебе удалось всех обмануть. Я тоже все знаю и могу кое-что интересное выложить!

Неожиданно Ксюша присмирела, в ее глазах мелькнул откровенный испуг, она отпустила Нину и довольно грубо поинтересовалась:

— Что ты имеешь в виду?

— Сама подумай, — заорала Нина, — вспомни, как напилась и все выложила!

Ксения разом растеряла пыл и, подталкиваемая Никитой, безропотно ушла. Ниночка только поразилась эффекту своих слов. Наглая шантажистка молча убралась. Никита собрал осколки и принес рыдающей мачехе валерьянку.

— Умоляю тебя, — просила та, клацая зубами о стакан, — умоляю, никому не рассказывай о визите Ксюши, никому...

— Да мне-то что, — пожал плечами Никита, — я уже забыл.

Нина вполне устраивала его в качестве мачехи, и юноша решил не вдаваться в подробности скандала.

Сорокина истерично рассмеялась и убежала в ванную приводить себя в порядок.

Позднее выяснилось, что она зря волновалась. Мерзкая шантажистка исчезла и больше не объявлялась.

— И что же вы знаете про нее такое? — поинтересовалась я.

— Ничего, — совершенно спокойно произнесла Нина, — кроме того, разумеется, что она — дрянь!

— Как это? — поразилась я.

— Знаете, — вздохнула Нина, — я так перепугалась, что Ксения сейчас выложит все про «Лауру», просто разум потеряла... Вот и крикнула первое, что пришло в голову, так кричат в ответ — «сама дура». Она мне в лицо орет: «Все расскажу», а я ей: «Нет, это я все про тебя расскажу». Чего она перепугалась?

— А что за история с ее откровением?

Нина засмеялась:

— Ксения вообще не пила, даже странно. Ни вина, ни водки, ни пива. Говорила, будто от алкоголя моментально пьянеет и теряет рассудок. Даже в «Лауре», уходя с клиентом, всегда специально оговаривала — она употребляет лишь минеральную воду.

Тот вечер они провели с шумной компанией на своей квартире. Кто-то из парней, желая подшутить над Ксюшей, поменял ее бокал с крем-содой на фужер с шампанским. Цвет напитков был одинаков — светло-желтый, и Ксения, не заподозрив ничего плохого, одним махом проглотила почти сто пятьдесят граммов шампанского. Секунду она сидела с обалдевшим видом, а потом только спросила:

— Кто же это мне такую свинью подложил?

Нина никогда не видела, чтобы люди пьянели с такой невероятной скоростью от малой толики шампанского.

Через пару минут Ксюша лыка не вязала, словно выдула бутылку водки, не меньше.

Так как празднество происходило в комнате Фединой, Нина отволокла подругу в свою спальню и попыталась уложить в кровать, но Ксюшу окончательно развезло. Девушка принялась рыдать, хватать Нину за руки и ныть:

— Не уходи...

Пришлось ей сесть возле буянки и ждать, пока ту свалит сон, но Ксюша и не собиралась засыпать. Лихорадочно блестя глазами, она схватила Нину за руку и принялась болтать. Бедная Нина не знала, как избавиться от потерявшей всякий человеческий облик Фединой.

— Спи давай, — велела она.

— Нет, ты слушай, — бормотала Ксения, —

я ужасный человек, за моими плечами страшные вещи, и вообще, я не Ксюша...

— Ты — пьянчужка, — засмеялась Нина, — ложись спать.

— Я не Ксюша, я Таня Митепаш, — бормотала Федина, — бедная, глупая Таня, а ведь я думала, что будет лучше!

Нина не поверила, естественно, ни одному слову и попыталась вновь отвязаться от Ксюши.

— Хорошо, хорошо, Таня, Маня, Аня, хоть горшок с кашей, только спи.

Федина еще пару минут несла какую-то чушь про суд, злого клиента и бабушку. Потом, в конце концов, свалилась на подушку и тяжело захрапела.

Утром ее подташнивало, болел желудок и кружилась голова. Когда сердобольная Нина подала подруге чашку кофе, та, выхлебав ароматную жидкость, простонала:

— Кто мне налил шампанское?

Нина пожала плечами:

— Понятия не имею.

— Наверное, Игорь, — пролепетала Ксюша, — в его духе шуточка. Ведь объясняла, мне нельзя пить!

— Да уж, — фыркнула Нина, — ты вчера была хороша, как майская роза. Главное, нет бы спать тихонько лечь! Давай глупости нести.

— И что я говорила? — неожиданно севшим голосом поинтересовалась Ксюша.

— Ой, не помню, — отмахнулась Нина, — я и не слушала, бред полнейший, про бабушку и какую-то Таню с жуткой фамилией то ли Хренаш, то ли Митепаш!

— Просто беда, — зашептала Ксюша, — ну стоит чайную ложку выпить, разом рассудок теряю, несу околесицу. Представляешь, один раз я наболтала, будто в тюрьме сидела, в другой раз клялась, что родилась в Америке... И откуда мне такое в голову приходит! Уму непостижимо! Просто стыдно потом...

— Забудь, — засмеялась Нина, — чего только спьяну не несут...

— И то верно, — вздохнула Ксюша и попросила, — раствори аспиринчику.

Нина пошла в кухню, принесла таблетки и забыла про разговор.

— Можете точно припомнить даты, когда познакомились с Ксюшей...

Нина нахмурилась:

— Значит, так! В девяносто седьмом мы начали работать в «Лауре», ровнехонько второго ноября наниматься пошли, и нас взяли. В тот же год я вышла замуж, но в самом конце, свадьбу играли 29 декабря, под праздник. Нам еще советовали на месяц отложить с ней.

Я молча барабанила пальцами по столу. Осенью того же года Ксения Федина ограбила Вику Попову и исчезла в неизвестном направлении. Значит, после разбоя она преспокойненько отправилась в общежитие педагогического института. Но как это ей удалось? Ведь вступительные экзамены сдают летом!

В голове образовалась каша, и, наверное, поэтому я излишне резко спросила:

— Она играла на рояле?

— Просто великолепно, — подтвердила Нина, — настоящий профессионал. Ее из-за этого очень ценили в «Лауре», и вообще она — настоящая актриса, мастер перевоплощений. Наденет черненькое платьице, глазки вниз опустит и лепечет: «Ах, простите, разрешите мне, будьте любезны...» Это если на кого впечатление произвести хочет. Но как только объект за дверь, наша тихоня разом меняется: «Эй вы, мать вашу...» Материлась она жутко, прямо через слово. Мне первое время просто не по себе было, что ни фраза, то «жопа» или еще чего похуже...

— Это она? — сунула я Нине под нос фото.

Сорокина принялась разглядывать снимок и протянула не слишком уверенно:

— Ну, вроде похожа. Хотя все другое — прическа, одежда...

— Одежда, — хмыкнула я, — она что, в одном платье ходила! Одежда, естественно, меняется, на лицо смотрите!

— Вы не совсем правы, — ответила Нина, — конечно, платья будут разными, но неизменным останется стиль. Ксюша, как правило, носила все обтягивающее, яркое, короткое, на грани вульгарности, порой явно безвкусные вещи, отвратительно красилась... А на снимке элегантно и дорого одетая дама, с безупречной прической и макияжем...

— Так это она или нет?

— Говорю же, похожа, но точно не могу подтвердить!

Я почувствовала навалившуюся усталость и махнула рукой:

— Ладно, адрес института, где учились, помните?

— Сокольская улица, дом забыла, возле фабрики кондитерских изделий, у ворот огромная труба торчит, мы еще шутили, что там кремируют студентов, не сдавших с десятого захода логику...

— Фамилию точно запомнили — Митепаш? Ну ту, что она в пьяном бреду повторяла?

— Отчего-то очень хорошо помню, — протянула Нина, — может, потому что никогда такой не слышала — Митепаш, а имя — Таня. Да вы забудьте, пьяная она была, вот и несла всякую чушь.

Я молча смотрела на успокоившуюся Нину. А вот здесь ты, моя милая, не права! Что у трезвого на уме, то у пьяного на языке!

Глава 16

Домой я ворвалась, волоча неподъемную сумку. Скоро все явятся с работы и запросят есть. В кухне по-прежнему громоздилась гора невымытой посуды.

— Тина, — завопила я, чувствуя, как злоба начинает подкатывать к горлу, — немедленно поди сюда!

Заскрипела дверь, и заспанная девица появилась на пороге.

— Ты почему не помыла посуду?

— А надо было?

От гнева я так швырнула щеточку в раковину, что любимая темно-синяя кружка Сережи, жалобно тренькнув, развалилась на части. Ну вот, теперь он будет весь вечер злиться, обнаружив осколки.

— Ты же целый день была дома, ну неужели трудно ополоснуть тарелки!

— Мне плохо, — тихим голосом пробормотала Валя, оседая на стул, — мне очень плохо, желудок болит, и в глазах темно, пожалуйста, принесите с тумбочки таблетки, розовенькие такие, в пузырьке.

Вот актриса! Хочет оправдать лень болезнью.

В спальню я все же сходила и обнаружила на столе не только предписанные Катей снадобья, но и кучу бумажек от шоколадных конфет, цветные фантики валялись и на одеяле. Там же лежала испачканная книжка «Кошмар в подворотне».

«Спокойствие, только спокойствие, — пробормотала я про себя — раз, два, три, четыре, главное, не сорваться...»

Но, сунув томно вздыхающей Валентине лекарство, я все же не удержалась и отвела душу.

— Разве можно есть такое количество сладкого! Да еще если не слишком хорошо себя чувствуешь! Здоровый человек и тот в больницу загремит, если килограмм «Мишек» сожрет.

— Да, — покорно согласилась Тина, — вы абсолютно правы, не понимаю, как это вышло, зачиталась, наверное.

Я отвернулась к мойке и принялась яростно мыть тарелки.

После ужина, часов в десять, Катя объявила:

— Все, завтра в девять подписываем документы.

— Какие? — удивилась Юлечка.

— Договор купли-продажи.

— Уже? — выкрикнули мы все в голос.

— А чего тянуть? — пожала плечами Катерина. — Вся цепочка готова, бумаги собраны.

— Как-то впопыхах получается, — забормотал Сережка, — серьезные дела с наскока не делаются.

— Надо успеть до Нового года, — пояснила Катя.

— Почему? — изумилась Юля.

— Не знаю, так говорят в агентстве, — отмахнулась подруга, — да еще Евгения Николаевна боится, что в начале января о строительстве дороги объявят вслух, и мы останемся на бобах. Ну кто поедет в квартиру возле надземки!

— Получается, мы обманываем тех, кто сюда въедет, — встрял в разговор Кирюшка.

Повисло молчание. Наконец Юлечка нашлась.

— Ну мы не на прямую меняемся. Сюда въедут те, кто в самом конце цепочки.

— Наверное, и впрямь не слишком хорошо, — забормотала Катя.

— Слышь, мамуля, — быстренько поинтересовался Сережка, — а как завтра все будет происходить? И потом, если мы квартиру покупаем, то где деньги?

— Мы же одновременно и продаем, — пояснила Катя, — там вообще ни у кого нет денег.

— Как это? — изумилась я.

Катерина вздохнула и принялась объяснять:

— Михалевы и Поповы покупают нашу квартиру и приносят сто тысяч. Но одновременно Михалевы продают свою четырехкомнатную и получают семьдесят пять штук от нас, а Поповы берут двадцать пять от Петровых...

— Постой, постой, — засуетилась Юля, — но откуда у нас семьдесят пять тысяч?

— От Михалевых.

— Мы же им сами должны дать?

— Ну нет!

— Ты же только что сказала!

Катя замолчала, потом вздохнула.

— Напутала. Слушайте, мы даем сто тысяч Никитиным, нам дают семьдесят пять Михалевы и двадцать пять Поповы, а те получают свои денежки от Петровых и...

— Господи, — одурев от обилия фамилий, поинтересовалась я, — а изначально-то сто тысяч чьи?

— Петровы двадцать пять и Михалевы семьдесят пять, — терпеливо разъяснила Катя, — только они вносят деньги, остальные их просто передают по цепочке из рук в руки...

— Но ты же только что произнесла, будто Петровым двадцать пять дадут Поповы? — изумилась я.

— Нет, — завопила Катя, — все, отстаньте, этими проблемами, кто, кому и сколько дает, занимается агентство! Наша задача стоять завтра в девять утра в офисе с паспортами.

— Ура! — завопил Кирюшка. — На тренировку не пойду.

— Ты нам совершенно не нужен, — сообщила Катя.

— Это ущемление прав ребенка, — заныл мальчик.

— Завянь, — велел старший брат, — во что вещи паковать станем?

— В коробки, — сказала Юля.

— Кошмар, — вздохнула Катя.

— Ну это ты сама придумала, — парировал Сережка.

— Хочешь жить на дороге? — рассердилась Катя.

Слушая, как они ругаются, я пошла к себе и принялась звонить по телефону. Сначала соединилась с Писемским и узнала, что никаких известий о Ксюше нет. На мой вопрос, играла ли супруга на пианино, Олег растерянно ответил:

— Не знаю, никогда не слышал, у нас нет фортепьяно.

— Ладно, — вздохнула я, — дайте другую фотографию жены, на той, что у меня, ее лица практически не различить.

— У меня их нет, — пробормотал Писемский.

— Как так? — искренне удивилась я. — А свадебные?

— Там незадача вышла, — пояснил бензиновый король, — мы наняли фотографа, и он исправно отщелкал кадры. А потом вернул деньги и очень извинялся. Пленка отчего-то оказалась засвеченной.

— Но отдыхать же вы ездили?

— Да, только один раз Ксюша забыла пленки в гостинице, а другой — случайно обронила альбомчик в ванну...

— А негативы?

— Пропали куда-то, она очень переживала.

Я швырнула трубку на диван и вытащила сигареты. Вообще курить я начала недавно и делаю это не слишком правильно. Курильщики вдыхают дым, а я его глотаю. Все попытки научиться дымить по науке закончились крахом. Но вид тающей сигареты приводит меня в отличное расположение духа, а горячий дым в желудке приятно согревает и расслабляет. Поэтому я плюнула на все каноны и расправляюсь с сигаретами по-своему.

Ох, неспроста молодая жена Писемского уничтожила снимки. Интересно, чего она боялась?

Следующий мой звонок адресовался Бурлевскому. Федор молча выслушал меня и велел:

— Великолепно, теперь осталось только найти того, кто убил Веру, и дело сделано.

Легко сказать, да трудно сделать.

— Может, все-таки лучше поставить в известность милицию? — осторожно предложила я.

— Никогда, — с жаром сказал Федор, — правоохранительные органы уже решили, что Антон виновен, и не захотят менять своего мнения. Им все ясно.

— Боюсь, не справлюсь, — заныла я.

— У вас великолепно получается, — парировал Бурлевский, — дерзайте!

На следующее утро мы гурьбой вошли в офис конторы «Конако». Нас встретил суетливый мужчина в плохо поглаженных брюках.

— Очень, очень рад, — суетился он, подпрыгивая на месте, — будем знакомы, Зиновий Павлович, садитесь на диванчик, надо обождать.

— Долго? — спросил Сережка.

— Вот только Поповы подъедут, — потирал руки суетливый мужичонка, — остальные тут.

Мы расположились на мягком диване и уставились на громадный аквариум, где плавали неправдоподобно огромные рыбы.

— Они живые? — спросила Юля.

— Нет, заводные, — пояснил Сережка.

Юлечка постучала пальцем по стеклу, и рыбины моментально повернули морды на звук.

— Что ты врешь, — возмутилась Юля.

— А ты что глупости спрашиваешь? — спросил Сережка.

Атмосфера явно накалялась, и, хотя все тихо сидели на диванах и креслах, в воздухе запахло грозой.

Прошел час, потом другой.

— Ну где они! — возмутилась Катя.

— Все в порядке, — успокоил Зиновий Павлович, — из области едут, может, с электричкой чего. Вот журнальчики поглядите.

Сережка со вздохом встал.

— Пить хочется.

— А вот у нас аппаратик, «Чистая вода» называется, — пояснил Зиновий Павлович, — тут и стаканчики, и пакетики с чаем. Красный краник — кипяток, а синий...

— Понял, — прервал его Сережка, взял пластиковую емкость, сунул туда «Липтон» и нажал на рычажок.

Вода полилась в стаканчик. Сережка наполнил его доверху и громко рыгнул.

— Сережа! — укоризненно сказала Юля.

— Что такое? — повернулся муж.

— Веди себя прилично!

— Ты что, с ума сошла? Что я такое сделал?

— Сам знаешь, — надулась жена, — подобное поведение отвратительно.

— У тебя поехала крыша, — вздохнул муженек и принялся преспокойно пить чай.

— Мог бы и мне налить, — окончательно обозлилась Юлечка и, резко встав, ухватила стаканчик.

Вода вновь побежала веселой струйкой, и опять раздался отвратительный звук.

— Юлька, ты пукнула, — захихикал Сережка.

— Я? — возмутилась девушка. — Я?

— Нет, я, — продолжал веселиться муженек, — фу, как неприлично прилюдно портить воздух.

— Дурак, — выпалила Юля.

В этот момент к огромному нагревателю подошел Зиновий Павлович и подставил чашку. Послышалось жуткое рыканье. Я посмотрела на аппарат. Сверху на нем горлышком вниз помещалась большая, двадцатиметровая пластиковая бутыль, из нее жидкость попадала в титан. Каждый раз, когда кто-нибудь открывал кран, в бутылке возникал здоровенный пузырь, а следом доносилось омерзительное бульканье, словно кого-то тошнит.

— Не надо пускать при всех, — продолжал веселиться Сережка.

— Урод, — прошипела Юля и пнула муженька ногой.

Но того было не остановить:

— Приличная с виду девушка, а так плохо воспитана!

— Кретин, — свистела сквозь зубы жена.

Понимая, что супруги сейчас подерутся, я сердито велела:

— Прекратите, вы не дома. Никто не рыгал и не пукал, это бутылка...

— Не знаю, не знаю, — протянул Сережка.

Но тут дверь с треском распахнулась, и на пороге появилась здоровенная бабища, сильно смахивающая на царя-реформатора Петра I. Ну, может, рост чуть-чуть пониже, не два метра, а всего сто девяносто сантиметров, но усы такие же, и круглые глаза бешено блестят. Под рукой она несла довольно плюгавенького мужичонку в огромных грязных дутых сапогах. Именно несла, потому что «дутики» болтались в воздухе. Мужику, очевидно, был знаком подобный способ передвижения, и он не выражал совершенно никакого неудовольствия, апатично выглядывая из-под мощной руки. Так покорно ведет себя наша мопсиха Ада, когда ее тащат купаться. Вначале собака убегает, прячется, забивается под кровать, но как только ее вытащат и возьмут на руки — все, сопротивление прекращается, словно Ада принимает решение не бороться с обстоятельствами.

Похоже, что этого мужика тоже сначала долго гоняли по всем углам.

Бросив ношу на диван, баба сказала неожиданно писклявым голосом:

— Здрассти всем, простите, припозднились, дорога — дрянь. Не асфальт — стекло, машину мотает, еле доползли.

Я подергала носом, ощутила сильный аромат спиртного и поняла, что господин Попов бесповоротно пьян.

— Вы отчаянная женщина, на машине в такой гололед, небось устали за рулем.

— Я не умею водить, — пояснила мадам Попова, — муж был за рулем.

Я во все глаза уставилась на почти заснувшего недомерка. Муж?! Пьяный в лоскуты?! За рулем, в такую погоду?!

Словно почувствовав мое недоумение, госпожа Попова пояснила:

— Он в порядке, как только за баранку садится, сразу трезвый делается.

Прибежавший на шум Зиновий Павлович моментально поволок плохо соображающего мужика в глубь конторы.

— Теперь понятно, почему у них везде гигантские аквариумы, — протянул Сережка.

— Почему? — насторожилась Катя.

— Засовывают в них мордой вниз подобных клиентов, — пояснил парень.

И вновь потекли минуты, но через час стало

ясно, что подписывать бумаги невозможно. Несмотря на литр крепчайшего кофе, два порошка алка-зельцер и нашатырный спирт, месье Попов так и не пришел в себя. Приглашенный для скрепления сделки нотариус только крякнул:

— Ну, Зиновий, извини, всегда иду тебе навстречу, не придираюсь, когда паспорт просрочен, но тут! Он же расписаться не сумеет.

— А мы можем провести сделку в машине? — поинтересовался Сережка.

— При чем тут автомобиль? — удивился нотариус, поминутно поправляя съезжающие на нос очки.

— Да жена говорит, что он, когда за руль садится, в себя приходит, — пояснил парень.

Нотариус гневно фыркнул и решительно произнес:

— Действия откладываются. Завтра в девять снова здесь.

— У меня работа, — робко сказала Катя.

— И у нас, — тихо добавили Михалевы.

— Ничего не знаю, — отрезал нотариус.

Разочарованные, мы вышли на улицу и разбежались в разные стороны: Катя в больницу, Сережка на переговоры, Юлечка сдавать зачет, а я искать педагогический институт, где учились Сорокина и Федина.

Нина дала правильный ориентир. Высокую трубу, сложенную из красного кирпича, я заметила сразу, выйдя из метро. А институт и впрямь находился дверь в дверь с кондитерской фабрикой. Над переулком разливался запах ванили, корицы и свежевыпеченной сдобы, но это было единственное приятное впечатление. В остальном же alma mater будущих педагогов выглядела отвратительно. Кособокое, грязное здание, крашенное уже облупившейся светло-коричневой краской. На первом этаже нестерпимо воняло туалетом, а лестницу, наверное, последний раз мыли в честь 850-летия Москвы. По длинным, кишкообразным коридорам бродили неряшливо одетые девушки — тяжелые ботинки на «тракторной» подметке и вытянутые, бесформенные свитера, свисавшие почти до колен. Впрочем, парочка преподавателей, встреченных на пути, выглядела не лучше — безвозрастные тетки с замороченными лицами.

В учебной части сидела девчонка. Увидав меня, она разулыбалась и бойко спросила:

— Ищете кого?

— Да. Ксению Федину.

Девица нахмурила гладкий лобик и пробормотала:

— Это на каком же курсе?

Я развела руками:

— Понятия не имею.

— Не расстраивайтесь, — хихикнула девушка, — найдем.

Компьютера тут не было. Личные дела хранились по старинке в большом желтом шкафу. Минут десять старательная инспекторша лазила по полкам и наконец удовлетворенно вздохнула:

— Вот она, в отчисленных.

— Можно посмотреть?

Девушка с готовностью протянула скоросшиватель, но потом решила проявить бдительность и поинтересовалась:

— А вам зачем? И вообще, вы кто?

Я посмотрела в ее чистое, наивное, не замутненное никакими мыслями личико и резко ответила:

— Майор Романова из уголовного розыска.

— Ой, — взвизгнула девчонка и беспрекословно отдала папку.

Я начала медленно смотреть бумаги. Анкета, которую заполняют при поступлении абитуриенты, лежала первой. Так — Федина Ксения Ивановна.... родители: Федин Иван Николаевич, скончался в 1990 году, мать Федина Раиса Константиновна, директор фабрики, поселок Селихово.

— Очень странно, — невольно вырвалось у меня.

— Что? — робко поинтересовалась девчонка.

— Когда в вашем вузе приемные экзамены?

— С пятнадцатого по двадцать пятое августа.

— А Федину зачислили в конце сентября, как подобное получилось?

Девица вздохнула и пояснила:

— Она не одна такая.

— Почему?

Инспекторша покосилась на соседний пустой стол и, понизив голос, сообщила:

— Знаете, тут не институт, а богадельня.

— Поясните, пожалуйста.

— Да чего уж там, смотрите, экзамены сюда можно сдать тогда, когда во всех приличных местах уже прошли конкурсные испытания.

Многие абитуриенты сначала пробуют свои силы в более приличных местах, а когда получают тройки, бегут сюда. В данный институт берут всех, главное — не получить два балла. Но, честно говоря, сделать подобное трудно, экзаменаторы более чем лояльны, а сдавать следует всего три предмета — литературу, историю и русский. Причем устно, по тестовой системе. То есть получаете листок с вопросами и вариантами ответов. Допустим, кто написал «Евгений Онегин» — Пушкин, Джордано Бруно или Юрий Гагарин? Но даже при такой системе случается недобор студентов. Поэтому ректорат частенько разрешает начать учиться на первом курсе тем, кто пришел в сентябре, октябре, ноябре. Иногда перебегают из других учебных заведений, не осилив там программу. Вот и Ксюша оказалась из таких, принесла бумаги осенью и была принята. Правда, примерно через три месяца она исчезла, просто перестала ходить на занятия и оказалась отчислена.

Больше я ничего не узнала. В данном с позволения сказать институте обучали всего два года, и все Ксюшины товарки разлетелись кто куда, получив дипломы. А еще удивляются, отчего у нас такие отвратительные учителя в школах, да как им быть другими, если свои знания они получили в подобном вузе!

Мороз щипал за щеки, пока я неслась к метро. В переходе между «Боровицкой» и «Библиотекой Ленина» я купила блинчик и стакан горячего чая, стало тепло, а мозги, оттаяв, начали соображать. Ну и что я узнала? На первый взгляд ничего нового, кроме того, что Ксения превратила свою мать в директора фабрики и перепутала ее отчество. Врать в анкете можно безнаказанно, никаких справок, подтверждающих место работы родителей предъявлять не надо. Она решила повысить свой социальный статус, вполне понятная слабость. Но меня в анкете заинтересовало не это. Я уже заглядывала один раз в папку с личным делом Фединой, и было это в экономической академии. Перед глазами стояла анкета, заполненная Ксенией. Совершенно наплевать на содержащиеся там сведения, но почерк, почерк был иной. Федина, решившая стать экономистом, писала мелкими, ровными, словно бисеринки, буквами. И, насколько помню, абсолютно грамотно, без орфографических ошибок и помарок. Что и понятно, девочка училась в школе на одни пятерки, а копия аттестата это подтверждала. А вот документы абитуриентки, пришедшей в педагогический, выглядели по-иному. Бумаги она заполняла большими, неровными, узкими и острыми буквами. Более того, сначала написала «заЕвление», а потом переправила первое «е» на «я». Ошибка, невозможная для отличницы.

Быстро глотая вкусный блинчик с загадочным названием «буритто», я лихорадочно соображала: куда идет человек, если хочет узнать адрес москвича? В Мосгорсправку. Вот и я поеду сейчас туда. Правда, насколько я знаю, там требуются полные паспортные данные, но в моем случае могут сделать исключение. Если бы я хотела найти Лену Петрову, не зная отчества и года рождения... Но мне нужна дама с редкой фамилией Митепаш. Небось в столице одна такая!

Бросив картонный стаканчик в урну, я понеслась к поезду.

Глава 17

В «Мосгорсправке» ко мне отнеслись участливо. Да и как было не пожалеть глупую провинциалку, приехавшую в столицу из Тмутараканска.

— Девушка, — ныла я, усиленно шмыгая носом, — уж помогите! Бумажку с адресом посеяла, растерялась в большом городе, кругом машины, люди мельтешат, ох, тошно! Как теперь подругу найти!

— Не переживайте, — принялись успокаивать меня милые женщины, — если в столице прописана, то найдем.

Действительно, через десять минут мне протянули бумажку.

— Фамилия редкая, — вздохнула служащая, — с такой всего четыре человека в огромном мегаполисе.

Радостно отдав за услугу сто рублей, я вышла в холл и принялась изучать бумажку. Так. Митепаш Эдвард Христофорович, 1907 года рождения, Митепаш Ольга Васильевна, 1917 года, Митепаш Ева Эдвардовна, 1947 года и Митепаш Татьяна Федоровна, 1972-го... И, что интересно, все прописаны по одному адресу, в Сафоновском проезде, буквально в двух шагах от того места, где я сейчас стою.

Жила семья Митепаш в огромном доме, сплошь увешанном мемориальными досками. Вид серого здания с нелепыми полотнами на крыше вызвал во мне смутные воспоминания. Насколько помню, тут имел квартиру Вася Леонов, мой сокурсник по консерватории, его родители служили в музыкальном театре... Да и на досках мелькали слова: «выдающийся дирижер», «композитор», «балерина»... Кооператив явно заселяли служители Мельпомены.

Странно, на двери не было домофона, впрочем, и в подъезде не сидела лифтерша, и лифт оказался грязным, воняющим мочой. Дверь двадцать восьмой квартиры украшала красивая железная табличка «Митепашъ». Я быстренько ткнула пальцем в звонок.

— Иду, — донеслось откуда-то издалека, — иду, тороплюсь.

Голос был молодой, звонкий, явно девичий. Дверь распахнулась, и от неожиданности я чуть было не раскрыла рот. На пороге стояла очень пожилая женщина, но язык не повернется назвать такую старухой. Высокая, статная фигура пятидесятилетней дамы. Как правило, женщины с возрастом становятся меньше, усыхают. Эта же сохранила рост и идеально прямую спину. Совершенно седые волосы были уложены в аккуратную, старомодную прическу с высоко взбитой челкой. В ушах переливались бриллиантовые серьги, на шее, прикрытой воротником, висели бусы, а скрюченные, артритные пальцы были украшены кольцами и перстнями. Впрочем, маникюр там тоже был, длинные, безукоризненно овальные ногти покрывал кроваво-красный лак, точь-в-точь повторявший тон помады хозяйки. И одета она была не в халат, а в свободные черные брюки и темно-серый свитер. Лишь лицо, покрытое сетью глубоких морщин и пигментных пятен выдавало возраст, с которым дама пыталась бороться.

— Вы ко мне? — спросила она хорошо поставленным, звонким сопрано.

Я удивилась: надо же так сохранить голос, если закрыть глаза, кажется, будто говоришь с двадцатилетней девушкой.

— Семья Митепаш здесь проживает?

Дама отступила в глубь коридора и сказала:

— А вы по какому вопросу? Вас прислал Леонид Аркадьевич?

— Нет, мне нужна Татьяна Митепаш.

Старуха переменилась в лице и чуть сгорбилась.

— Кто вы?

— Тани нет?

— Кто вы?

Не понимая, отчего она так странно реагирует на вопросы, я решила, что пожилой человек скорей всего испытывает доверие к правоохранительным органам, и вежливо ответила:

— Майор Романова Евлампия Андреевна, из милиции.

— Понятно, — пробормотала дама и, вздохнув, добавила: — Проходите.

По длинному, темному коридору мы добрались до комнаты, большую часть которой занимал рояль. Помещение явно обставляли в начале века. Тяжелый, дубовый стол, массивный диван, обитый темно-синим бархатом, и вольтеровское кресло... С потолка свисала бронзовая люстра, и на стенах было невероятное количество фотографий и картин.

— Слушаю вас, — царственно вымолвила дама, медленно опускаясь в кресло.

— Вы Ева Эдвардовна?

Хозяйка рассмеялась, словно рассыпала горсть весело звенящих колокольчиков.

— Дорогая, ценю ваше желание сделать мне комплимент, но я Ольга Васильевна, мать несчастной Евы.

Значит, моей собеседнице восемьдесят два года.

— Ни за что бы не подумала, — решила я льстить дальше, — сначала мне показалось, что говорит девушка.

Ольга Васильевна вновь рассмеялась:

— Милая моя, я певица в прошлом, и голос — все, что осталось от былого величия. Когда-то и впрямь многие мужчины валялись в ногах, забрасывая букетами... Но... слава проходит, вы, наверное, и не знаете о звезде музыкального театра Ольге Митепаш. Я давным-давно на пенсии и служу педагогом-репетитором, обучаю молодых людей правильно владеть голосом. Кстати, мне ставили голос в Италии. Было это в начале тридцатых, тогда Молотов собрал лучших певцов...

Она пустилась в воспоминания, забрасывая меня совершенно ненужными сведениями. Наконец я дождалась в этом потоке паузы и быстренько вставила:

— У вас такая редкая фамилия.

— Мой муж — прямой потомок декабристов, — гордо сообщила дама. — Его предок был французский офицер, де Митепа, женившийся на одной из сестер Волконских. Потом частичка «де» отпала и кто-то приписал букву «ш» в конце фамилии... Эдвард Христофорович являлся великим дирижером, его творческий путь...

На меня вновь вылили ушаты информации. С памятью у дамы был полный порядок. Она в деталях описала свое свадебное платье, поездку с мужем во Францию и минут пять перечисляла знаменитостей, запросто бывающих в ее доме.

Обалдев от такого количества сведений, я почувствовала, что задыхаюсь. В комнате пахло пылью, Ольга Васильевна источала сильный аромат старомодных «Мадам Роша», и в горле у меня запершило.

Еле-еле сдерживая кашель, я решила направить поток воспоминаний в нужное русло и поинтересовалась:

— Ваша дочь тоже певица?

— Евочка была скрипачкой, — пояснила Ольга Васильевна.

— Была?

— Она умерла, — коротко уронила дама.

— Надо же, такая молодая, сердце?

— Нет, — вновь коротко ответила Ольга Васильевна. Она явно не собиралась распространяться на предложенную тему.

Но именно ее неожиданная сдержанность и заставила меня настаивать:

— Что же тогда? Рак?

— Нет.

— Несчастный случай?

— Милостивая государыня, — гордо подняла голову Ольга Васильевна, — моя дочь покончила с собой, она была больным человеком, слабого душевного здоровья. Любая мелочь сильно ранила Еву, и в конце концов психика не выдержала.

— Простите, — пробормотала я, — и давно это произошло?

— В девяносто седьмом году, — спокойно ответила бывшая певица, — с тех пор я живу абсолютно одна.

— А Таня, она ведь ваша внучка?

Хозяйка сложила на груди руки и заявила:

— У меня нет ничего общего с данной особой.

Вот те на! Только что вовсю щебетала о своих любовниках, а теперь не желает даже слова сказать о внучке.

— Мне нужна Татьяна. Где ее можно отыскать?

Ольга Васильевна гневно сверкнула накрашенными глазами.

— Во всяком случае этот дом — последнее место, где она появится.

— Почему?

Певица помолчала секунду и спросила:

— Зачем она вам? Что Таня опять натворила?

Неожиданно в ее деланно бодром, хорошо отлаженном голосе появилась легкая хрипотца, и я вдруг сказала правду:

— Ничего страшного, просто нам кажется, что Таня может пролить свет кой на какую историю.

— И все же в чем дело? — настаивала собеседница.

— Некоторое время тому назад в Москве исчезла девушка, Ксения Федина. В ходе оперативно-следственных мероприятий мы пришли к выводу, что Татьяна Митепаш знает, где находится пропавшая.

— Вам очень надо ее найти?

Я кивнула:

— У Фединой остался муж, который глубоко переживает потерю жены.

— Да, — вздохнула Ольга Васильевна, — я хорошо знаю, как трудно терять близких. Ладно, если вы говорите, что Татьяна в курсе, попробую вам помочь. Только предупреждаю, ничего хорошего вы не услышите. Таня — наше семейное несчастье, хотя сил в ее воспитание было вложено столько, что хватило бы на десяток детей.

Ева Митепаш никогда не была замужем. Выращенная любящими родителями в тепличных условиях, она ждала великой любви и высоких отношений. Но действительность оказалась жестока. Встреченный ею принц сначала раздавал клятвы и комплименты, потом уложил ее в кровать, не торопясь в загс, а когда Ева с радостью сообщила любовнику о беременности, он моментально постарался исчезнуть с горизонта. Правда, не слишком удачно. Ольга Васильевна нашла Ромео и заставила признать новорожденную дочь. Девочка получила отчество отца, но фамилию оставили материнскую. Неудавшийся папаша два раза прислал алименты и забыл про ребенка.

Ольга Васильевна хотела подать в суд на негодяя, но рыдающая Ева упросила мать не делать этого.

Танюшу воспитывали две без памяти любящие девочку женщины. Эдвард Христофорович скончался в 1970 году и не застал внучку.

В те годы семья не слишком нуждалась. У Евы случались гастроли за границей, а у Ольги Васильевны была слава превосходного педагога, и поток учеников не иссякал.

Танечку растили в тепличных условиях. Няня, гувернантка, потом учитель музыки. К фортепьяно девочку подвели в пять лет и с тех пор заставляли ежедневно упражняться, готовя к профессиональной карьере. По вечерам водили в театры и консерваторию, по воскресеньям —

в Третьяковскую галерею и Пушкинский музей.

Казалось, в подобной атмосфере должно было вырасти экзальтированное существо, тургеневская барышня, тонко чувствующая девушка... Но вышло иначе. Таня оказалась кукушонком, подброшенным в гнездо Митепаш. С самого раннего детства от нее нельзя было добиться ни слова правды. Даже если девочка говорила, что на улице снег, следовало для проверки взглянуть в окно. В раннем возрасте ее считали фантазеркой. Отправляясь с няней погулять, восьмилетняя малышка рассказывала, какая страшная автомобильная катастрофа произошла только что на проспекте. Ребенок в деталях описывал разбитые машины, кровь на асфальте. Няня стояла, разинув рот. Ничего подобного не было и в помине, все родилось в Танюшиной голове.

— Тебе бы романы писать, — вздыхала Ева и спрашивала у Ольги Васильевны: — Может, зря музыке учим?

— Прекрати, — отмахивалась певица, — Татьяна эмоциональная натура, глубокоодаренная девочка, а фантазии пройдут.

Но бабка оказалась не права. Впрочем, классе в пятом девочка прекратила пугать близких выдумками, просто ее ложь стала иной, Танечка научилась извлекать из своих «фантазий» выгоду. Сначала это были мелочи. Например, ей регулярно недодавали сдачу в булочной. Батон белого хлеба, принесенный подростком, всегда оказывался дороже. Но, поскольку речь шла о копейках, ни мать, ни бабка не волновались. Потом у нее постоянно пропадали вещи, то красивый, привезенный матерью пенал, то чудесные варежки на кроличьем меху.

— Нельзя быть такой растяпой, — вздыхала Ева, покупая новые вещи.

Танечка согласно кивала с серьезным лицом. Любящие родственницы не давали ей денег, считая, что девочке они ни к чему, а ей так хотелось съесть строго-настрого запрещенный пирожок с повидлом или мороженое, купить карандаш с ластиком.

Вот и приходилось продавать хорошенькие безделушки в школе.

Училась Таня плохо, наука просто не лезла в ее голову. И если двойки по математике не слишком удивляли мать, то «неуды» по русскому языку, истории и литературе искренне огорчали.

Не слишком удачно шли дела и на профессиональном поприще. Педагоги в музыкальной школе постоянно говорили о лени. Ремесло пианиста — постоянный, упорный труд, без конца повторяющиеся экзерсисы. Для того чтобы выйти на сцену и великолепно исполнить вещь, не думая о руках, следует по нескольку часов в день проводить за инструментом. В особенности тяжело приходится маленьким музыкантам весной. В раскрытое окно доносятся счастливые вопли одноклассников, играющих в прят-

ки, а ты сиди за ненавистным пианино, погля-
дывая на мерно качающийся метроном.

В девятом классе Таня категорично заявила:

— Меня раздражает, когда вы входите в комнату, где я занимаюсь.

Мать и бабка согласно закивали головами.
Сами профессиональные музыканты, они по-
нимали, что творческому человеку может поме-
шать любая мелочь. С тех пор дверь кабинета,
где стоял рояль, стала плотно закрываться. Ева
только поражалась, слушая звуки, разливающи-
еся по квартире. Прежде ленивая, Танечка теперь проводила у инструмента почти весь день.

— Говорила же, — радовалась Ольга Васильевна, — девочка переросла, стала взрослой...

Но в школе по-прежнему твердили о неразу-
ченных пьесах.

— Вашей дочери следует упорно заниматься, — бормотала Эсфирь Моисеевна, педагог
по классу фортепьяно.

— Но она целыми днями сидит за инструментом! — отбивалась Ева.

Эсфирь Моисеевна только вздыхала.

— Не расстраивайся, мамочка, — успокаи-
вала ее Таня, — она ко мне просто придирает-
ся, и потом, ей нравятся брюнетки, а я русово-
лосая!

Ева молча слушала дочь. Ей хорошо были
известны нравы музыкальной среды. Не зря
многие пианисты, хихикая, рассказывали анекдот: «У армянского радио спросили, есть ли среди педагогов музыкальной школы хоть один,

который спит с женщиной? Армянское радио ответило: «Да, это Анна Лазаревна Вишнякова».

Поэтому в Танечкиных словах был резон, Эсфири Моисеевне девочка была не по душе. Ева решила перевести дочь к другому педагогу, но тут неожиданно грянула буря.

В один далеко не прекрасный день Еве позвонили и велели срочно прийти к директору музыкальной школы. Тот сначала показал изумленной матери оценки Татьяны. Двойки стояли по всем предметам, даже в графах «История музыки» и «Хор» красовались «лебеди».

— Вашей девочке следует избрать другую стезю, — сообщил директор, — и потом, она слишком ленива...

— Боже, — всплеснула руками Ева, — да Танюша часами работает...

Директор с сомнением поглядел на мать и добавил:

— Тогда тем более. Если столь упорный труд не принес никаких результатов, то ей следует учиться иному ремеслу и потом...

Он замялся.

— Что? — спросила Ева. — Что еще?

— Поймите меня правильно, — завел директор, стараясь не смотреть матери в глаза, — мы глубоко уважаем вас и Ольгу Васильевну, а Эдвард Христофорович до сих пор...

Ева молча слушала восхваление своих родителей, недоумевая, что происходит. Наконец собеседник добрался до сути. У педагогов неоднократно пропадали деньги. Кто-то лазил по сумочкам, причем делал это в день зарплаты. Вчера Эсфирь Моисеевна застала Таню возле своего ридикюльчика. Девочка держала в руках конверт с купюрами. Испуганная Таня залепетала что-то невразумительное.

— Увидела вашу сумку, а в комнате никого, — пояснила ученица, — вот и хотела отнести деньги в учебную часть, чтобы не пропали.

Эсфирь Моисеевна прямиком отправилась к директору и сообщила, что более не собирается заниматься с Татьяной Митепаш.

— Мы не вызвали милицию только из уважения к вам, — пояснял директор, — но Татьяне лучше уйти.

Покрасневшая Ева вскочила на ноги:

— Да мы больше ни секунды не останемся в этом вертепе, где, во-первых, научить ничему не могут, а во-вторых, придумывают про детей гадости. Ребенок хотел просто сделать лучше Эсфири Моисеевне, спрятать деньги этой жабы. Кстати, она ненавидела мою дочь, лесбиянка!

Полная негодования, Ева полетела домой. По дороге она зарулила в кондитерскую и купила большой торт, чтобы утешить девочку. «Бедная моя, — думала Ева, вбегая в подъезд, — переживает небось».

По квартире, как всегда, разливалась музыка. Ева решила нарушить неписаное правило и толкнула дверь. От увиденного ноги приросли к полу. Старательная Таня мирно лежала на диване с книгой в руках, а звуки разучиваемого концерта лились из магнитофона, стоящего на рояле.

— Господи, — только и смогла вымолвить мать.

Дочь отложила томик в сторону и нагло заявила:

— Ну и что? Надоело по клавишам дубасить, и вообще, я не собираюсь быть музыкантом и к Эсфири Моисеевне больше не пойду!

Ева ушла к себе в комнату и прорыдала до утра в подушку. Ольга Васильевна безостановочно пила валокордин. Где-то около шести певица постучалась к дочери.

— Мы сами виноваты, заставляли ребенка заниматься чужим делом, пусть выбирает профессию по душе.

Ева молчала. Она не смогла рассказать матери про конверт с зарплатой, да и дочери не обмолвилась ни словом.

Следующий год Таня училась в школе рабочей молодежи. А вернее сказать, проводила дни в свое удовольствие, валялась на диване в обнимку с книжками. Все попытки матери и бабки заставить ее хоть чуть-чуть трудиться разбивались о каменную стену лени. После окончания школы она так и не устроилась на работу. Как-то раз Таня не пришла ночевать. Испуганные женщины кинулись в милицию, но там, узнав, что девушке двадцать два года, заявление не взяли и велели подождать три дня.

По истечении отведенного срока, вечером в четверг, когда Ольга Васильевна и Ева просто не находили себе места, раздался телефонный звонок.

Мать дрожащей рукой схватила трубку:

— Ева? — прозвучал незнакомый мужской голос. — Таня у меня...

— Вы ее похитили, — залепетала скрипачка, — хотите выкуп?

— Не неси чушь, — отрезал незнакомец, — ты что, не узнала меня?

— Нет, — бормотала вконец ополоумевшая Ева, — где мы встречались?

— В постели, — фыркнул мужик, — я — отец Тани, твой бывший любовник.

— Господи, — ахнула Ева, — как она к тебе попала?

— Пришла и сказала, что больше не может жить с вами. Девочка хочет стать певицей, а вы не разрешаете, заставляете целыми днями мыть квартиру и даже велели бросить музыкальную школу...

— Дай ей трубку, — попросила мать.

Послышался шепот, и бывший любовник заявил:

— Она не хочет с тобой разговаривать, обиделась на побои.

Ева, никогда пальцем не тронувшая дочь даже в мыслях, чуть не упала в обморок:

— Я ее не била.

— Ладно врать-то, — хмыкнул мужик, — у нее все руки и ноги в синяках. Говорит, ты палкой орудуешь.

От гнева у Евы потемнело в глазах.

— Где ты живешь? Я сейчас приеду.

— Не надо, — отрезал мужчина, — без скандалов обойдемся. Я позвонил, лишь чтобы сказать — Таня побудет здесь. Правда, она со слезами на глазах рассказывала, как вы ее выгоняли на улицу, обзывали приблудышем, так что, думаю, горевать слишком не станете. Но все же решил предупредить.

И он бросил трубку. Не в силах вымолвить слово, Ева поглядела на Ольгу Васильевну. Та растерянно спросила:

— Что случилось?

Но Ева смогла только зарыдать в ответ. Следующие два года они ничего не знали о девочке. У Евы произошел нервный срыв, и пару месяцев она провела в специализированной клинике. Ольга Васильевна только вздыхала, глядя на сильно пополневшую дочь, без конца пьющую таблетки. У самой певицы скакало давление и появилась невероятная слезливость.

Потом настал страшный день. В январе к ним в дом постучал неприятный гость — милиционер. Парень принялся расспрашивать о Татьяне. Перепуганные Ева и Ольга Васильевна робко поинтересовались, в чем дело. И тут на их головы упал топор правды. Татьяна арестована, находится под следствием, а так как прописана она у матери, то именно сюда и пришли за сбором информации.

— Мы не видели ее почти два года, — бормотали обескураженные женщины.

Парень кивал головой и внимательно оглядывал комнату.

Потом им сообщили дату суда — 18 мая. В зале никого не было. Только Ольга Васильевна, да какой-то здоровенный мужик в кожаном пальто. Ева вновь попала в клинику и прийти на процесс не смогла.

Выяснилась картина преступления. Ольга Васильевна сидела ни жива, ни мертва, слушая речи обвинителя и свидетеля. Их Танечка зарабатывала на жизнь проституцией. Отвратительное ремесло, но осудить ее за него было бы практически невозможно, если бы она не пошла на воровство. Она стащила у клиента, мужика в кожаном пальто, кошелек, золотые часы и перстень. Предварительно жертву пыталась как следует напоить. Хитрый парень заподозрил неладное и вылил стакан водки с клофелином в цветочный горшок, а воровку сдал в милицию.

Уже только этих сведений хватило бы, чтоб сойти с ума, но дальше началась фантасмагория. Бледная, осунувшаяся Таня начала давать показания.

— Меня ненавидели с самого детства, — вещала она, глядя прямо в лицо судьи, — били, морили голодом, не давали учиться, а все потому, что я родилась вне брака. Бабка просто злобой исходила, когда я просила поесть, а одежду не покупали никогда. В конце концов я оказалась вынуждена уйти из дому.

Пришлось отправиться на панель, снимала квартиру и кое-как перебивалась. Мать ни разу обо мне не вспомнила. Да, я хотела украсть у потерпевшего вещи, но меня толкнуло на этот поступок только одно желание: больше не могу заниматься проституцией, хочу учиться. Продав часы и кольцо, я собиралась оплатить обучение в институте.

— Неправда, — выкрикнула Ольга Васильевна и вскочила с места.

Из ее уст полилась несвязная речь про вранье, двойки в школе и лень. Но выглядело все так, будто злая бабка пытается лить грязь на внучку. Судья, привыкшая к тому, что родственники выставляют обвиняемых чуть ли не ангелами, слегка нахмурилась. А Танечка, тяжело вздохнув, спросила:

— Если они меня так любят, отчего не передали за несколько месяцев даже пачки печенья? Меня сокамерницы из милости подкармливают.

— А правда, почему вы не отправляли передачи? — поинтересовалась одна из народных заседательниц.

Ольга Васильевна растерялась:

— Мы не знали, нам не сказали про посылки...

Судья хмыкнула:

— Вот уж о чем родственники сразу узнают, так это о продуктах!

Словом, после таких разборок даже прокурор не смог потребовать большого срока, а потерпевший заявил:

— Я отказываюсь от всего, перепутал, сам девке часы и перстень подарил. Вот бедолага!

Судья только вздохнула и, посовещавшись, объявила приговор: год в колонии общего режима, но, поскольку данная статья попадает под амнистию, освободить в зале суда.

Когда Таня, улыбаясь, вышла из клетки, Ольга Васильевна почувствовала, как кровь бросилась ей в голову. Обезумев, певица подскочила к внучке и отвесила той звонкую пощечину, но не успела старуха размахнуться еще раз, как на нее налетели милиционеры, скрутили и втолкнули в конвойную.

Часа два бабка просидела на нарах. Потом лязгнули замки, ее вывели и доставили в кабинет судьи.

Усталая женщина глянула на Ольгу Васильевну и сказала:

— Вас отпустят лишь из уважения к почтенному возрасту. Мой искренний совет, попробуйте справиться со своей злобой и наладить контакт с девочкой. Нельзя так с ней обращаться.

— Она врунья, — всхлипнула певица, — наглая врунья, в ее словах нет ни доли правды.

— Не знаю, — покачала головой судья. — Вы ведь и впрямь не передавали посылок, а сейчас кинулись ее избивать. Я склонна верить Татьяне Митепаш. Впрочем, я не могу заставить вас любить внучку, но хотя бы не теряйте человеческий облик!

Ольга Васильевна на ватных ногах выбралась на улицу и побрела домой. Там, выпив валокордин, она в деталях описала Еве, вернувшейся из клиники, происшедшее. Дочь молчала, изредка вскидывая руки к вискам.

Да что тут было сказать? Приняв две таблетки тазепама, Ольга Васильевна свалилась в кровать и проспала до обеда следующего дня.

Когда певица проснулась, часы показывали полтретьего. Теплый майский ветерок шевелил занавески раскрытого окна, ласковое солнышко заглядывало в комнату, со двора слышались детские крики. Неожиданно Ольге Васильевне стало хорошо. Жизнь продолжалась, у нее остались дочь, любимые ученики, театр, новые постановки... Татьяну следовало вычеркнуть из жизни, как страшный сон.

Певица вышла на кухню и, не найдя там дочери, крикнула:

— Ева!

В ответ — тишина. Думая, что дочь вышла в магазин, певица толкнула дверь ванной. Ева была там, стояла, странно свесив голову набок и вытянув вдоль тела безвольные руки. Удивленная, Ольга Васильевна спросила:

— Евочка, ты что делаешь?

Но дочь молчала. И тут только певица увидала, что ноги дочери не касаются пола, а тело держится на толстой бельевой веревке. Здесь же валялась записка: «Прости, мама, ухожу навсегда. Ева».

По факту самоубийства гражданки Митепаш милиция не открывала дело. Все было ясно, как грабли. Не слишком здоровая женщина решила свести счеты с жизнью. Ольга Васильевна перенесла инфаркт, Татьяну она больше никогда не видела.

— Как зовут ее отца? — спросила я, когда
воцарилось молчание.

— Он сейчас известный в музыкальном мире
человек, — грустно заметила Ольга Васильевна, — Федор Бурлевский.

Я чуть не упала со стула. Чудны дела твои,
господи.

Глава 18

Информация настолько ошеломила меня,
что на обратной дороге я села не в тот состав и
очнулась только тогда, когда радио сказало:
«Конечная, поезд дальше не пойдет, просьба
освободить вагоны». Перейдя на другую плат-
форму, я лихорадочно соображала, отчего продюсер ни слова не сказал о внебрачной дочери.
И только подъезжая к дому, успокоилась. А почему он вообще был должен что-то о ней сообщать? Мало ли, у кого какие дети есть? Речь у
нас шла об Антоне, вот Федор и не счел необ-
ходимым упоминать о Татьяне.

Дома первым меня встретил Морис. Кот коротко мяукнул и принялся внимательно наблюдать за процессом снятия пальто. Прибежав-
шие собаки повиляли хвостами и кинулись к
сумкам. В крайнем оживлении псы начали тыкаться мордами в пакеты с мясом. Муля с вож-
делением смотрела на меня, Ада безостановочно трясла хвостом, а Рейчел облизывалась.

— Вы, девочки, корыстные особы, — пробормотала я, скидывая ботинки, — думаете

только о собственных желудках. Вот Морис — настоящий интеллигент!

Услыхав свое имя, кот вновь коротко мяукнул.

Кирюшка купил для него новый ошейник, тоже голубой, с медальоном, но дешевле прежнего, из искусственной кожи, однако Морису он был очень к лицу, то есть к морде. Выглядел кот настоящим султаном, богатым, спокойным и сдержанным. Просто особа царского рода, а не представитель кошачьих.

На следующее утро, как и вчера, мы ровно в девять сидели в конторе. На этот раз все оказались в сборе, даже Поповы. Жена опять притащила мужа, и пахло от него перегаром, но все же господин Попов был в состоянии отвечать на вопросы.

Нас посадили в большой комнате за стол, и Зиновий Павлович козлиным тенорком принялся объяснять процедуру:

— Сейчас пойдем в банк и положим деньги в ячейки.

— Зачем? — насторожилась Попова.

— Кладем деньги в ячейки, и ключики получают Федотовы и Николаевы.

— Почему? — вновь спросила Попова. — Почему им дают ключи от денег?

— Объясняю, — вздохнул Зиновий Павлович, — Федотовы приносят двадцать пять тысяч, чтобы купить двухкомнатную, из которой выезжают Николаевы...

— Извините, — робко встряла худенькая

женщина, — но среди нас нет ни Федотовых, ни Николаевых...

Зиновий Павлович задумчиво окинул всех взглядом и поинтересовался:

— Кто же тогда есть?

— Романовы, Петровы, Поповы, Никитины и Михалевы, — хором ответили мы.

Зиновий Павлович почесал в затылке:

— Извините, папочки перепутал.

Он порылся в документах и сообщил:

— Значитца так! Сейчас пойдем в банк и положим деньги в ячейки.

— Зачем? — завела Попова.

— Все финансовые вопросы для безопасности решаются через банк. Вдруг я возьму ваши тысячи и убегу, — хохотнул Зиновий.

— Банк — это очень ненадежно, — вздохнул Никитин, — перестанет деньги выплачивать — и все.

— Мы открываем не счет, а кладем сумму в ячейки, — пояснил служащий.

— Все равно, не нравится мне это, — нудил Никитин, — оставить свои кровные неизвестно где!

— Почему неизвестно где? — влезла Юля. — В банке.

— Ты помолчи, — велел Никитин, — все тут мои деньги из рук в руки передавать станете, я один с живыми долларами. Пусть фирма даст гарантию, что, если за время подготовки бумаг банк лопнет, квартира все равно моя.

Зиновий Павлович спокойно возразил:

— Нет повода для беспокойства. Денежки всего-то пару часов полежат, да и ключ от ячейки у вас останется. Вы его отдадите Поповым, когда договор купли-продажи получите. Все совершенно честно, без обмана.

— Минуточку, — побагровела Попова, — значит, я должна подписать бумагу и только тогда получу ключ от ячейки?

— Конечно, — кивнул Зиновий Павлович.

— Ну уж нет!

— Что вам не нравится?

— Ишь какие хитрые! Бумаги подписала, следовательно, квартирку продала, так?

— Так, — подтвердил риэлтор.

— А где мои деньги?

— В ячейке!

— Ага, — завопила Попова и ткнула пальцем в Никитина, — а он потихоньку деньги возьмет, и был таков.

— Что вы, — замахал руками Никитин, — я же у вас все время на глазах буду.

— Может, у вас сообщник есть, — не сдавалась Попова, — как только бумаги оформлю, вы ему по телефону звякнете, и он деньги вытащит.

— Право слово, — возмутилась жена Никитина, — ну и чушь вы несете, ключ будет на столе лежать перед вами.

— Ха, — выкрикнула Попова, — небось другой какой, нет уж. Положите деньги в ячейку и ключик сразу мне, а уж потом договор буду подписывать!

— Нашла дурака, — фыркнул Никитин, — я тебе ключ, а ты бумаги не подпишешь и тю-тю.

— Да как вы смеете мне не доверять, — взвилась Попова.

— А почему мы должны верить вам на слово? — поинтересовалась супруга Никитина.

Переговоры зашли в тупик.

— Послушайте, а нельзя сделать проще, — поинтересовался Сережка, — вот здесь сейчас выложить деньги на стол и начать оформление.

— Нет, нет, — быстро сказал Никитин, — лучше в банке. Мы ведь сначала бумаги подпишем, а потом их повезут регистрировать, это займет часа два-три, и все время это сумма будет в конторе. Нет, лучше в банк.

— Ключ мне сразу, — не успокаивалась Попова.

— Я нашел компромиссное решение, — тихо сказал молчавший до сих пор Михалев.

Все в надежде уставились на мужика.

— Поступим просто. Насколько я понял, госпожа Попова продает квартиру Никитину, но затем покупает у нас, так?

Все кивнули.

— Значит, ей все деньги не достанутся. Сколько она получит?

— Две тысячи, — пояснила Попова, а двадцать три я отдам за вашу квартиру.

— Вот и хорошо, — кивнул Михалев, — следовательно, требуется взять две ячейки. В одну положить двадцать три куска, а в другую остаток. И ключик от второй сразу вручить Поповым.

Все облегченно вздохнули.

— Гениально, — подвел итог Зиновий, — так же поступим и с деньгами Петровых. Хорошо, теперь идем в банк.

Начался следующий виток. Сначала мы дотопали до банка, слава богу, он находился почти рядом.

Затем сели проверять купюры при помощи специальной машинки, потом заперли ячейки и вернулись в контору. Там нас уже поджидал нотариус и вызывающего вида девица в обтягивающих кожаных штанах. Минут сорок печатали договоры, следом мы их тщательно читали, и наконец настала кульминация. Взявши ручки, все начали подписывать бланки, но тут вдруг подала голос древняя старушка, мама Михалевых. До сих пор она тихонечко сидела в углу, не издавая ни звука, этакий божий одуванчик, плохо соображающий, что происходит вокруг.

Но оказалось, что впечатление ошибочно. Резким, неприятным голосом бабуля прокаркала:

— Не понимаю. Ведь я — ответственный квартиросъемщик, а где моя фамилия в договоре?

— Вот, — ткнул пальцем Зиновий Павлович, — вот, смотрите, Михалев Валерий Сергеевич, Михалева Елена Петровна и вы, Михалева Анна Николаевна.

— Не понимаю, — цедила бабулька, откладывая ручку.

— Что? — нервно спросил нотариус. — Вы не Анна Николаевна? Или вы против сделки?

— Против, — категорично заявила бабка.

— Мама! — в один голос вскричали супруги Михалевы.

— Я хочу, — тоном вдовствующей императрицы произнесла старуха, — я категорично требую, чтобы мои данные были напечатаны первыми!

— Без проблем, — ответил Зиновий Павлович и унес бумаги.

— Надо же такое терпение иметь, — шепнула Катя, — просто железная нервная система. Я думала, спокойней меня нет, больные натренировали, но бабульку бы эту сейчас треснула.

— Он небось каждый день с такими общается, — вздохнула Юля. — Никогда бы не смогла работать в подобной конторе, прямо всю трясет от злобы.

Наконец бумаги подписали, и Зиновий Павлович, натягивая куртку, сообщил:

— Все свободны. Часов в семь вечера получите документы на руки.

— Ишь, хитрец, — взвизгнула Попова, — нет уж, мы с тобой поедем, чтобы не убежал.

Кроткий Зиновий вежливо ответил:

— Пожалуйста.

Попова ткнула спящего муженька в бок кулаком:

— Собирайся, ирод.

Супружник разлепил веки, глянул на свет мутным взором и сообщил:

— Пошла ты на...

— Молоток, — восхитился Никитин, — с такой бабой иначе нельзя.

— Заткнись, козел, — не растерялась Попова.

— Ты как с моим мужем разговариваешь? — заверещала Никитина.

— Да уж задницу лизать не стану, — взъелась Попова, толкая вновь мирно захрапевшего мужа, — тоже мне принц эфиопский, тьфу.

Никитина побагровела и, зачерпнув стаканчиком из аквариума воду, плеснула ее прямо в лицо обидчице.

— Ах ты, сволочь, — завизжала мокрая баба, — дрянь. Сейчас тебе мало не покажется.

Никитина пискнула и юркнула под стол. С диким криком Попова ринулась за ней. Наблюдавшие за схваткой риэлторы кинулись растаскивать женщин. Вопли, мат, визг слились в единую симфонию. Зиновий Павлович, воспользовавшись суматохой, ретировался, мы в полном составе отступили к выходу. И только муж Поповой сладко спал на диване, очевидно, он привык к скандалам.

На улице Катя взглянула на часы:

— Три! День пропал.

— Я, например, на работу, — выкрикнул Сережка.

Договорившись встретиться в конторе около семи, мы разбежались.

Я донеслась до метро, купила на бегу горячую сосиску с горчицей и проглотила «обед» не жуя. Потом нашла телефон и позвонила Бурлевскому. В конторе ответил безукоризненно вежливый голос:

— Федор Михайлович отсутствует.

Чертыхнувшись, я набрала номер мобильного. Послышался треск, шум, писк и еле слышное:

— Алло.

— Очень нужно встретиться, — заорала я в трубку так, что стоящая рядом торговка уронила сигареты.

— Жду в половине четвертого в клубе «Он и она», — сообщил Федор и отключился.

Я обозлилась до крайности. Во-первых, я не знаю, где находится данное заведение, а во-вторых, придется брать такси, не у всех же, как у Бурлевского, «Мерседес» с шофером!

Исходя негодованием, я вылетела на дорогу и остановила старенькие, разбитые «Жигули».

— Куда? — спросил водитель, мужик лет шестидесяти.

— Клуб «Он и Она» знаете?

— Ванина, — процедил шофер.

— Что Ванина? — не поняла я.

— «Он и Она» находится на улице Ванина, вам туда или куда в другое место?

— А что, в Москве два клуба с таким названием?

— Понятия не имею, — пожал плечами мужик, — мне известен только один.

— Тогда на Ванина, — велела я, вздыхая.

Ну и денек сегодня. Сначала изматывающая нервы процедура в конторе, а теперь еще бомбист — зануда.

Всю дорогу мужик ворчал, плавно переходя от политических новостей к ценам, состоянию шоссе и погоде.

— Сплошной кошмар, — ныл он, вертя руль, — кругом одни свиные рожи, и кто только нами руководит, ничего для народа сделать не могут!

Я заметила у него на правой руке обручальное кольцо и испытала искреннюю жалость к незнакомой женщине. Какой кошмар жить с таким кадром.

Неприятности сегодня просто сыпались на голову. В клуб меня не пустили.

— Мест нет, — вежливо, но твердо сказал охранник.

— Меня ждут...

— Кто?

— Господин Бурлевский.

— Подождите, — велел секьюрити, захлопывая дверь.

Я осталась стоять у подъезда, чувствуя себя униженной. Неужели я так плохо одета, что швейцар принял меня за побирушку! Минуты текли томительно, наконец дверь распахнулась, и продюсер произнес:

— Простите, Евлампия Андреевна, но сюда иногда приходят нищие и попрошайки, вот охрана и проявляет бдительность.

От этого объяснения мне стало еще хуже, но я ступила в холл с улыбкой:

— Понимаю.

Красивая девушка в темно-синем платье аккуратно повесила мою видавшую виды куртку среди роскошных шуб и сказала Федору:

— Купите для дамы букет.

Продюсер никак не прореагировал на эти слова. Мы завернули за колонну и оказались в большом зале. В нем горели настольные лампы в светло-розовых абажурах. Самое лучшее освещение, придающее даже пожилым молодой, здоровый вид.

— Сюда, — буркнул Бурлевский, показывая на маленький столик в углу, — что будете?

— Чай цейлонский, крупнолистовой, без сахара, настаивать две минуты, и к нему ржаной тост с огурцом, — царственно велела я.

Знаем, какие порядки в подобных заведениях, когда-то, в другой жизни, я изредка бывала в «Али-Бабе» или «Конго». Может, кто и ходит в подобные места, чтобы поесть, но коллеги моего бывшего мужа собирались там для выпендрежа, заставляя поваров делать немыслимые вещи — крабы с виноградом и орехами, черную икру в помидоре или требовали стакан кефира, чем окончательно ставили в тупик обслугу. Но вот парадокс — чем больше они капризничали, тем ласковее становились официанты.

— Ну, — приказал Бурлевский, подождав, пока гарсон побежит на кухню, — докладывайте, что раскопали.

Я откинулась на спинку удобного стула. Ну уж нет, дружочек, хоть ты и платишь мне деньги, но я не какая-нибудь пятисортная певичка или убогая подтанцовка.

— Где можно найти Татьяну Митепаш? — вопросом на вопрос ответила я.

— Понятия не имею, — моментально выпалил Бурлевский, но через секунду опомнился и поинтересовался: — А она тут при чем?

— При том, — рявкнула я, — неужели вы не знаете, где проживает ваша дочь?

— И знать не хочу, — обозлился Федор, — прошмандовка мелкая, подзаборница...

Внезапно он осекся и постарался изобразить на лице благодушие. Я оглянулась. Через весь зал с распростертыми объятиями к нам спешил толстый мужчина, больше всего напоминавший борца сумо. Тучное тело обтягивал отлично сшитый смокинг, ботинки из кожи обезьяны матово поблескивали, а пальцы украшали перстни. Впрочем, и запонки у него играли сверкающими камнями. Впечатление портила голова: иссиня-черные волосы, одутловатые щеки, толстые багрово-красные губы и нос картошкой чудного синеватого оттенка. Вылитый пьянчуга-бомж, натянувший ради хохмы прикид от Валентино.

— Федька, — завопил мужик, подлетая к столику, — отдай «Гондурас».

— Боже, — поморщился Бурлевский, — опять ты за свое. Сказал же — никогда.

— Ладно, тогда «Дилижанс»!

— Отвяжись, Леня, — сказал Федор, — мне деньги не нужны.

— Поменяю на «первую голубую»!

— Нет.

— Еще дам в придачу «Маврикий»!

— Ленька, — раздался голос из глубины зала, — иди сюда, горячее принесли.

«Бомж» пошел на зов, но, сделав два шага, притормозил и обернулся:

— Федька, отдай Гондурас!

— Иди, иди, Леня, — махнул рукой продюсер, — котлета стынет.

— Ну и гад же ты, Федор, — засмеялся Леня, — жлоб!

Я ничего не понимала. Бурлевский перевел взгляд на мое лицо и пояснил:

— Я собираю марки. Смело могу сказать — имею лучшую коллекцию в России. А Леня Шмыгайло тоже филателист, но ему никогда ничего не продам.

— Почему?

— Не нравится он мне, совсем не нравится. Ему приличные люди руки не подают.

— Отчего?

Бурлевский отхлебнул кофе.

— Сначала бандитом был, носился с автоматом по улицам, потом в легальный бизнес ушел, открыл продуктовый магазин. Сейчас монополист — держит в руках почти всю водочную торговлю в столице. На него пару раз наезжали, но Ленечка — мальчик не промах, и всех убил. Жуткий тип, с ним просто нельзя иметь дело. Мне марки — как дети. Естественно, бывают двойные экземпляры, и обменный фонд есть, но отдаю только в хорошие руки, истинным ценителям. Да я, если хотите знать, могу просто подарить марку, коли увижу, что человек — настоящий собиратель. А Ленька деньги вкладывает, без души коллекционирует. Ему — никогда. Марки — они живые, у каждой свой характер, история, судьба...

Я с удивлением глянула в его раскрасневшееся лицо. Надо же, Бурлевский, оказывается, страстный филателист.

Глава 19

Федор спокойно допил кофе и поинтересовался:

— Зачем вам Танька понадобилась?

Я обозрела поданный тост и поманила пальцем официанта. Мальчишка подскочил и подобострастно наклонился:

— Чего изволите?

— С огурца не сняли кожу, велите приготовить другой бутерброд.

— Так зачем вы ищете Татьяну? — нетерпеливо переспросил Федор.

Я медленно принялась раскуривать сигарету. Помучайся-ка еще, дружочек.

— Черт возьми, — вскипел продюсер, привыкший, что его подчиненные бегом кидаются выполнять приказы. — Немедленно отвечайте!

— Незачем кричать, вы меня не купили!

— Именно купил, — расхохотался Федор, сверкая белоснежными зубами.

— Не стану сообщать никаких подробностей, просто, кажется, Татьяна Митепаш замешана в этой истории. Лучше скажите, вы знаете, где она?

Бурлевский вздохнул:

— Дети у меня не удались. Все, что делаю

руками, получается намного лучше. Что Татьяна, что Антон...

— Вы уверены, что она ваша дочь?

— Конечно, надо было знать Еву. Этакое неземное существо, твердо уверенное, будто ее должны всю жизнь носить на руках за сохраненную невинность. Экзальтированная сверх меры, чувствительная до слез, совершенно не приспособленная к жизни, но вместе с тем крайне порядочная, абсолютно честная, трудолюбивая и талантливая. Кстати, из нее могла получиться отличная жена.

— Почему же вы ее бросили?

Федор повертел пустую кофейную чашечку.

— А я делал предложение, только в те давние годы сам был полон старомодных принципов и страдал от дурацкого воспитания, поэтому попросил руку дочери у маменьки. Ольга Васильевна — дама властная и авторитарная. Дочь подчинила себе полностью, ни шагу в сторону. Она хотела ей добра и категорично велела мне даже не приближаться к Еве. Впрочем, это было понятно. Дочь ждала блестящая карьера, дом — полная чаша, а я был всего лишь тихий парнишка с аккордеоном, ресторанный лабух, совершенно не пара богатой девочке из хорошей семьи. Вот только я понять не могу, почему она ей родить разрешила!

Впрочем, когда Татьяна появилась на свет, несостоявшаяся теща позвонила и категорично велела признать ребенка. Бурлевский отправился в загс и назвался отцом, но Ева записала девочку на свою фамилию, оставив ей от папы только отчество. Федор несколько раз порывался передать дочери подарки и деньги, но ему дали понять, что его участие в воспитании Тани закончено. Вот он и отстал, а потом вскоре женился, родился Антон... С Татьяной он никогда не встречался, поэтому был несказанно удивлен, когда однажды увидел на пороге хорошенькую девочку, невероятно похожую на молодую Еву.

Девушка, тихо плача, рассказала о тяжелом детстве, показала руки и ноги, покрытые синяками.

— Они били меня, не давали есть, одевали в рванину, — жаловалась Таня. — Я мечтаю стать певицей, но мне велят идти учиться в педагогический!

Бурлевский пришел в негодование и оставил девочку у себя. Его жена Светлана оказалась женщиной жалостливой и, хотя их брак к тому времени уже дал трещину и фактически распался, Татьяну она приняла хорошо, даже подружилась с ней.

Федор тут же решил заняться карьерой дочери, но ему, как профессионалу, стало понятно: тут трудно что-либо сделать, вокальных данных никаких. Уж как ни старался Борис Зосимов вытянуть свою дочь Лену, сколько ни вкладывал в нее денег — вышел пшик. Все-таки для карьеры эстрадной певицы требуется не только богатый папа, но и минимальный талант. Впрочем, Таня не слишком расстроилась. Жизнь в шумном, хлебосольном доме отца ей нравилась. Тут вели совсем иной образ жизни, чем у Митепаш. Вставали около часу дня, спать порой ложились под утро, ужинали в ресторане, обедали в клубе... Телефон разрывался от звонков, а пришедшие гости как бы раздваивались. Одновременно пели с экрана никогда не выключающегося телевизора и преспокойно пили в это же время кофе в их гостиной... Словом, Татьяну окружал праздник.

Через год Федору стала надоедать бездельничающая девица, бродящая по квартире. Как раз в это время начался бракоразводный процесс со Светланой. Антон пил по-черному... Бурлевский решил пристроить дочь. Сначала отправил на подпевку в группу «Таран», но оттуда ее быстро выгнали за лень, потом в коллектив «Сверкающие», затем к девчонкам из ансамбля «Капель». Но результат всегда был одинаков — Татьяна через месяц, другой оказывалась на диване с книжкой в руках. Она попросту ничего не хотела делать. Потом Федор заметил, что девчонка тратит денег больше, чем получает. Дочь ездила только на такси, курила «Собрание», покупала элитную косметику и пахла только парфюмом от Диора.

Бурлевский огляделся вокруг, заметил пропажу кое-каких безделушек и надавал дочери пощечин. Та клялась, что не трогала ни серебряную сахарницу, ни фарфоровые фигурки, сделанные в начале века, но продюсер строго велел:

— Еще пропадет мелочишка, выгоню!

Затем неожиданно у него испортились отношения со Светой. Они успели к тому времени оформить развод, но жили в одной квартире. Расходились Бурлевские мирно, просто решили, что жить вместе не могут, но скандалов с битьем посуды, мучительных обвинений друг друга и дележа имущества не было. Федор сразу сообщил: квартира останется Светлане, себе он купит новую. Но все не было времени, впрочем, бывшая супруга не настаивала на срочном выезде. И вдруг Света пришла вечером в спальню к Бурлевскому и сказала:

— Завтра же уезжай!

— Ты что, белены объелась? — удивился продюсер.

— Нет, это ты с ума сошел, — парировала всегда сдержанная бывшая жена и заорала: — Негодяй, подонок!..

— Сама стерва, — незамедлительно откликнулся бывший муж.

Разразился дикий скандал, такого у них ни разу до тех пор не случалось. Припомнив друг другу все обиды, Бурлевские наконец устали, и Федор поинтересовался почти по-дружески:

— Светка, ну какая муха тебя укусила?

Она глянула на него и с негодованием произнесла:

— Думаешь, я не догадывалась о твоих любовницах? Да я их всех пересчитать могу по пальцам. Начиная с безголосой Алиски! Просто не хотела выяснять отношения, нервы себе пор-

тить не желала. Впрочем, сейчас мне все тем
более до лампочки, но Татьяна — твоя дочь,
неужели не стыдно.

Федор обомлел, сообразив наконец, в чем
его обвиняют, а потом заорал:

— Танька, шалава, иди сюда.

Девица явилась на зов.

— Ты, дрянь, — накинулся на нее отец, —
что Свете наболтала!

Дочь с вызовом посмотрела на него и заявила:

— Правду, не хочу тебя в постели обслуживать!

Федор потерял дар речи. С такой наглостью
он еще никогда не сталкивался.

— Уходи, — тихо сказала Света, — мразь.

— И ты веришь ей? — только и смог выжать
из себя Бурлевский.

— Я слишком хорошо знаю твой аппетит по
женской части, — пояснила экс-супруга.

Чувствуя, что сейчас лопнет от злости, продюсер выскочил за дверь, завел «Мерседес» и
начал гонять по улицам. К утру он остыл, приехал в офис, велел помощнику немедленно купить квартиру и позвонил Светлане:

— Сложи все мои вещи, вечером пришлю за
ними.

— Хорошо, — коротко ответила Света и бросила трубку.

После программы «Время» шофер доставил
в контору с десяток чемоданов. Бурлевский не
стал перезванивать жене, они с тех пор больше
ни разу не виделись, не встречал он и Татьяну.

— Дочь осталась с вашей бывшей супругой? — спросила я.

— Наверное, — пожал плечами Федор, — честно говоря, я не интересовался.

— Где живет Светлана?

— Очевидно, на нашей старой квартире.

Я записала адрес и телефон.

Продюсер подумал и сказал:

— Теперь слушайте меня. Доподлинно известно, что у Зайцевой, которую якобы убил мой сын, был любовник. Крайне неприятный тип, уже один раз судимый за убийство — Андрей Монахов. У них постоянно происходили разборки. Андрей ревновал Зайцеву и частенько бил ее. Его адрес — Моргуновский вал, дом три, квартира восемнадцать. Поезжайте и поговорите с парнем, может, что интересное выплывет.

— Откуда у вас эти сведения? — изумилась я.

— Это не столь важно, — улыбнулся Бурлевский, — главное, что они верные.

Я посмотрела на часы — уже пять! К семи надо успеть в контору, придется отложить разговор с Андреем до завтра.

— Ладно, — сказал продюсер, — пора по делам.

Мы вышли к гардеробу, Федор галантно, словно шубу из шиншиллы, подал мне куртку. Я влезла в пуховик и спросила:

— Как отчество вашей жены?

— Родионовна. Светлана Родионовна Бурлевская, — последовал ответ.

Утром Катя объявила:

— Надо начинать собираться. Никитины хотят побыстрей въехать.

— А прописка, — поинтересовался Сережка.

— Это все беру на себя, — пояснила Катюша, — отделение милиции у нас одно, дома тут рядом, на соседних улицах стоят, а жена нашего начальника паспортного стола щитовидку лечит.

— Прекрасно, — сообщила Юля, быстро глотая кофе, — только мне некогда паковаться, работы жуть!

— Вообще-то, я тоже не помощник, — тут же отозвался Сережка, — выставка намечается, дел по горло.

— Вы у нас самые загруженные, — хмыкнула Катя, — к слову сказать, я стою целый день у операционного стола, а укладывать вещи собираюсь по ночам.

— Чего нам запаковывать? — удивилась Юля, — вещей один шкаф, за полчаса управимся!

— Между прочим, — пояснила Катя, — есть еще посуда, кастрюли, книги, ковры, картины, электроприборы и мебель.

— Ну кровати и диваны грузчики понесут, — отмахнулась Юля, — а кухню Лампа соберет.

— Не могу, — быстро ответила я, — занята по макушку.

— Чем же это, интересно? — спросил Сережка. — Ты же у нас на хозяйстве, на службу не ходишь. Кстати, Лампадель, давно хотел спросить: почему у нас все время только сосиски да макароны? Чем ты целый день напролет занимаешься? Где вкусное мясо и мой любимый борщец?

— Кухню упакует Валентина, — быстренько перевела разговор на другую тему Катюша.

— Я? — изумилась гостья. — Боюсь, не осилю, слишком плохо себя чувствую, голова кружится и слабость.

— Ничего, — прервала ее стоны Юля, — потихонечку, полегонечку. Начнешь, а мы с работы придем и поможем.

— Тарелки помогу я уложить, — вызвался Кирюшка.

— Ну уж нет, — отрезал старший брат, стоя в дверях, — тогда на новую квартиру точно одни осколки приедут.

— Пожалуйста, — обиделся мальчишка, — свои вещи сложу, и точка.

— Главное — жабу Гертруду не забудь, — хихикнула Юля, выбегая на лестницу.

— Мам, чего они? — заныл Кирка.

— Подожди, — отмахнулась Катя, — я опаздываю. Тина, за коробками сходишь в магазин «Корма для животных», там бесплатно пустую тару дают.

— Ой, — занудила лентяйка, — я не знаю, где это.

— Кирюшка объяснит, — выкрикнула Катерина и улетела.

— Ну и как к этим кормам добираться? — безнадежно поинтересовалась Тина.

Я оставила их с мальчиком вдвоем и удалилась с телефоном к себе. Первый звонок сделала Монахову, но трубку никто не снял, хотя я и ждала ответа неприлично долго. Впрочем, мужик может быть на работе или носится в преддверии Нового года по магазинам в поисках подарков. Ладно, подождем до вечера. Следующий звонок был к Светлане Бурлевской. Тут мне улыбнулась удача.

— Алло, — пропел женский голос.

— Света?

— Нет, Таня.

Я несказанно обрадовалась. Удача просто сама шла в руки.

— Таня, я давно вас ищу! Очень нужно поговорить.

— Кто вы?

— В двух словах и не ответить, но поверьте, мне очень нужно вас увидеть.

— Приезжайте, — согласилась собеседница.

Я побежала к метро, напевая на ходу. Кажется, развязка близка. Но какое разочарование охватило меня, когда входная дверь квартиры распахнулась. На пороге стояла чудовищно толстая деваха с младенцем на руках.

«Может, это не Таня?» — в полном отчаянии подумала я. Но девица тут же спросила:

— Это вы рвались о чем-то со мной поговорить?

— Вас зовут Таня?

— Точно.

— Татьяна Федоровна Митепаш?

— Нет. Бодрова Татьяна Ильинична.

Я прислонилась к косяку и постаралась сдержать вздох разочарования. Таня — слишком распространенное имя, вот и получилось глупейшее недоразумение.

— Светлана Родионовна когда придет?

— Здесь такая не живет, — преспокойненько вымолвила гора жира.

— Как так? — поразилась я. — Вы же сказали...

— Ничего я не говорила, — произнесла молодая мамаша, вытирая младенцу слюни, — вы сами спросили: «Это Света?», а я ответила: «Нет, Таня». А потом уж вы в гости напросились.

— Значит, Бурлевская здесь не проживает?

Девица покачала головой.

— Мы несколько лет назад купили эту квартиру.

— А куда прежние хозяева делись?

Толстуха хмыкнула:

— Понятия не имею, дела вело агентство, там и спрашивайте.

— Давайте адрес! — потребовала я.

— Чей? — меланхолично поинтересовалась собеседница.

Теперь понятно, почему она такая жирная, просто все процессы в ее организме — и физические, и умственные — заторможены до предела.

— Риэлторской конторы!

— Не помню.

— А название?

— Чье?

Я решила набраться терпения и спокойно пояснила:

— Агентства.

Девчонка напряглась и выдала:

— МММ.

— Ничего не путаете?

— Ну, может, ЛММ, как-то так!

Чертыхнувшись про себя, я вышла на улицу и в киоске «Союзпечать» купила газету «Кварти-ры и дачи». На последней странице, как и ожидалось, был приведен большой список фирм, занимающихся недвижимостью.

Спустившись в метро, я села на скамеечку и принялась изучать названия. Ни МММ, ни ЛММ там не значилось, зато стояло НМН, рас-шифровывающееся как Новая Московская На-дежная. Офис находился на Моргуновском Ва-лу, в седьмом доме, а в третьем проживал лю-бовник Зайцевой Андрей Монахов. Посчитав такое совпадение счастливым предзнаменова-нием, я поехала на другой конец Москвы. Что ж, как говаривал петух, пытаясь настичь курицу: «Если не догоню, так хоть согреюсь». Пока по-беседую в офисе, а там, может, и Монахов с ра-боты вернется.

В Новой Московской Надежной кипела ра-бота. Контора выглядела солидно. Повсюду ко-жаная мебель, изящные светильники и сную-щие с деловым видом сотрудники. Увидевшая меня девица расцвела и проникновенно спро-сила:

— Прошу, в чем проблема? Впрочем, какой бы она ни оказалась, мы ее обязательно разре-шим.

— Даже так? — усмехнулась я. — А вдруг я хочу получить за комнату в бараке с земляным полом двухэтажный особняк в Подмосковье.

Но девчонка не сдавалась. На ней был красивый деловой костюм с прямой юбкой, прикрывающей колени. Волосы причесаны без особых затей, просто хорошо сделанная стрижка, и на лице никакой экстремальной косметики. Все в светло-коричневых тонах. Весь облик девицы говорил о некоторой старомодности и полнейшей надежности.

— Наше агентство работает на рынке жилья уже десять лет, — пела девица заученный текст, — и ни одна из наших сделок не была оспорена в суде. Надежность, честность, тщательная проверка и аккуратное составление бумаг — вот киты, на которых стоит НМН.

Потом она помолчала секунду и спросила:

— А у вас правда комната с земляным полом?

Я рассмеялась:

— Нет. Моя подруга Светлана Бурлевская продавала через ваше агентство квартиру, и теперь я хочу, чтобы со мной работал тот же риэлтор, что и с ней.

— Нет проблем, — с энтузиазмом воскликнула секретарша и включила компьютер.

Но вскоре выяснилось: никакая Бурлевская в НМН не обращалась.

— Давайте посмотрим по адресу, — предложила девчонка и оказалась права.

На мониторе тут же высветилась информация о продавце. Только фамилия оказалась иной — Ломакина. Но имя совпадало — Светлана Родионовна. Впрочем, недоразумение сразу выяснилось.

— Она была Бурлевской в браке, — пояснила служащая, — вот в домовой книге указана под этой фамилией. А после развода вернула себе прежнюю — Ломакина, под ней и совершала сделку.

Сочетание «Светлана Родионовна Ломакина» показалось мне знакомым. Прокрутив быстро в уме, где могла ранее слышать про эту женщину, я, так и не вспомнив, приготовилась записывать адрес. И тут я получила ошеломляющую информацию! Ломакина теперь обитала в соседнем с нами доме, во второй блочной башне, той, возле которой помещался хлебный ларек. И я моментально вспомнила, почему мне так знакомо имя этой женщины. Светлана Родионовна Ломакина — это она безостановочно звонила мне ночью, ошибаясь номером. Это к ней, кипя от негодования, я понеслась, не дожидаясь утра. Это она скончалась на моих глазах.

Глава 20

К Монахову я побрела, плохо соображая, что к чему. Жил мужик в отвратительном доме барачного типа. Лифта в пятиэтажке не было, окна лестничных клеток смотрели на мир выбитыми стеклами, а на подоконниках стояли пустые жестянки из-под дешевого пива, набитые доверху окурками. Очевидно, здесь жены разрешали мужьям курить.

Оказавшись на втором этаже, я попала в длиннющий коридор, по обе стороны которого находились обшарпанные, совершенно одинаковые, светло-коричневые двери. Номеров на них не было. Оставалось только удивляться, каким образом гости находят нужные комнаты. Именно комнаты, потому что за дверями скрывались не квартиры. Это стало понятно, когда я, миновав два зловонных туалета, уперлась в кухню.

Никогда до сих пор не встречала подобного помещения. Большое, почти тридцатиметровое пространство было густо утыкано столиками и плитами, под потолком натянуты веревки, с которых свешивались детские ползунки, мужские трусы и устрашающего вида женские лифчики, сшитые из розового атласа. Запах щей и жарящихся котлет смешивался с ароматом влажного белья, и я почувствовала, что в носу засвербело.

Молодая черноволосая и черноглазая девушка, помешивающая что-то в помятой алюминиевой кастрюле, повернулась ко мне и спросила с сильным акцентом:

— Ищешь кого?

— Андрей Монахов где живет?

— Он кто? Беженец? Чечен?

— Нет вроде, — растерялась я, — русский, москвич.

— Тогда не знаю, — потеряла ко мне интерес девушка и вновь занялась кастрюлей.

Я вышла в коридор и постучалась в ближайшую дверь. Она подалась под рукой, и перед моими глазами предстали четыре мужика кав-

казской национальности, самозабвенно играю-
щие в нарды. Никто из них и не слыхивал про
Монахова. В следующей комнате копошилось
несметное количество детей, пытавшихся надеть на котенка шарфик и шапочку...

Еще дальше две женщины строчили на швей-
ных машинках... Двери тут не запирали, жили
по-восточному, на виду у соседей, совершенно
ничего не стесняясь и не боясь. Очевидно, общежитие было отдано беженцам из Чечни.

И только в самом конце коридора нашелся
пожилой мужчина, способный дать разъясне-
ния.

— Ступай на третий этаж, — велел он мне, —
там парочка старых жильцов осталась, еще не
съехали. Всем вашим давным-давно новые квартиры раздали, а нам это общежитие отдали, решили, чеченцам и так сойдет — без горячей воды. Да, неласковые вы, москвичи, негостепри-
имные!

Я полезла по щербатой лестнице на третий
этаж, первый раз в жизни испытывая в душе
шовинистические чувства. Видали, еще и не
доволен! Думал, в Москве сразу получит пятикомнатные хоромы. Между прочим, сотни ко-
ренных москвичей до сих пор живут в подобных общагах без всякой надежды на улучшение
условий. Жильцам этого барака просто повезло. Кое-как справившись с приступом расизма,
я добралась до третьего этажа. Здесь потолок
был ниже, коридор уже, а комнаты, крохотные,
словно спичечные коробки, стояли пустые.
Только засаленные дешевые обои напоминали,

что тут когда-то шла жизнь, росли дети и старились родители.

Безнадежно заглядывая в «коробки», я добралась до последней двери и толкнула ее. Вопреки ожиданиям комната оказалась жилой. В углу тихо урчал холодильник, на столе стояли банка растворимого кофе, сахарница и кружка с надписью «Босс» и, что удивительно, — телефонный аппарат. Здесь же, на клеенке лежал и паспорт. Я открыла красненькую книжечку — Монахов Андрей Сергеевич... Через секунду глаза наткнулись на диван, где, завернувшись в синее байковое одеяло, спал хозяин.

Не желая пугать его, я тихонько сказала:

— Андрей, проснитесь.

Спящий даже не пошевелился. Я слегка повысила тон:

— Монахов, очнитесь.

Ноль эмоций. Небось вчера перебрал и дрыхнет. Но комната не походила на жилище запойного алкоголика. Тут было бедно, но чисто. Единственная дорогая вещь — большой «Панасоник» с видеомагнитофоном и куча кассет, в основном боевики. Очевидно, холостой Монахов любил перед сном поглядеть необременительную киношку. Может, он вовсе и не пьян, а работал в ночную смену и теперь заслуженно отдыхает. Жаль мешать парню, но не сидеть же мне тут до утра.

Твердым шагом я подошла к дивану и потрясла хозяина за плечо.

— Извините...

Неожиданно тело подалось под рукой, повернулось, и на меня глянули широко открытые, какие-то странные голубые глаза.

— Простите, что бужу вас, — по инерции сказала я и в ту же секунду осеклась.

Голубые глаза смотрели не видя. Зрачок оставался неподвижен, он не расширялся и не сужался, веки чуть-чуть опустились, а рот исказила странная полуухмылка-полугримаса.

— Эй, — забормотала я, натыкаясь задом на стол, — эй, отвечайте немедленно, вы что, умерли?

Монахов продолжал молчать, возле дивана валялся исписанный печатными буквами листок бумаги, я ухватила бумажку и выскочила в коридор, объятая ужасом.

Страшно боюсь покойников, хотя понимаю, что это глупо, ничего плохого мертвые сделать не могут и опасаться на самом деле следует живых, вот уж от кого можно ждать гадостей! Но я просто каменею от ужаса при виде трупа.

Наконец мои ноги заработали и понесли меня по коридору. В самом его начале висел телефон-автомат. Никакая сила не могла меня заставить воспользоваться аппаратом Монахова. Я машинально сняла трубку и услышала гудок. Работает! Вот уж странность, но все равно нет жетона. Однако мой палец уже вертел допотопный диск. Послышался треск, потом писк и громкий голос Бурлевского:

— Слушаю!

— Федор, — зашептала я. — Федор.

— Что, это вы, Евлампия?

— Да, я нашла Монахова...

— Ну и молодец, — одобрил продюсер, — теперь вытряхни из него правду.

— Не могу!

— Почему?

— Он мертв.

В трубке воцарилась тишина. Потом Бурлевский сказал:

— Пиши телефон, это майор Костин Владимир, отчество, к сожалению, забыл. Он ведет дело Антона, немедленно звони ему и все рассказывай, в таком случае всенепременно следует поставить в известность милицию.

Мне было нечем записать цифры, но это и не требовалось. Володин служебный, равно как и домашний номер, я знала наизусть.

— Ты слышишь? — спросил Бурлевский.

— Ага, — промямлила я.

— Дождись приезда специалистов и расскажи им все.

— Но я работаю без лицензии...

— Это твои проблемы, — отрезал Федор, — между прочим, я заплатил тебе кучу денег и, кстати, получишь еще столько же, если не расскажешь Костину, откуда взяла сведения о Монахове. Я весь на виду, совершенно не хочу попасть на зуб газетчикам, так что учти, на меня лучше не ссылайся, скажу, что ты врешь!

— А если начнут спрашивать, как я вышла на Монахова?

— Господи, — вздохнул продюсер, — ну что я тебя учить буду?! Сообщишь, будто информаторы донесли. И помни, промолчишь про меня — тут же получишь пять, нет, семь кусков, лады?

— Ладно, — пробормотала я, и в ухо понеслись частые гудки.

До приезда специальной бригады я просидела на лестничной клетке, прямо на ступеньках, одну за другой куря сигареты. Когда прошло минут десять, до меня наконец дошло, что я судорожно сжимаю листок, взятый в комнате покойного. Развернув смятую бумажку, я прочла: «Люди добрые, простите, я плохо жил — плохо и кончу. Думал, с прошлым завязал, но черт попутал. Не могу больше жить, знай, оперок, Зайцеву Верку я прирезал, из ревности, мужика у ней нашел, вот и не снес. Потом, перепугавшись, ножик парню пьяному в руки сунул, да убежал. А теперь совесть замучила, спать не могу, жить не хочу, прощайте, сам себе судья. Андрей Монахов».

Я вновь скомкала бумагу и вздохнула. Вот и конец одному расследованию. Все ясно, как божий день. Сначала Вера Зайцева, чтобы украсть у Антона доллары, опоила его водкой с клофелином, а потом явившийся некстати ревнивый любовник прирезал девчонку и, решив свалить убийство на мирно храпящего Антона, сунул ему в руку нож и измазал одурманенного юношу кровью Зайцевой...

На лестнице послышались шаги, и несколько мужчин возникли перед моими глазами. Впереди с мрачным видом шел Володя. Увидав меня, он коротко спросил:

— Где?

Я ткнула пальцем в коридор.

— Там!

Мужики исчезли. Минут через пятнадцать майор вышел и принялся сосредоточенно набивать трубку, которую презентовала ему Катя, уверяя, что она наносит меньший вред здоровью, чем сигареты. Из-за красиво изогнутого куска вишневого дерева коллеги начали звать Володю «Шерлоком Холмсом», но майор плевать хотел на насмешки.

— Сейчас поедем ко мне, и там ты расскажешь все по порядку, — велел Костин, выпуская клубы дыма.

Я с наслаждением вдохнула ароматный дым. Если говорить честно, запах трубочного табака нравится мне куда больше, чем вонючий сигаретный дымок. С большим удовольствием сама перешла бы на трубку, но, боюсь, окружающие осудят.

— Собственно говоря, я мало что знаю. Только имя умершего.

— Оно и без тебя известно, — вздохнул Костин, — Николай Корнилов, неоднократно судимый...

— Нет-нет, — прервала я майора, — Андрей Монахов...

— Если бы ты меня не прерывала на полуслове, — вызверился приятель, — то услыхала бы продолжение. Николай Корнилов, он же Алексей Плетнев, он же Сергей Бортник, он же Андрей Монахов, рецидивист, неоднократно привлекавшийся, постой, что это у тебя?

И он выхватил из моих рук листок.

— Интересненько, — забормотал Костин, изучая предсмертную записку, — зачем утаить хотела?

— Что ты; — испугалась я, — я просто забыла отдать.

— Где нашла?

— У кровати.

— Такую скомканную?

— Нет, это я случайно измяла.

— Ага, понятно, но все равно жутко странно.

— Ничего странного не нахожу, — ответила я, — мужика совесть замучила.

— Данного субъекта давно ничто не мучает, — вздохнул Костин, — а совесть он потерял еще тогда, когда первый раз за убийство сел. Но наш самый справедливый и гуманный суд дал ему не так много, и через четыре года господин киллер вышел на свободу. С тех пор его жизнь — цепь отсидок. Правда, в последнее время он стал осторожен и не попадался нам на глаза. Иди в машину.

Я покорно спустилась вниз и залезла в микроавтобус. Но уехали мы не сразу, а где-то через час. Когда все мужчины расселись по местам и рафик выехал на проспект, один из них, продолжая прерванный разговор, произнес:

— И теперь она стонет, что хочет мопса, никого иного, только этого катастрофического урода. Разве настоящая собака бывает тридцать сантиметров высотой. Вот ротвейлер или пит...

— Ротвейлер весит под шестьдесят килограммов, — вздохнул другой, — и твоя жена с ним гулять не сможет, и притом подумай, сколько такая собачища жрет, станешь только на ее миску работать! Купи ей мопса, самая дамская собака.

— Да звонил уже по объявлениям, — отмахнулся первый, — прямо кошмар! За щенка размером чуть больше чашки хотят 600 баксов!

— Круто, — покачал головой приятель, — значит, не покупай!

— Так надулась и рыдает!

— Послушайте, — решила вмешаться я, — мы хотели в начале января вязать наших собачек, двух мопсих. Если хотите, весной получите щенка бесплатно. Как раз на Восьмое марта преподнесете. Ваша жена приедет и выберет собачку, а домой возьмет чуть позднее, щенок должен два месяца возле матери жить.

— Вы не шутите? — спросил мужик и тут же добавил: — Давайте познакомимся: Самоненко Ярослав Петрович, для друзей просто Слава.

— Очень приятно. А я Евлампия Андреевна, для друзей...

— Лампа, — влез Владимир, — для друзей она Лампа.

— Очень оригинальное имя, — вежливо произнес Слава, — вы дадите свой телефон?

— С удовольствием, — выпалила я и осеклась, — только тут проблема.

— Какая? — изумился Костин.

— Видишь ли, мы собрались переезжать на новую квартиру!

— Стоп! — заорал майор.

В ту же секунду рафик мгновенно встал, и пассажиры чуть было не попадали на пол.

— Что случилось? — поинтересовался шофер.

— Ты зачем встал? — изумился Костин. — Езжай себе!

— Так ведь «стоп» скомандовали...

— Не тебе, а ей, Лампе, давай, давай заводи.

— Нет, — бормотал шофер, выруливая на другую полосу, — уйду я от вас, давно в пожарную команду зовут, тихое, спокойное место, не работа, а радость. А тут — чистый цирк: то стой, то поезжай, ну зачем вчера ко мне мешок с расчлененкой сунули? Воняло страсть, что, нельзя было труповозку дождаться?

— Так на морозе часа два стоять бы пришлось, — ответил Слава, — пока трупная команда подъехала бы, мы бы замерзли. И ничего не воняло, никто и не почувствовал.

— Не просто воняло, а смердело, — не успокаивался шофер, — вы-то быстренько из фляжки хлебанули — и хорошо, а мне никто не дал.

— Тебе нельзя, — примирительно заметил Слава, — ты за рулем!

— А вам на работе можно?

— Только для профилактики простудных заболеваний, — отбивался Самоненко.

— Кончай базар, — велел Костин и резко спросил: — Почему мне не сказали о переезде?

— Не успели.

— Безобразие, — обозлился Костин и сердито ткнул шофера в спину: — Сворачивай тут, поесть пойдем.

— А не надо пихаться, — заныл водитель, — можно словами сказать.

— Заткнись, Вадим, — велел Слава.

Домой я вернулась поздно вечером, устав до крайности. Володя устроил мне допрос по полной программе, двадцать раз задавая один и тот же вопрос, но я стояла насмерть, как Брестская крепость, выдавая информацию гомеопатическими дозами. Ничего противозаконного я не совершала. Просто сидела в отделении милиции, куда меня притащили по обвинению в ограблении собственной квартиры. Когда недоразумение выяснилось, Катерина пошла за машиной, а мимо меня волокли Антона Бурлевского, который бился в истерике. Вот тогда я и решила помочь парню... И быстренько выложила правду про Веру Зайцеву, клофелин и сына модного писателя Никиту.

— Значит, захотела поработать частным детективом, — хмыкнул Володя, — от скуки, так сказать.

— Абсолютно бесплатно, — быстро добавила я, — только чтобы Антона выручить.

— Вы с Катериной два сапога пара, обе сирых и убогих жалеете, — вздохнул майор, — а как ты на Монахова вышла?

Но у меня уже был наготове ответ на каверзный вопрос:

— Соседка рассказала.

— Какая? Имя, фамилия?

— Не знаю, во дворе встретились. Вот она и сообщила, что хорошо знала Зайцеву, а та ей жаловалась на Монахова, якобы он жутко ревнивый.

— Адрес Монахова откуда узнала?

— Мосгорсправка дала!

— Так, — протянул Костин и вновь поинтересовался описанием соседки.

— Ну, невысокая кареглазая шатенка, между тридцатью и сорока.

— Особые приметы?

— Не заметила.

— Так, — повторил Володя и забарабанил пальцами по столу.

Через минуту он сказал:

— Ну что ж, дело закрыто.

— Антона выпустят?

— Обязательно.

— Так я пойду?

— Иди, иди, — неожиданно ласково пропел майор, подписывая пропуск, — когда переезд-то?

— На днях, мы тебе сообщим.

— Намечайте на воскресенье, если не случится чего непредвиденного, помогу с вещами.

Мы распрощались, и я пошла вниз, полная ликованья. Так, дело сделано, Антон на свободе, о Федоре я не проболталась, семь тысяч мои.

Глава 21

В квартиру я вползла, уставшая донельзя. День выдался суетной, напряженный. Больше всего хотелось вытянуться на диване и почитать купленный по дороге детектив. Но не тут-то было. В прихожей стояли полураскрытые ящики с надписью «Педигри-пал», и пахло свежим кормом.

Я заглянула внутрь — не слишком чистые кроссовки Кирюшки мирно соседствовали с книгами, носками и кассетами. Вещи лежали вперемешку. Похоже, мальчик швырял в короб все подряд, не глядя.

— Кирюшка! — завопила я.

— Что? — высунулся он в коридор.

— Ну разве можно укладывать масло с гвоздями?

Кирка подошел к ящику.

— Нет тут никаких гвоздей, ты чего выдумываешь!

— Это фигурально.

— Как?

Потеряв терпение, я рявкнула:

— Нельзя складывать обувь с книгами!

— Почему?

А действительно, почему? Мое детство прошло с властной, авторитарной мамой. Я очень ее любила и всегда слушалась. В нашем доме существовала целая система запретов. Например, мамуся не разрешала грызть семечки. Объяснялось это просто — данный продукт не приносит никакой пользы детскому организму, только забивает желудок. И вообще все карательные меры объяснялись заботой о здоровье. Телевизор нельзя смотреть после девяти вечера, будет плохой сон, покупать еду на улице нельзя — можно отравиться, рыбные консервы в томатном соусе — отрава, детективы — гадость, читать следует Льва Толстого, Достоевского, на худой конец — Виктора Гюго. Уж не знаю, что бы случилось с мамусей, раскрой она книгу Марининой или Дашковой. Наверное, сожгла бы заразу в камине, чтобы никогда не попалась ребенку в руки.

Мама любила меня безмерно и мечтала о том, как хорошо, правильно и красиво стану я жить, превратившись из маленькой девочки во взрослую женщину, обязательно красавицу, умницу... На алтарь любви мама положила все. Сначала выучила дочурку на арфистку, потом выдала замуж... Но получилось у нее с точностью до наоборот. Арфу я ненавидела, мужа терпеть не могла, делать ничего не умела, а на красавицу не походила, даже использовав весь арсенал косметики... Слава богу, на пути встретилась Катя, и я постепенно стала превращаться в нормального человека. Вот только иногда мамочкино воспитание все же дает себя знать. А правда, почему нельзя запаковывать ботинки вместе с книгами? Должно же быть хоть какое-то разумное объяснение!

— Обувь грязная, ты попортишь хорошие издания, — нашлась я.

— Кроссовки чистые, — стоял на своем Кирюшка, — и потом, не на всю же жизнь я укладываю, тридцать первого переедем, и все!

Я подумала, что ослышалась.

— Тридцать первого декабря? В Новый год? С чего ты взял, будто переезд назначен на этот день?

— Мама ходила в транспортную контору, — пояснил Кирка, — и ей сказали, якобы с первого января цены на услуги возрастают втрое. А нам ведь еще и грузчики нужны! Хорошо еще, что нашлась свободная бригада, велели быть готовыми к часу дня.

Я слегка успокоилась. Если в 13.00 мы начнем перебираться, то часов в пять закончим. Ехать недалеко, даже успеем распаковать посуду и накрошить «Оливье». Кстати, о кастрюлях...

Быстрым шагом я влетела на кухню и ахнула. На полу красовался огромный ящик, метра полтора длиной и около двух шириной. В нем грудой были свалены тарелки, чашки, сковородки, вилки и чугунные котелки...

— Тина! — завопила я, наливаясь злобой, — Тина!

— Да, — пробормотала она, всовывая голову в дверь, — чего надо?

Я обратила внимание на то, что ее губы опять перепачканы шоколадом, и каменным тоном спросила, указывая на ящик:

— Что это?

— Как что? — оторопела гостья. — Упаковка с посудой.

— Это не упаковка, а гроб с посудой! Неужели не понятно — нельзя складывать фарфор вместе с чугуном!

— Подумаешь, — фыркнула девица, — и так доедет! Близко совсем, сверху подушкой придавим и порядок!

У меня не нашлось аргументов для возражений.

До трех утра я перекладывала чашки, тарелки, рюмки и бокалы, тщательно заворачивая каждый предмет в газету. По счастью, в комнате у Сережки и Юли нашлась целая кипа старых, пожелтевших изданий. Накормив всех ужином и дождавшись, пока домочадцы улягутся спать, я тихонько пролезла в супружескую спальню, вытащила пыльную кипу... Давно чесались руки выбросить этот хлам, так теперь хоть в дело пойдет.

К утру вся хрупкая столовая утварь была надежно упрятана. С чувством выполненного долга я прилегла на диван, не постелив белье. Мопсихи моментально затеяли драку за место у моего лица, но у меня не хватило сил их прогнать.

Из приятного сна меня вырвал нечеловеческий вопль. Я села и потрясла головой. Интересно, отчего я сплю одетой на неразобранном диване? Ах да, собирала посуду и жутко устала. Но что случилось с Сережкой?

— Кто? — орал парень. — Кто?

Покряхтывая, я побрела на кухню. Там уже толпились недоумевающие домочадцы, кошки и собаки.

— Кто? — не утихал Сережка, тыча пальцем в собранные мной коробки. — Кто?

— Ты недоволен, как сложили посуду? — поинтересовалась я.

Но парня словно заело:

— Кто? — тупо повторял он. — Кто?

— Интересуешься, кто сделал данное богоугодное дело? Я.

— Лампадель, — взвыл Сережка, — сейчас убью!

— Ну ничего себе, — разозлилась я, — полночи потратила на чашки! Между прочим, никто даже не помог! Все преспокойненько дрыхли, а я трудилась, как пчелка! Каждый предмет в бумагу обернула.

— Где ты взяла газеты? — неожиданно тихо осведомился Сережка.

— У тебя под кроватью.

— Ты уничтожила архив, я собирал его несколько лет!

— Архив? — вырвалось из моей груди. — Пыльные, грязные листочки?

— Я откладывал самые интересные рекламные объявления, — чуть не зарыдал парень.

— Так зачем ты держал его под кроватью? Разве это подходящее место для архива?

— Мне так было удобно, — ответил Сережка.

Я в растерянности молчала. Юлечка подошла к коробке и развернула пару тарелок.

— Не стоит убиваться, — пробормотала она, — Лампа ничего не порвала.

— Вот-вот, — воспряла я, — я заворачивала в целые страницы, даже лучше стало, пыль с них стряхнула. Переедем на новое место, я посуду аккуратненько разверну и отдам тебе архив в целости и сохранности!

— А, — махнул рукой Сережка и выскочил в коридор.

— Не обращай внимания, — успокоила меня Юля, — он про этот архив давным-давно забыл.

После того как вскипел чайник, мы вспомнили, что посуда упакована и пить не из чего. Но тут Кирюшка приволок штук десять картонных стаканчиков с надписью «Кока-кола». Мы повеселели, проглотили кофе с бутербродами и разлетелись по делам.

Перспектива получить семь тысяч от Бурлевского радовала меня чрезвычайно, тем более что гонорар, обещанный Олегом Яковлевичем Писемским за розыск жены, скорей всего мне не достанется. Я была почти на сто процентов уверена, что Ксения Федина — это Татьяна Митепаш, каким-то образом сменившая имя и фамилию. Только установить местонахождение Татьяны, кажется, невозможно. Честно говоря, я надеялась, что хоть какой-нибудь свет на эту темную историю прольет бывшая жена Бурлевского...

От полного отчаянья я решила пойти в дом умершей и порасспрашивать соседей. Вдруг кто-то видел Татьяну и случайно знает, где ее искать.

Наверное, мне в голову пришла отличная мысль. Бабушки, сидящие перед подъездом, знают все обо всех, но только холодным декабрьским днем лавочка возле хлебного ларька оказалась пуста. Домовые сплетницы балдели у телевизоров, внимая очередному сериалу.

Я добралась до квартиры Ломакиной и уже хотела позвонить в дверь к ее соседям, как ухо уловило слабую музыку, доносившуюся из-за железной двери ее квартиры, к тому же на ней не было бумажки с печатью. В квартире Ломакиной кто-то ходил. Я надавила на звонок, выглянула женщина лет пятидесяти в ярком спортивном костюме.

— Вам кого?

— А вы кто? — пошла я в наступление, не давая тетке опомниться.

— Как кто? — изумилась дама. — Убираюсь, вещи покойной складываю, завтра ее похороним наконец. Сестра я ее, Лена.

— Ах сестра, — пробормотала я и нырнула в прихожую.

— Да, сестра, Лена, — растерянно повторила женщина, — а сами вы кто?

— Из милиции, веду дело Татьяны Митепаш, вот хотела поговорить со Светланой Родионовной.

— Ее убили, — коротко пояснила Лена и добавила: — Довралась Танька, милиция интересуется! Да вы проходите.

— Как убили, — «изумилась» я, стаскивая куртку, — вроде на теле не было никаких следов...

Сказав последнюю фразу, я быстренько захлопнула рот. Ну надо же быть такой дурой! Если я собиралась побеседовать с Ломакиной, то никак не могла видеть труп! Но Лена не обратила внимания на мою ошибку и пояснила:

— А и не могло быть следов. Ей вкололи огромную дозу тразикора.

— Что? — не поняла я.

Лена прошла на кухню, поставила чайник и спокойно пояснила:

— Препарат из группы бета-адреноблокаторов. Летальные исходы в случае передозировки составляют девяносто процентов.

— Ее можно было спасти?

Сестра отвернулась к окну.

— Ну если сразу промыть желудок, дать активированный уголь в виде взвеси, потом сернокислую магнезию. При шоке следует вводить полиглюкин, мезатон, преднизолон, если это не поможет, внутривенно капельно вводят добутрекс, еще атропин, эфедрин подкожно...

— Вы врач?

— Медсестра в реанимации...

— Почему же Светлана сразу не позвонила вам?

Лена пожала плечами:

— Наверное, убийца сидел рядом, хотя...

— Что?

— Мы не слишком дружили, так просто поддерживали отношения, я на нее обиделась.

— Почему?

— Ну, Света долгое время прожила с богатым человеком и ничем родственникам не помогала, ни мне, ни брату, ни матери. Когда мама заболела и потребовались большие расходы, я обратилась к ней в надежде на помощь. Но Света завела странный разговор. Якобы у Федора трудности, свободных денег нет и взять неоткуда. Даже смешно стало. Мы встречались в «Макдоналдсе». Домой она меня не пригласила, впрочем, в приличный ресторан тоже. Сидела за столиком в голубой норковой шубке, в ушах бриллианты, на пальцах тоже не пластмасса, и плакалась о бедности. Ну, я плюнула и ушла. Василий, брат наш, тогда жутко обозлился. У нас в семье до сих пор по-другому было, помогали своим, чем могли, да, видно, Свете богатство в голову ударило. И вот ведь странность, для своих жаль, а для чужих кошелек раскрывался с легкостью. Девчонку она эту, Татьяну Митепаш, привечала, даже баловала.

— Ну она не совсем чужая, дочь мужа...

— Ага, Антона забросила, он в беспробудного пьяницу превратился, а Татьяна эта мне не нравилась. Ох и хитра! Жуть.

— Вы встречались?

— Один раз вместе день рождения Светланы отмечали. Сидела Татьяна возле Федора, тихая, улыбчивая. Потом на рояле сыграла. Я в музыке плохо понимаю, но мне показалось, что хорошо, быстро и громко. Федор тогда уже подпил и говорит: «Тебе бы, Танюшка, лень победить и концертировать начинать, господь золотые руки дал. Так нет же, валяешься на диване».

А она сидит и мило улыбается. Потом народ танцевать пошел, а я на кухню покурить вышла, только задымила, Татьяна влетает. Рожа перекошенная, злобная, глаза горят, губы дергаются. Я испугалась: «Что случилось?»

Девчонка в мгновение ока улыбочку изобразила и сладенько так говорит:

— Ничего, голова от шума заболела. Вот хотела на кухне в одиночестве посидеть.

Ну я намек правильно поняла, окурок бросила и на выход, у порога оглянулась, а Татьяна лица не удержала, опять из нее злоба вылезла. Только, думается, голова тут ни при чем. Ненавидела она и Федора, и Свету, и Антона.

— Зачем же она жила с ними?

— Деться, наверное, некуда было. Работать не хотела, а тут и стол, и дом, и любовник.

— Любовник?!

— Чего же удивительного? Любовник.

— Кто же?

Лена усмехнулась:

— Естественно, эстрадный певец, других у Бурлевских в доме не бывало — Саша Золотой, слыхали?

Еще бы! Только включишь телевизор, а он уж тут как тут, прыгает по экрану в невероятных костюмах и развевающихся плащах.

— Федор дочурку к нему в коллектив припевкой устроил, — сплетничала Лена, — голоса, говорят, у нее никакого не было, но не спорить же с Бурлевским. А Танюшка не растерялась и в койку к кумиру молодежи запрыгнула. Месяца два у них роман длился, а потом он ее на другую променял! Что было! Какие она скандалы закатывала!

— У Светланы была знакомая по имени Аня?

— Да, Анна Крапивина, можно сказать, лучшая подруга, неразлейвода. Вот она, кстати, мне очень нравилась. Совсем из другого мира, математик. Умная, скромная, интеллигентная...

Я молча стала пить отвратительный растворимый кофе. Не переношу этот напиток и, как
назло, везде только им и угощают!

Когда Светлана ночью без конца ошибалась
номером, она пару раз называла меня «Аня», и
телефон тот отличался от нашего всего на одну
цифру...

Быстренько распрощавшись с Леной, я понеслась домой с мыслью тут же позвонить Ане.
Скорей всего эта женщина живет рядом. Так и
вышло. Квартира Крапивиной оказалась в одной из кирпичных пятиэтажек, стоящих во дворе нашего дома.

В ответ на мой звонок в ее дверь послышалось сначала многоголосое мяуканье, потом
приятное контральто:

— Тихо, ребята, сидеть, к нам гости...

Я втиснулась в узенькую, пеналообразную
прихожую и не сдержала удивления. На полочке у большого зеркала восседали три огромные
кошки — серая, черная и рыжая. Их шеи украшали роскошные, широкие кожаные ошейники
с медальонами.

— Они сели по вашему приказанию?

Аня улыбнулась:

— Ну мои дети еще не то могут. Полина, дай
лапку...

Рыжая кошка с готовностью протянула ко-
нечность.

— А ты, Поль, вымой туалет.

Серый кот шмыгнул в ванную и оттуда незамедлительно послышался шум воды.

— Вот это да! — восхитилась я и добавила: —

До сих пор я только один такой экземпляр видела, кстати, тоже в ошейнике.

— Морис! — в страшном волнении закричала Аня. — Где он?..

— У нас.

— Господи, где вы его нашли? Я обежала весь район...

— Но Морис жил у Ломакиной.

— Ну да, я его ей подарила. Кстати, что вам от меня надо? Пойдемте в комнату, не у дверей же говорить.

Мы вошли в небольшое помещение, сплошь забитое книгами. Полки громоздились от пола до потолка, они не висели, а стояли друг на друге, и книги в них воткнули крайне тесно. Стопки книг же высились на письменном столе и подоконнике, впрочем, там еще пристроился компьютер. Мебели было мало — диван, два кресла и никаких ковров.

— Майор Романова, Евлампия Андреевна, занимаюсь делом Татьяны Митепаш и подумала, что вы сможете немного рассказать про нее.

— Только крайне скудную информацию, — вздохнула Аня.

— А о Ломакиной?

Хозяйка грустно улыбнулась:

— Со Светой мы дружили с пяти лет. Сначала ходили в один детский сад, потом сидели рядом на парте... Только институты оказались разные. Светка пошла на филологический, меня привлекала математика. Могли порой месяцами не видеться. Но были более близки, чем родные сестры. Вы знаете, что у Светы есть сестра?

Я кивнула.

— Так вот с Леной, — продолжала Аня, — отношения у нее не сложились и совсем испортились после того, как Федор разбогател.

— Почему?

— Это долгая история, — вздохнула моя собеседница.

— А я никуда и не тороплюсь.

— Хорошо, — ответила Аня, — попробую изложить логично и кратко. Надеюсь, это поможет в поисках ее убийцы.

Глава 22

Когда Светочка Ломакина выбрала себе в мужья Федора, все родственники, как один, были против этого брака. И брат, и мать, и старшая сестра.

— Ну что это за профессия — аккордеонист, — вздыхала мать-инженер, — в ресторане перед пьяными играть. Отвратительно.

Но Света стойко выдержала натиск, Федор нравился ей безумно, и девушка побежала в загс. Родные обозлились, но на свадьбу пришли, подарили сервиз и с удовлетворением отметили: они правы. Молодой муж был беден, как церковная мышь, расписываться пошел в старом костюме и не сумел купить жене даже самого завалящего колечка.

Первые годы брака были тяжелыми. Федор получал мало, носясь с аккордеоном из кабака в кабак, иногда вместо денег он приносил банки с едой. Света работала учительницей, набрала лишних часов, классное руководство, горы тетрадей... Кое-как они держались на плаву. И уж совсем тяжело стало, когда появился Антон.

Мать отказалась помогать.

— Не послушалась моего совета, живи, как хочешь!

Лена тоже отказалась дать деньги, даже в долг. А к брату Света не пошла, ясно было, что ничего хорошего не получится. Долгие годы для Светочки пределом мечтаний служили новые брюки или туфли. У Федора никак не получалось выбиться в люди, к тому же у муженька оказались две страсти: бабы и марки. Вернее, марки и бабы. Потому что он не придавал никакого значения без конца меняющимся любовницам, а вот небольшие кусочки бумаги с зубчатыми краями ценил больше жизни. Это оказалась страсть, всепоглощающая и черная. Федор мог унести из дома последние копейки, отложенные на детское питание, чтобы приобрести какую-нибудь «Боливию» или «Колумбию». Однажды, как раз под Новый, 1983 год, он схватил сэкономленные женой сто рублей и приволок очередное приобретение.

— Ты только посмотри, — совал он Свете кляссер, — полюбуйся.

Но жена в марках ничего не понимала, более того, она их ненавидела, так терпеть не могут близких родственников, назойливых, жадных и наглых.

— Федя, — пробормотала Светлана, — ведь ты знаешь, что нас пригласили в гости встречать Новый год, я хотела платье купить. Ну в чем мне теперь идти?

— В брюках, — пробормотал муженек, вытаскивая лупу.

— Катастрофа, — заплакала жена, — скажут, нищая, даже нечего надеть...

— Слушай, — вздохнул супруг, — хочешь, возьмем с собой этот кляссер? Покажешь людям, тут марок не на одну тысячу! Повесим тебе на шею на шнурочке, богаче всех будешь!

Светлана глянула на альбомчик и подумала: «Идиот». Так они и жили, сшибая рубли у приятелей до получки, одевая Антона в вещи, сношенные детьми друзей, и без конца сидя на геркулесовой каше. Зато коллекция росла, но Света искренне не понимала, к чему нужны марки. Может, муж копит их на старость? Чтобы продать потом и жить в свое удовольствие?

Однажды она высказала эту мысль вслух и впервые за годы брака увидела супруга в невероятном гневе.

— Никогда, никогда, заруби себе на носу, — орал Федор, — не продам ничего, даже не надейся!

— Зачем ты их собираешь, объясни? — взмолилась Света.

Федор замолк, потом пробормотал:

— Не могу, нет таких слов. Вот Сеня Леонов — алкоголик, Котя Рогов — наркоман, Ванька Крутов — игрок, ну а я — филателист, не самая худшая забава!

«Еще и бабник», — подумала Света, но вслух

ничего не сказала. Она вообще была малоразговорчивой, даже замкнутой.

В 1987 году их жизнь невероятно переменилась. Федору пришла в голову мысль организовать дискотеку. Был арендован спортзал в центре города, наняты музыканты, и дело пошло. Да как пошло! Это сейчас всевозможных мест для веселья в Москве больше, чем в Париже, но тогда дискотека Бурлевского была единственной. За билетами толпилась очередь, а со стороны служебного входа стоял хвост из певцов, танцоров и музыкантов...

Словом, через два года у них было все — дача, джип, «Фольксваген», евроремонт и роскошная мебель. Светка щеголяла в шубах, меняя их по дням недели, о геркулесовой каше навсегда забыли, а на лето поехали в Ниццу. Вот тут-то родственники и вспомнили про нее. И сестра, и брат, и мать моментально захотели встречаться, им тут же понадобились деньги. Но Света проявила твердость.

— Как ты мне говорила? — поинтересовалась она у Лены, просившей внушительную сумму. — Каждый в этом мире за себя? Вот и живи по своим принципам.

Пришлось сестре замолчать и тихо наливаться злобой, наталкиваясь на сообщения в газетах об очередных удачных сделках Бурлевского.

Для Светы закончились материальные проблемы, но появились другие. Начал пить, а потом совсем отбился от рук Антон, Федор практически не показывался дома, пропадая в офисе

не только днями, но и ночами. В редкие минуты, когда он заскакивал переодеться, Светлана
не выходила из своей спальни. Зачем? Они давно стали чужими друг другу, говорить было не о
чем, общих интересов никаких... Но уходить от
Федора она не хотела, обеспеченная жизнь ей
нравилась.

Потом стало скучно, работу Светлана бросила, сидела день-деньской перед телевизором,
изнывая от безделья. Вот тогда-то Аня и подарила ей Мориса.

Лучшая подруга только вздыхала, понимая,
что неожиданное богатство не принесло Свете
счастья. Светлана без конца жаловалась на головную боль, слабость и тошноту. Лучшие врачи не находили никаких болезней и в один голос советовали гулять побольше, пить витами-
ны и заниматься спортом. Но Аня понимала —
у подруги самый настоящий невроз, депрессия,
и лечить ее следует иначе. Нужно пробудить в
ней интерес к жизни, дать какое-нибудь дело.
Пусть хоть крестиком вышивает, или вяжет,
или разводит комнатные цветы...

Сама Аня увлекалась редким хобби — дрес-
сировала кошек. У нее в доме жило три особи,
поражавшие всех гостей. Иногда появлялись
котята. Самый крупный и бойкий, Морис, оказался у Светы.

То ли кот оказался сверх меры талантлив, то
ли Света обладала даром дрессировщицы, но
через год Морис проделывал такие штуки, что
даже Аня поражалась. Света обожала кота без

памяти, таскала его по выставкам и шоу, собирая всевозможные медали, розетки и дипломы.

Но вскоре Морис осел дома, потому что у Светланы появилась новая страсть — религия. Она крестилась в церкви, стала истово посещать службы и соблюдать посты. Теперь Света одевалась в длинные, почти до полу платья и темные платки. От косметики она отказалась. Гости Бурлевского, в основном деятели шоу-бизнеса, просто теряли дар речи, когда хозяйка входила в гостиную с подносом и, поставив угощенье на стол, крестила колбасу, приговаривая: «Господи, благослови еду». Федор мужественно терпел чудачества жены, молча ел приготовленные в Великий пост капустные котлеты, а потом ужинал в ресторане шашлыком.

Именно в этот период в их доме появилась Татьяна. Света приняла внебрачную дочь мужа с христианским милосердием. Потом попросила развода у Федора.

— Хочу уйти в монастырь, — пояснила богомолка.

Федор только пожал плечами. Отношений у них давно никаких не было. Монастырь, так монастырь. Впрочем, после официального расторжения брака мало что изменилось. Жили они по-прежнему вместе, в одной квартире. Однажды чуть пьяноватый Бурлевский решил подколоть жену и поинтересовался:

— Ну, Христова невеста, чего же никак от мира не удалишься?

— Батюшка благословения не дает, — пояснила бывшая супруга спокойно, — говорит, еще не всех тягот в миру снесла!

Федор только хмыкнул:

— Ну-ну, старайся!

Вот так они и жили до того момента, пока Бурлевский не начал требовать от дочери хоть какой-нибудь работы. Девица, валяющаяся на диване и поглощающая конфеты с фруктами, стала ему надоедать. Раздражал и Антон, правда, отселенный на другую жилплощадь. Но все равно парень частенько являлся за деньгами. И, глядя на его опухшее лицо и бегающие красные глазки, Федор с тоской думал: «Ну почему у меня такие дети? Ни работоспособности, ни честолюбия, ни желания зарабатывать деньги!

Можно было посчитать, что отпрыски пошли в мать, и успокоиться. Кстати, большинство мужчин так и делает, нападая на жен с криком:

— Этот дурень весь в тебя, ничего моего нет.

Но матери-то у Антона и Тани были разные, а похожи брат с сестрой оказались чрезвычайно, значит, верх взяли отцовские гены. От этих мыслей Федору становилось совсем нехорошо, и он гнал их от себя подальше.

Затем Света обвинила его в попытке инцеста и выгнала из дома. Бывшая жена сдружилась с Татьяной и даже на время позабыла о христианском смирении, чуть не налетев на Федора с кулаками. Муж попытался вставить слово, но Светлана заткнула уши.

Обдумывая потом возникшую ситуацию, продюсер был даже рад. Как все лица мужского пола, он не любил резких перемен в жизни, и устоявшийся уклад его вполне устраивал. Но, оказавшись один в собственной квартире, Федор только тогда понял, насколько тяготила его «семейная» жизнь. С Татьяной он больше не встречался...

— Куда же она делась? — изумилась я.

Аня вздохнула:

— Никуда, осталась жить со Светой. Первое время они вели прежний образ жизни и даже ни в чем не нуждались, а потом Светлана продала большую квартиру Бурлевских и купила эту, поменьше, специально выбирала поближе ко мне... Религия ей надоела, Света перестала ходить в церковь и начала снова наряжаться и краситься.

— И что, муж ей совсем не помогал?

Аня покачала головой:

— Нет, более того, отношения у них окончательно испортились. Представляете, он обвинил Свету в воровстве.

— Да ну?

— Просто смешно, — пробормотала Аня, — дело было год тому назад, он сказал, якобы она украла у него две марки, страшно ценные, чуть ли не по миллиону долларов.

— Как же она это сделала? — удивилась я.

— То-то и оно, — вздохнула Аня, — это совершенно невозможная вещь. Во-первых, в те дни Светка просто сдвинулась на религии и никогда бы не взяла даже чужой газеты. У нее было сильно развито понятие греха, потом, честно говоря, она всегда считала марки дурацкой забавой, ничего не стоящим увлечением, пустой тратой денег, она ничего не понимала в филателии, абсолютно!

— Как же это можно было осуществить практически?

Аня опять вздохнула.

— Просто фантастика, детективный роман! Я пыталась говорить с Федором, вразумить его, но толку чуть! Он орал как ненормальный — либо Света отдает драгоценные марки, либо мало ей не покажется!

— Да когда же она, по его мнению, совершила кражу?

— Он утверждал, будто в тот день, когда собирала его вещи в чемоданы. Кляссеры с коллекцией он держал в сейфе, но Светка знала комбинацию, и ключи Федор не прятал. Барахло ему привезли в офис, а альбомы он временно оставил у Светы, забрал только через неделю и проверять не стал. Потом закрутился и не слишком любовался на коллекцию. Так, иногда распахнет альбомчик, кинет взгляд, и все. Да еще появились новые приобретения, он старые не слишком изучал.

А год тому назад он поехал на филателистическую выставку в Испанию, стал там хвастаться коллекцией, а ему и говорят:

«Простите, сэр, но вот эти два экземпляра фальшивые. Отлично сделаны, не отличить от настоящих, но это подделка».

Федор чуть сознание не потерял. Он, когда марки покупал, всегда с собой эксперта брал и доскональную проверку устраивал. Так что он точно знал — в коллекции только подлинники. Причем в Испании ему объяснили, что подделки сделали при помощи компьютера и в руках у мошенника обязательно должны были быть оригиналы. Вот тут-то Федора и осенило! Подмену осуществила Света.

Бурлевский вернулся в Москву и потребовал от жены вернуть марки. Та, как могла, объясняла, что ничего не брала, но Федор не верил.

— Один раз, — грустно рассказывала Аня, — он пошел на преступление. Нанял, очевидно, каких-то бандитов. Те взломали в отсутствие Светы дверь и учинили обыск, но какой! Разломали все, что можно, разодрали книги и письма, высыпали на пол крупы, сахар и соль, порезали на куски мыло, вылили шампунь и разобрали электроприборы.

Света вызвала милицию, но воров так и не нашли.

— И что, Бурлевский отвязался от жены?

— Куда там, — махнула рукой Аня, — прямо ненормальный, звонил и требовал марки до самого последнего дня. Небось и после ее смерти не успокоился... Ясное дело, марки подменил кто-то другой.

— Кто?

— Может, Антон, ему постоянно деньги на выпивку требовались.

— А Татьяна куда делась?

— Ну девочка сразу смекнула, что тут больше ничего хорошего не будет, и сбежала к Саше Золотому.

— Певцу?

— Да.

— Так они вроде разошлись?

— А потом опять сошлись, во всяком случае Света упоминала это имя.

— Можете что-нибудь еще рассказать про Татьяну?

Аня пригладила красивые, блестящие волосы и с сомнением произнесла:

— Пожалуй, ничего. Конечно, она девушка себе на уме, но достаточно добрая, животных любит. Я несколько раз видела, как она посадит Мориса на колени и наглаживает: «Золотой котик, драгоценный котик». Все-таки это характеризует ее с лучшей стороны. На рояле хорошо играла. А то, что от Светы ушла... Ну, рыба ищет, где глубже, а человек, где лучше. Наверное, надеялась на брак с известным певцом. Может, так и вышло, не знаю. Я ее больше не встречала и к шоу-бизнесу отношения не имею.

Дома я сразу же ухватила трубку и соединилась с Бурлевским.

— Дайте телефон Саши Золотого.

— Зачем тебе этот урод? — удивился Федор.

— Надо.

— Пожалуйста, — хмыкнул продюсер, — а это что, имеет отношение к Антону?

— Нет, к другому делу.

— Понятно, — засвистел Бурлевский, очевидно, листая телефонную книжку, — пиши. Значит, используешь знакомство со мной в своих целях. Между прочим, такая информация денег стоит.

И он раскатисто засмеялся, страшно довольный собой. Отчего-то у продюсера было чудес-
ное настроение. Я решила слегка испортить ему
кайф:

— Между прочим, я не сказала в милиции,
откуда знаю про Монахова.

— Понял, — ответил Федор, — денежки твои.
Давай, подъезжай.

При этих словах я ощутила настоящий подъем и понеслась в офис.

На этот раз в комнате он сидел не один. На
диване притулился худенький парень в темно-
синем костюме. Сначала я решила, что это какой-нибудь певец или гитарист, но Федор радостно обнял паренька за плечи и сообщил:

— Вот, Антоша, знакомься — Евлампия Андреевна. Она сумела доказать, что ты не убивал
Зайцеву.

— Спасибо, — пробормотал юноша.

Сегодня он выглядел совсем по-иному, чем
тогда в милиции. Лицо было аккуратно выбри-
то, волосы причесаны, губы в нормальном состоянии, немудрено, что я не узнала его сразу.

— А вот за спасибо только птички чирика-
ют, — заметил Федор и бросил на стол конверт, — берите, здесь все, что обещал, и надеюсь на вашу порядочность.

Я спрятала гонорар в сумочку и отдала Бурлевскому пейджер. Интересно, он зовет меня то
на «ты», то на «вы».

— Кстати, — сказал тот, — ты, дорогая Евлампия, мне крайне помогла. Сработала четко,

профессионально, быстро... Оставь-ка свой телефон, вдруг кому из знакомых понадобишься. Имей в виду, если позвонят и скажут, что от меня, бери заказ, не сомневайся. Я направляю только денежных людей.

Я ощутила себя просто на седьмом небе. Во-первых, заработала жуткую кучу денег, да еще получила массу комплиментов. Кстати, я и впрямь ловка и сообразительна, отчего бы мне не заниматься подобным делом постоянно! Надо будет спросить у майора Костина, где берут частные детективы лицензию на работу...

— Ну, телефон, что ли, забыла, — поторопил Федор.

Я быстро назвала цифры. Бурлевский как-то странно глянул на меня, потом в записную книжку и переспросил:

— Это твой телефончик?

Я удивилась.

— Конечно.

— Тогда уж и адрес скажи.

Я быстренько выложила все координаты. Федор записал название улицы, номер дома и пробормотал:

— Однако...

— Что однако? — спросила я, поглубже засовывая конверт в сумочку.

— Да нет, так просто, — хмыкнул Бурлевский, — район, говорю, однако, не престижный.

— Да уж, — согласилась я, искренне недоумевая, какая разница, где проживает наемная рабочая сила.

Глава 23

Домой я принеслась, почти обезумев от восторга. Нет, сегодня никому не расскажу о том, какие деньжищи заработала благодаря собственному уму. Сделаю иначе. 31 декабря положу конверт под елку, то-то все удивятся. Чувствуя, как за спиной разворачиваются крылья, я позвонила Писемскому.

— Олег Яковлевич, не волнуйтесь, я теперь почти точно знаю, где ваша жена.

— Дай-то бог, — пробормотал бензинщик.

— Думаю, что Новый год встретите вместе, — решила я приободрить бензинового короля.

— Вы предполагаете...

— Больше ничего не могу сказать.

— Хорошо, хорошо, — обрадованно закричал Писемский, — жду известий.

Я бросила трубку на диван. Конечно, я слегка покривила душой. Но сегодня такой хороший день, пусть и у Олега Яковлевича будет отличное настроение. Скорей всего Татьяна у Саши Золотого, и через считанные часы я попробую заставить девушку, если не вернуться к мужу, то хоть поехать и объясниться с ним. Единственное, что оставалось мне непонятным в данной истории, это как Татьяна превратилась в Ксению и куда подевалась настоящая Федина.

Радостно напевая, я принялась носиться по квартире, запихивая в ящики с надписью «Педигри-пал» все, что попадалось под руку. В конце концов Кирюшка прав, нет никакой необходимости раскладывать шмотки аккуратно, упаковывая каждую вещь отдельно. Вот посуда, это да, а книги и постельное белье великолепно доедут прямо так, просто следует взять тару побольше.

Основная библиотека сосредоточилась в Катиной комнате. Полки оказались столь тесно утыканы томами, что я с трудом вытащила первым «Справочник лекарственных средств». Рядом устроились «Анатомия», «Оперативное лечение рака щитовидной железы» и «Хирургия». Последняя в нескольких томах. Я машинально перелистала второй и содрогнулась. Какая гадость! Вот уж чего никогда бы не смогла сделать, так это разрезать живого человека и копаться в его внутренностях. Катюшка же совершает подобные действия с увлечением и частенько ужасает окружающих, водрузив перед собой толстый журнал «Вестник хирургии».

— Великолепно, — бормочет она, быстро засовывая в рот пельмени, — клево придумано.

Один раз я не утерпела и поинтересовалась:

— Что привело тебя в такой восторг?

— Да вот, — с готовностью принялась объяснять Катерина, — в случае глубокого поражения прямой кишки, они...

— Все, все, — заорала я, — хватит, не надо, сейчас стошнит.

Не далее как месяц тому назад мы принимали гостей, милую супружескую пару из соседней квартиры. Я купила отличный кусок мяса — свиную шейку, нежную и сочную. Жаркое превосходно запеклось в фольге, и, когда его вытащили из духовки, полился дивный аромат. Одна беда — разрезать угощение оказалось трудно, страшно мешали кости.

— Черт, — сказала Юля, орудовавшая ножом, — что-то не соображу, как лучше к мясу подобраться.

— А ты матери ножичек дай, — посоветовал Сережка, ухмыляясь, — самая ее работа, и предмет знакомый, шея, правда, свиная.

— Действительно, — оживилась Катерина, хватаясь за тесак, — давай лучше я. На самом деле все просто: вот тут проходит позвоночный столб, там вена, а рядом гортань. Сейчас подденем и разрежем!

Не знаю, как гостям, но мне сразу расхотелось вкушать ароматную свининку, я тут же ощутила себя каннибалом.

Я продолжала засовывать книги по медицине в ящик. Потом принялась за детективы. Руки стали серыми, и заломило спину. Чтобы чуть развеселиться, я включила телевизор. С экрана полилась дурацкая песня:

«Ты меня любишь, любишь, любишь, но скоро погубишь, погубишь...»

Слова идиотские, но музыка ритмичная, и ноги сами собой принялись приплясывать. Еще через секунду я тихо забубнила: «Найду, найду Ксюшу, найду, найду Танюшу». Руки быстро упаковывали книги, а тело покачивалось в такт. Внезапно бодрая мелодия смолкла, и раскрашенная девица с изумительным светло-зеленым цветом волос бодро прочирикала:

— А сейчас абсолютно новый клип, просто свежак, встречайте — Саша Золотой.

Тут же передо мной заскакал коротконогий парень в обтягивающих парчовых штанах. Тощие ляжки эстрадного кумира быстро двигались, огромные ботинки на двенадцатисантиметровой платформе ловко топали. Я уставилась на действие. Ну надо же! В подобных туфельках и шаг-то ступить трудно, не то что дрыгаться. Но Саша, очевидно, не испытывал никаких неудобств. Вместо рубашки на нем красовалось нечто вроде рыболовной сети, густые, вьющиеся волосы тонкими прядями постоянно падали на лицо, а на обнаженных руках виднелись яркие, разноцветные татуировки. Возраст певца оставался загадкой — от семнадцати до сорока. Фигура юношеская, никакого намека на живот или лысину, и нигде не трясутся дряблые мышцы. Но на шее иногда мелькали предательские морщинки, и чуть-чуть обвис подбородок. Все-таки ему за тридцать. Моргнув последний раз яркими цветами, клип погас. На экране появилась та же ведущая.

— А теперь, бакланы, — заверещала она, — крутая фенька, ну-ка прикиньте, кто залетел к нам в студию? Саша Золотой и его группа «Робин Бобин», ну-ка прищурьтесь да разглядывайте. Саша Золотой!

Патлатый музыкант, жеманно складывая руки, принялся говорить. Я отвернулась к полкам. Пел он, кстати, неплохо, определенно у Саши был голос, что редкость на эстраде, да и слух присутствовал. Я, как бывшая арфистка, частенько слышу, как какая-нибудь Маша Ман самозабвенно распевает под оркестр, мило попадая «между нот». Но большинству зрителей и невдомек, что певица отчаянно фальшивит. Публика не обучена музыкальной грамоте и оказывается вполне довольна: барабан стучит, Маша пляшет, ну чего еще?

Саша хриплым голосом вещал благоглупости, хоть я и не люблю рекламу, но в одном создатели жвачки «Стиморол» правы — иногда лучше жевать, чем говорить. Золотой явно не родился Цицероном, бесконечные «э-э» постоянно вылетали из его рта. К тому же меня раздражают люди, говорящие на дурацком молодежном сленге... Окончательно обозлившись, я уже собралась включить другой канал, как вдруг Саша прохрипел:

— А у нас, бакланы, новая певица. Молодая, красивая и бешено талантливая, точно говорю, вы все еще на ее концерты ломанетесь. Пока она записала лишь одну песню, но скоро мы раскрутимся и набацаем альбом. Глядите, френды, Татьяна Митепаш!

Тома Агаты Кристи посыпались у меня из рук на пол. Камера переехала с Сашиного лица на мордочку худенькой, остроносой девчонки. Белокурые волосы выкрашены прядками — зелёными, желтыми, розовыми. На щеках — свекольный румянец, глаз не видно за нагуталиненными ресницами. А уж одежда! Полное ощущение, что дама натянула в качестве платья гигантский презерватив.

— Давай, Танюшка, — велел Золотой.

Митепаш ухватила микрофон и запела. Черт возьми, у нее оказался великолепный голос, сильное, грудное контральто, ничего общего с пришептыванием Кристины Орбакайте. Мощный, чистый звук. Татьяна и впрямь может сделать отличную карьеру. Но сейчас было недосуг рассуждать о ее профессиональном будущем. Главное, я знаю, где девчонка. Правда, она не слишком похожа на фотографию, что лежит у меня в сумочке. Но на снимке девушка без косметики и с простой стрижкой. Сейчас же на ее лице было несколько килограммов грима.

Наступая на разбросанные повсюду книги, я рванулась к телефону. Из трубки долго доносились гудки, потом сонный голос пробубнил:

— Чего надо?

— Ваш телефон мне дал Федор Бурлевский.

— Слушаю, — моментально пришел в себя собеседник, — очень внимательно слушаю.

— Я — секретарь господина Бурлевского и хотела бы обсудить кое-какие вопросы с Сашей Золотым.

— Приезжайте к восьми вечера, сможете?

— Постараюсь, только дайте адрес.

— Николаевский проезд, дом 18, — пояснил густой, сочный голос без всякой хрипотцы, — только, пожалуйста, не опаздывайте, в одиннадцать у нас выступление в клубе.

— Лечу, — выкрикнула я и опрометью кинулась к выходу.

По дороге я распахнула дверь спальни Валентины и, отметив, что гостья вновь лежит в кровати, обложившись шоколадками, книгами и апельсинами, крикнула:

— Тина, пойди в комнату к Кате и сложи книги.

— Ладно, — пробубнила та, потягиваясь, — попозже.

— Нет, — настаивала я, влезая в куртку, — сейчас!

— Где Катя? — поинтересовалась лентяйка, продолжая жевать.

— На дежурстве, вернется завтра.

— А ребята?

— Сережа с Юлей ушли в гости, Кирюшка вместе с ними, до полуночи гулять собрались, смотри, прибегу часа через два и проверю, как ты управилась, — пригрозила я, выскакивая на лестничную клетку, — проваляешься в кровати, плохо тебе придется.

— Хорошо, хорошо, — безнадежно сказала Тина, откладывая очередной любовный роман, — поняла, сейчас, через секунду!

Вот ведь лежебока! Лифта дожидаться мне показалось недосуг, ноги сами побежали по лестнице.

Дом в Николаевском был исписан со всех сторон признаниями поклонниц.

«Золотой — тащусь», «Саша — ты моя любовь», «Всегда с тобой, забыв про все». Были надписи и попроще: «Саша — супер», «Битлы дрянь — Саша гений» и даже почему-то «Спартак — чемпион».

Железную дверь украшал большой панорамный глазок. После того как я позвонила, внутри мелькнула тень и откуда-то сверху донеслось:

— Кто там?

— К Саше Золотому от Федора Бурлевского.

Раздался резкий щелчок, дверь распахнулась. На пороге стоял коротко стриженный блондин лет тридцати пяти. Могучий торс обтягивала черная майка-безрукавка. Наверное, проводит дни напролет в тренажерном зале, выглядит он, словно Ван Дамм в лучшие годы. Только рост подкачал. Красавец был выше меня сантиметров на пять-шесть, а я не дотянула до метра шестидесяти.

— Проходите, — пригласил встречавший, — сюда, в студию.

Я пошла следом за ним в большую комнату, заставленную музыкальными инструментами. Рояль, ударная установка, на диване лежит флейта, рядом пара электрогитар... А у окна пристроилась арфа. Я посмотрела на нее, как на старую знакомую, и улыбнулась: надо же, кто-то еще играет на ней.

— О чем будем говорить? — поинтересовался блондин.

— Хотелось бы лично с Сашей, — пробормотала я, — дело деликатное.

— Слушаю вас, — сказал хозяин.

— Это вы? — удивилась я.

— Вроде, — ответил блондин, — всегда считал, что я — Саша Золотой. Хотя, может, еще какой другой есть.

Его глаза откровенно смеялись.

— Где же волосы?

— Парик.

— А татуировки?

— Переводные картинки.

— Но голос, — не успокаивалась я, — голос! Саша хрипит, словно после трахеита...

— Господи, — вздохнул собеседник, — для секретаря господина Бурлевского вы слишком наивны. Сценический образ, имидж, всего лишь маска, которую снимают, придя домой. Кстати, голосом я гуляю по всем октавам, за моей спиной Петербургская консерватория...

— И поете подобную дрянь!

— Милая, — снисходительно процедил певец, — ну-ка назовите известных оперных певцов...

Я старательно принялась перечислять имена.

— Ну такая осведомленность — редкость, — усмехнулся Саша. — Впрочем, вы припомнили сплошь иностранцев... На оперной сцене пробиться трудно. Эстрада — самый короткий путь к успеху. Но ведь вы пришли сюда не для того, чтобы обсуждать теоретические проблемы?

Я отметила, что речь у Саши сейчас плавная, ударения он ставит правильно и никаких дурацких слов не употребляет...

— С вами выступает певица — Татьяна Митепаш.

Саша нахмурился:

— Ну и что?

— Мне нужно с ней поговорить.

Золотой крякнул.

— Не будем устраивать китайских церемоний. Никаких разговоров с Таней.

— Почему?

— Она сердится на отца и не желает иметь с ним ничего общего.

— Но мне очень надо!

— Нет!

— Поверьте, речь идет о...

— Да хоть о жизни и смерти, — хмыкнул Саша, — сказал нет, значит, нет!

Я вздохнула и пробормотала:

— Каюсь, я не имею никакого отношения к Бурлевскому и не работаю у него секретарем.

— Ну, — поднял Саша вверх брови, — и кто же вы?

— Детектив, которого нанял муж Ксении Фединой, которая на самом деле не Федина, а Митепаш. Таня сбежала от супруга...

Саша цокнул языком и потянулся к телефону. Испугавшись, я зачастила:

— Олег Яковлевич не собирается принуждать Таню-Ксению к совместному проживанию. Просто хочет удостовериться, что с ней все в порядке. Ну пусть девушка встретится с бывшим супругом, объяснится с ним, получит развод и поет в свое удовольствие.

Саша потыкал пальцем в кнопки и коротко велел:

— Давай домой, немедленно!

Потом глянул на стол и пробормотал:

— Посидите тут, пойду кофе заварю.

— Не надо, — попробовала я сопротивляться.

— Разговор долгий выйдет, — отрезал певец и испарился.

Я побродила по комнате и подошла к арфе.

Давным-давно, в прошлой жизни я ненавидела этот струнный инструмент, как человека. Моя мамочка считала, что лучшей профессии для женщины нет, и меня приковали к арфе. Но господь не наградил талантом. Пальцы лишь механически перебирали струны, никакого восторга, единения с инструментом я не ощутила. Просто технично исполняла пьесы. Но для настоящего музыканта техника далеко не все. Лучшие исполнители расскажут вам, как впадают на сцене в особое состояние, типа транса, рук не ощущают, музыка льется сама по себе. Я никогда не чувствовала ничего подобного. Несколько лет концертирования твердо убедили: арфа — это отвратительно. Я бросила выступать и долгие годы не приближалась к инструменту. Но потом пришлось вытащить арфу из чехла, чтобы сыграть у Кирюшки в школе на празднике. С тех пор в моей душе нет ненависти к ней, только тихая печаль о глупо прошедшей юности.

Я пододвинула скамеечку и положила руки на струны. Чистые звуки полились из-под пальцев. Первый раз я играла для собственного удовольствия. За спиной раздался скрип. Я опустила руки, Саша вкатил в комнату сервировочный столик.

— Сен-Санс, — произнес певец, — чудесно играете, может, стоит заняться музыкой?

— Не в этой жизни, — грустно сказала я.

В ту же секунду послышался шум и звонкий, веселый, какой-то весенний голосок произнес:

— К чему такая спешка? Летела как очуме-
лая.

В комнату стремительно вошла девушка.
У меня екнуло сердце. Волосы светло-русые,
личико простоватое, глаза слегка навыкате, острый носик. Отдаленно похожа на фото, но не
слишком. На снимке, хоть и не особенно чет-
ком, видна порода, даже некоторый аристокра-
тизм. Передо мной же стояла обычная, дере-
венская девушка...

— Вы Татьяна Митепаш?

— Да.

— Тогда очень прошу, давайте поедем к вашему мужу...

— К кому? — удивилась девчонка. — Я никогда не была замужем.

— Правильно, — вздохнула я. — Татьяна
Митепаш не ходила в загс, там побывала Ксения Федина.

Девица растерянно глянула на Сашу. Тот
пожал плечами и пробормотал:

— Делать нечего, видишь, как фишка легла!
Ладно, колись, а там подумаем, что делать.

Певица рухнула на диван, расставила ноги в
джинсах и тихо сказала:

— Извините, но я не Татьяна Митепаш.

— Кто же вы тогда?

— Ксения Федина!

— Во, блин, — неожиданно вырвалось из
моего рта.

— Да уж, другого и сказать нечего, — вздохнул Золотой, — именно блин!

Глава 24

Чтобы привести нервы в порядок, Саша принес отличный коньяк, настоящий «Камю», и мы хлопнули по рюмашке. Ксения вытащила сигареты, по комнате поплыл синий дым.

— Где Татьяна Митепаш? — тихо спросила я.

— Понятия не имею, — так же вполголоса ответила Ксюша, — больше я не встречала ее.

— Послушай, — велел Саша, — ну-ка расскажи все по порядку, впрочем, если хотите, я сам могу начать с конца.

Жизнь звезды эстрады кажется роскошной. Огромные рукоплещущие залы, толпы поклонников, невероятные гонорары, лимузины, букеты и ужины с шампанским... Однако все не получается сразу. Прежде чем выбиться, предстоит помотаться по городам и весям, распевая перед не всегда благожелательно настроенным зрителем. А это уже другая, оборотная сторона эстрады, о которой мало известно широкой публике — номер в дешевой гостинице, тараканы на подоконнике, сортир в коридоре, на ужин — пюре «Кнорр» из стаканчика, длительное безденежье, любящие заложить за воротник музыканты, каждый из которых мнит себя Джоном Ленноном, холодные гримуборные, тряский автобус, аэровокзалы, поезда и бесконечная усталость, переходящая в отупение.

Но никого не волнует твое моральное и физическое состояние. Нанялся — пой, не можешь — пошел вон. При всей мишуре и блестках, мир шоу-бизнеса жесток. Чтобы выжить в нем, следует иметь зубы, когти и лошадиное здоровье. К тому же на самый верх пролезают единицы, остальная масса так и мечется с «чесом» по провинции, отчаянно мечтая заработать. Редким везет сразу, но даром ничего не делается. «Путь на экран лежит через диван», — иногда вздыхают самые молодые и хорошенькие, мечтающие, чтобы нашелся влиятельный продюсер с тем самым волшебным диваном.

Саша Золотой хлебнул все прелести жизни начинающего певца полной ложкой. И только к тридцати годам сумел выбиться «в люди». Его опекал Родион Хвостов, один из удачливых продюсеров, вложивший в раскрутку немалые средства. Впрочем, Саша оказался отличным приобретением: не пил, не кололся, работал как бешеный, не капризничал, драл глотку везде, куда приглашали, не слишком заносился и имел за плечами консерваторию. Последний факт настолько редок на эстраде, что никого, кроме Магомаева и Градского даже вспомнить не удастся. В конце концов труды принесли плоды — Золотой замелькал на телевидении.

И тут к нему обратился Бурлевский. Ну представьте, что вам рано утром звонит Президент России и просит о небольшом одолжении... Именно так воспринял Саша звонок Федора. Всесильный, всемогущий Бурлевский предлагал небольшой обмен. Саша возьмет в свою группу подпевкой дочь Федора, а Бурлевский за это посодействует, чтобы газета «Московский комсомолец» назвала диск Золотого в тройке лучших за этот месяц, и еще протолкнет новую песню Саши в передачу «Музыкальный обоз». Да ради подобных перспектив Золотой был готов мыть девчонке ноги.

Татьяна пришла на следующий день. Голоса никакого, но Саше было все равно. Поставил у дальнего микрофона и приглушил звук, пусть рот разевает. Высокопоставленная дочка «отпела» три концерта и сломалась. Стоять на эстраде ей расхотелось, зато понравился Золотой. Саша моментально закрутил роман с Татьяной, честно говоря, не без задней мысли. Уж наверное любящий папочка поможет дочкиному ухажеру. Но вскоре Золотой понял свою ошибку.

Дочурка оказалась не от законной жены, а от какой-то другой бабы. Раньше Татьяна пыталась работать в других группах, но отовсюду ушла со скандалом. А дорогой папа хоть и пристраивал дочурку каждый раз на новые места, на самом деле не слишком ее жаловал и совершенно не собирался помогать ее хахалям. Разобравшись в ситуации, Саша прекратил общение с девицей и вскоре избавился от нее, сплавив в коллектив «Сверкающие».

Татьяна несколько месяцев устраивала скандалы, приезжала к нему домой, лупила ногами в дверь, орала ругательства, но потом утихла и пропала.

Пролетело время. Золотой добился известности, и его альбомы занимали теперь в рейтингах первые места без всякой протекции, а перед Бурлевским он не слишком приседал, знал себе цену.

Как-то раз Саша приехал домой около трех

утра и, вылезая из джипа, заметил у подъезда худенькую девичью фигурку. Ничего странного он не усмотрел. Певца частенько подкарауливали фанаты, и поэтому Золотой вытащил из бардачка свой новый компакт. Девчонка, продежурившая до глубокой ночи, заслуживала поощрения.

— Тебе подписать? — улыбнулся певец, вглядываясь в бледное, какое-то изможденное личико.

— Спасибо, — произнесла девушка, — но диск мне не нужен.

— Да ну? — изумился Саша. — Что же ты хочешь? Плакат? Поцелуй?

— Нет, — покачала головой девушка, — меня зовут Татьяна Митепаш, и я мечтаю петь в вашей группе. Кстати, я — дочь известного продюсера Бурлевского.

Саша хмыкнул, ничего общего у ободранной девицы с Таней не было, только светлая масть да голубые глаза.

— Интересно, — пробормотал Золотой, — что же это папочка тебя не пристроит? Пусть позвонит кому надо.

— Я дочь от первого брака, — спокойно пояснила лже-Митепаш, — мачеха отца против меня настраивает.

— Ага, — ухмыльнулся Золотой.

Ситуация показалась забавной. Девица явно не знала про его отношения с Танькой и вела себя уверенно.

— Кричать умеешь? — спросил Саша. — Ноты знаешь?

Девчонка засмеялась.

— Петь могу.

Золотой повертел на пальце ключи.

— А чего ко мне? Шла бы к Леньке Рагозину или Карине...

— Они уроды, а вы гений, — серьезно ответила девица.

Найдется ли на земле хоть один исполнитель, сомневающийся в своей исключительности? Саша, естественно, считал себя безумно талантливым, и девчонка понравилась ему. Не спеша он окинул ее взглядом и пришел к выводу, что незваная гостья вполне ничего — аккуратненькая фигурка, длинные ножки и простоватое, но довольно милое личико. Дамы у певца в эту ночь не случилось, и он велел:

— Давай, проходи, Татьяна Митепаш! Послушаем!

Дома он сел за рояль и спросил:

— Ну? Что вопить будешь?

Девчонка быстро ответила:

— «Верни любовь».

Золотой подавил ухмылку и заиграл свой шлягер. Девица открыла рот и... Саша чуть не свалился с табурета. Она запела, но как! Сильным, мощным, чистым голосом. Доиграв до конца, Саша поинтересовался:

— А «Сон вдвоем» слабо?

— Я весь репертуар знаю, — ответила девчонка.

Они пели почти до утра, и Саша живо смекнул, что в его руки попал брильянт, вернее, неотшлифованный алмаз. Где-то около семи он выяснил, что Таня не знает нотной грамоты, не умеет играть на фортепьяно, и не утерпел:

— Что ж тебя папа в музыкалку не отдал!

— Я с мамой жила, в другом городе, — пояснила Татьяна, — у нас с деньгами не очень, вот и не выучилась.

Но Саше надоело придуриваться, и он довольно резко сообщил:

— Ладно, хватит ваньку валять. Настоящую Таньку Митепаш я отлично знаю, даже жил с ней некоторое время. Колись, кто ты!

Девушка посерела, глаза ее заметались по сторонам.

— Ну, — требовал Саша, — чего ради ты решила Танькой Митепаш назваться? Дурацкий поступок, ее в тусовке хорошо знают.

Гостья страшно всхлипнула и, закатив глаза, рухнула на ковер. Перепуганный Золотой побежал на кухню, набрал воды и принялся брызгать на девчонку и шлепать ее по щекам.

Наконец та пришла в себя, приподняла веки и глянула прямо в лицо Саши огромными, детскими голубыми глазами.

— Вы теперь прогоните меня, — прошептала лже-Татьяна.

Золотой почувствовал легкий укол и неожиданно понял: с ним, хорошо пожившим и трижды разведенным мужиком, случилось непредвиденное — любовь с первого взгляда, то, о чем самозабвенно пишут в дамских романах. «Он глянул на нее и понял, что более не сумеет расстаться с женщиной-мечтой, сделает все для того, чтобы быть рядом и осыпать любимую дождем цветов». Золотой дико хохотал, если встречал подобный текст, но сейчас, непонятно почему, он пребывал в уверенности: и правда, не сумеет расстаться, и впрямь забросает подарками, и точно — пропал!

— Нечего глупости нести, — неожиданно обозлился на себя за излишнюю чувствительность певец, — никто тебя не собирается выпроваживать, быстро рассказывай, откуда взялась на мою голову, певунья!

Больше всего Золотой боялся, что сейчас схватит девчонку в охапку и примется целовать. От этих ощущений он обозлился еще больше и заорал:

— Ну, давай, быстро!

Лже-Таня тихо заплакала. Крупные слезы быстро-быстро потекли по щекам, и она быстро заговорила. Она села на ковре, Сашка плюхнулся около нее, так они и разговаривали на полу, прислонившись спинами к дивану, не ощущая сквозняка и холода.

Таню на самом деле звали Ксюша. Приехала она из убогой деревеньки Селихово, поступила учиться, да чуть не умерла с голоду. Пришлось наниматься к более богатой сокурснице Вике Поповой и батрачить на ту целый день напролет. В результате — заваленная сессия и отчисление. Деваться Ксюше было некуда. Вика поселила ее у себя и окончательно превратила в крепостную. Денег не осталось даже на электричку. Ксюша рыдала от отчаянья по ночам, лежа на раскладушке в коридоре. Домой возвращаться не хотелось, да и что было делать в

Селихове, среди пьяных односельчан. Впрочем, в Москве жил родной брат, но из его дома Ксюшу уже один раз прогнали, и гордая девчонка не хотела опять идти на поклон, но и работать у чванливой Вики становилось невмоготу.

В день, когда Попова отправилась навестить родителей, Ксюша прибрала квартиру и, взяв оставленный хозяйкой список, отправилась за покупками.

Выйдя из квартиры, она обнаружила на лестничной клетке девушку, курившую у окна.

Ксюша смоталась на рынок, сбегала в хозяйственный, словом, протолкалась у прилавков около трех часов. Притащив полные сумки, она обнаружила, что девушка все так же курит у открытой форточки.

— Ждешь кого? — поинтересовалась Ксюша, отыскивая ключи.

— Леню, — коротко пояснила незнакомка, кивая на дверь соседней квартиры.

— А он вчера с женой отдыхать уехал, — простодушно сообщила Ксюша.

Леня был единственный человек в доме, с кем она поддерживала отношения.

— Он женат? — спросила девушка, тыча окурком в подоконник.

Ксюше стало жаль неизвестную, но пришлось подтвердить.

— Ага, жену Настей зовут.

— Понятно, — процедила девушка.

Ксюша втянула сумки в квартиру и принялась рассовывать продукты. Потом ей понадобилось вытряхнуть помойное ведро. Она вышла на лестничную клетку и вновь увидела девушку.

— Иди домой, — сказала Федина, опрокидывая отбросы в мусоропровод, — я правду говорю, уехал.

— Да поняла я, — сказала девушка, — только идти некуда, думала у Лени переночевать, не знала про жену, он на дискотеке холостым был и адрес дал. Зачем?

Ксюша пояснила:

— Настька с ним все время ругается, чуть что, к матери съезжает.

— Понятно, — вновь вздохнула девушка.

Ксюша посмотрела на незнакомку. Пожалуй, той еще хуже, чем ей.

— Совсем некуда идти? — спросила Ксюша.

— Совсем.

— Ладно, заходи, — велела Федина.

Девушка метнулась в квартиру и, оглядывая мебель, протянула:

— Хорошо живешь, мне бы так.

— Это не мое, — махнула рукой Ксюша и повела неожиданную гостью на кухню.

Вскоре они знали друг про друга мельчайшие детали. Подобная близость может возникнуть лишь у молодых девушек. Таня, так звали новую подругу, рассказала про себя всю подноготную. Она — дочь богатого и влиятельного продюсера Федора Бурлевского. Ее мать умерла, отец женился второй раз, а мачеха, как и положено, ненавидит падчерицу, потому что имеет собственного ребенка. Жизнь Тани ужасна. Отец постоянно в разъездах, а озверевшая

баба морит девчонку голодом, дерется и сжива-
ет со света. Вот и приходится ночевать у знакомых из милости, питаясь крохами, денег у Тани
нет.

— А ты поступи в институт, — посоветовала
добрая и доверчивая Ксюша, — общежитие попроси и не будешь ни от кого зависеть. Вот у
нас девчонки говорили, в педагогический всех
берут, даже в ноябре. Только аттестат нужен и
паспорт.

— Мачеха документы не дает, — развела руками Таня, — нравится ей меня мучить.

— Плохо дело, — пробормотала Ксюха.

Они еще посидели и даже выпили виски из
запасов Вики. И тут Ксюша призналась. Есть у
нее заветная мечта. Господь наградил ее ис-
ключительным голосом. Всякие Алисы и Кари-
ны отдыхают, когда Федина выводит мелодию.
Грех зарывать такой талант в землю, ей хочется
стать певицей. Но как попадают на сцену, Ксения не знала. И тут Таня неожиданно сказала:

— Я тебе помогу. Слушай, мы похожи, давай
махнемся паспортами.

— Зачем? — попробовала возразить Ксюша.

— Затем, — отрезала новая подруга, — поступлю по твоим документам в институт, а ты
завтра поедешь к певцу Саше Золотому и по-
просишь тебя прослушать.

— Так он и согласится, — вздохнула Ксюша, — он — гений, а я...

Таня фыркнула:

— Подумаешь, гений, он на молоденьких
падок, а у тебя в руках будет паспорт на Татья-

ну Митепаш, фамилия в музыкальной тусовке известная, Саша давно знает, чья я дочь, но со мной лично незнаком. Он побоится родственницу Бурлевского прогнать, вот твой шанс! Пиши адрес и неси бумаги.

И она выложила на стол бордовую книжечку. Ксюша, забыв, что Таня недавно говорила об отсутствии документов, раскрыла обложку и глянула на фото. Похожи они с Таней были отдаленно, но и снимок оставлял желать лучшего...

— Такая удача раз в жизни приходит, — улыбнулась Таня, — не сомневайся!

Непривычной к алкоголю Ксюше затея перестала казаться невероятной. Действительно, завтра она отправится к Золотому, завтра, завтра. Голова упала на стол, и пришел тяжелый, беспробудный сон.

Проснулась Ксюша около шести утра. Отчаянно ныла спина и плечи, во рту словно кошки пописали. Кое-как выпрямившись, девушка сначала подумала, что ей все приснилось. Но на краю стола лежал паспорт на имя Татьяны Митепаш. Отчаянно охая и хватаясь за нещадно болевшую голову, Ксюша доползла до комодика, где Вика держала деньги, драгоценности и документы. В глаза сразу бросилось отсутствие долларов, Ксюша великолепно знала, сколько их было. Не нашлись также ее собственные аттестат и паспорт. Липкий ужас потек у Ксюши по спине. Шумливая, крикливая и наглая Вика ни за что не поверит, если «рабыня» расскажет ей правду. Скорей всего обвинит ее в воровстве, позвонит родителям, те обратятся в

милицию, потребуют отправить в тюрьму...
Ксюша почувствовала, что теряет сознание.

Моля бога, чтобы Вика не вернулась первой электричкой, она оделась и выскочила на улицу. Ноги действовали быстрее разума, голова отказывалась соображать, руки тряслись. «Только не в тюрьму, — думала Ксюша, убегая подальше от дома Вики, — господи, сделай так, чтобы меня не нашли».

Два дня она провела, кочуя с вокзала на вокзал. Денег не было ни копейки, и даже пописать приходилось бежать в подворотню, все туалеты в округе оказались платными. Ксюша страшно хотела есть, еще больше помыться. Потом одна добрая женщина дала ей 20 рублей за то, что Ксюша помогла ей дотащить до такси тяжеленные баулы.

Девушка кинулась в сортир, вымылась кое-как под краном и решила испытать судьбу, сходить к Саше Золотому. Правда, ее душили сомнения. Новая знакомая оказалась элементарной воровкой, прихватила доллары, драгоценности и смылась, но все же вдруг она не врала, вдруг и впрямь была дочерью всемогущего продюсера...

Ксюша набралась смелости, явилась по указанному адресу и с радостью отметила, что Татьяна сказала правду. Золотой и впрямь жил тут, о чем красноречиво свидетельствовали исписанные стены.

Вот так они и познакомились. Сначала вспыхнул бурный роман. Саша был очарован девчонкой, и по большому счету ему было все

равно, как ее зовут: Ксюша, Таня или царица
Эфиопская. Просто до этого времени ему не
встречались подобные девушки. Ксюша оказалась совершенно неизбалованна, любой пустяк
приводил ее в щенячий восторг, и Саша начал
испытывать отцовские чувства, покупая ей пальто, ботинки и белье. Вдобавок выяснилась приятная деталь: девушка умеет делать все. Готовить, стирать, убирать, шить, вязать, гладить...
Работа так и кипела в ее маленьких руках, и Золотой ощущал себя настоящим эмиром бухар-
ским, когда после полуночи вваливался в до-
чиста отмытую квартиру, пахнущую котлетами.
Не успевал он повернуть ключ в замке, как
Ксюша возникала на пороге с тапочками в руках, а на кухне исходил паром горячий ужин.
С бутербродами и сухомяткой было покончено.
Подобным образом о Саше до сих пор заботился только один человек — покойная мама. Бывшие жены: актриса, балерина и журналистка —
не слишком обременяли себя домашним хозяйством, целиком и полностью отдаваясь карьере.

Но все же основной талант был у Ксюши не
в руках. Редкий, сильный голос и фантастичес-
кая работоспособность. Девушка готова была
упражняться целыми днями, постигая нотную
грамоту и секреты певческого искусства. Саша
чувствовал себя настоящим Пигмалионом, слушая, как Ксюша неуверенной рукой подбирает
мелодию. Выпустить ее к зрителю он решился
только сейчас, спустя два года после первой
встречи. Записали песню, заплатили на телеви-

дении... И тут появилась я с разговорами про мужа Ксюши Фединой...

— Но зачем же вы решили выступать под именем Татьяны Митепаш? — вырвалось у меня. — Глупо как! Бурлевскому моментально расскажут про успех «дочурки», как выкручиваться станете?

— Ха, — выкрикнул Саша, — в этом-то вся соль. Вся тусовка знает, что у Бурлевского имеется доченька Танюшка Митепаш. Фамилия редкая, запоминающаяся... Нас начнут спрашивать газетчики, а мы будем тянуть резину, не говоря ни «да», ни «нет». То-то шум поднимется! Да желтым изданиям дай только повод, начнут по страницам склонять и гадости писать. Сенсаций и новой информации мало, а газету нужно раз в неделю выпускать. Они любому скандалу рады, ну прикиньте: «Экспресс» целый месяц слюнявил животрепещущую тему, правда ли, что Карина купила в Таиланде крокодила и держит его теперь на даче! Месяц!! Да о фальшивой дочери Бурлевского все издания год орать будут!

— И зачем вам шум? — поразилась я.

— Так это же реклама, — пояснил Золотой, — чем чаще имя мелькает в журналах, звучит в эфире или печатается в еженедельнике, тем лучше.

— Даже скандал?

— Конечно!

— Ну а если Федор позвонит и призовет к ответу?

— Имя Татьяна и фамилия Митепаш не зарегистрированы в качестве торговой марки, — хмыкнул Саша. — Скажем — псевдоним, и Бурлевскому крыть будет нечем! Демократия. Вот Алисой Сон назваться нельзя, Аллой Пугачевой и Людмилой Зыкиной тоже. Их имена защищены авторским правом. А Танькой Митепаш сколько угодно. Так что мы получим замечательный, классный скандал! Правда, рыбонька?

И он обнял Ксюшу за худенькие плечики.

— А вы не знаете, куда могла деться настоящая Татьяна? — безнадежно поинтересовалась я.

— Нет, — вздохнула Ксюша, — вообще-то она не слишком откровенничала. Это я, дурочка, все выложила про Селихово, маму и братьев... Нет, я без понятия.

— Очень прошу вас, — попросила я, — вдруг припомните какую-нибудь деталь или встретите где подлинную Митепаш, позвоните мне по телефону.

— Хорошо, — пробормотал Саша, подсовывая бумажку с номером телефона под чашку, — а вы, пожалуйста, не трепитесь о Ксюше. Сколько вам заплатить за молчание? Тысячу?

Невольная улыбка тронула мои губы. Что-то последнее время все кругом хотят купить мое молчание, сначала Бурлевский, потом Золотой...

— Мало? — настаивал Саша. — Хотите две? Три?

— Не в моих правилах брать деньги просто так, без работы, — пояснила я, — лучше попробуйте сообразить, куда могла двинуться Татьяна.

— Хорошо, — сказал Саша, — обязательно.

Я вышла на улицу и уставилась на мерно падающие снежинки. Объятые предновогодней суетой прохожие тащили елки, коробки, кульки и доверху набитые сумки. Нет, все-таки наш человек непотопляем. Зарплату не выплачивают, цены кусаются, но, несмотря ни на что, праздник состоится. У кого на стол подадут авокадо, фаршированное раками, у кого — курицу с картошкой, ну а кто-то обойдется винегретом с селедкой, но в полночь взлетят пробки и обрюзгший президент с видимым трудом произнесет:

— Дорогие россияне...

Мысли плавно потекли в другом направлении, что-то Ельцин в последнее время все больше и больше становится похож на Леонида Ильича Брежнева, царство ему небесное. Еще пару месяцев — и «дорогие россияне», бывшие советские люди, вспомнят про слова «социалистические страны», которые генсек произносил как «сосиски сра»...

Возле метро клубилась толпа. Растолкав соотечественников, я влетела в вагон и вжалась в угол. Поезд с грохотом понесся сквозь темноту, изредка подрагивая, народ вяло читал газеты и потрепанные книги. Прямо передо мной хорошенькая женщина сосредоточенно уткнулась в ярко-красное издание с белой надписью «Бестселлер». Я невольно глянула через ее плечо, глаза наткнулись на фразу: «Истина где-то рядом, надо только хорошенько посмотреть вокруг».

Отличный совет! И куда же взглянуть, чтобы отыскать Татьяну Митепаш?

Глава 25

Вспомнив слова Сережки о надоевших сосисках и пельменях, я купила в ларьке отличный кусок печенки. Сделаю сейчас ее в сметане и пожарю картошки. Наверное, придется признать: Татьяну Митепаш мне не найти. Москва велика, девчонка испарилась. Жаль, конечно, обещанных Писемским десяти тысяч, но я уже заработала вполне приличную сумму... Не надо расстраиваться. Борясь с жадностью, я вылезла из лифта, щелкнула замком и... не смогла открыть дверь. Она сопротивлялась изо всех сил. Я пинала ее руками до тех пор, пока не образовалась щель, в которую смогло протиснуться мое не слишком крупное тело.

Всунув голову в квартиру, я чуть не заорала от ужаса. На полу лежала Валентина. Ее ноги упирались во входную дверь, не давая той раскрыться до конца.

— Тина, — вскрикнула я, роняя покупки.

Прозрачный пакет разорвался, и большой кусок свежей печенки упал прямо перед ней. Но мне было не до субпродуктов.

— Господи, что же случилось, — причитала я, влезая в коридор, — Тина, тебе плохо?

Но гостья молчала. Надо срочно позвонить Кате. Вроде у Тины больная щитовидка, и может случиться приступ или шок или не знаю, как это называется! Она ведь целыми днями лопала шоколад...

Я встала на колени возле нее и почувствовала, как по спине быстро-быстро побежали огромные, размером с кулак, мурашки. На лежавшей красовалась симпатичная, нежно-розовая кофточка-стрейч, угрожающе натягивающаяся на мощном бюсте. С левой стороны, прямо по центру груди, виднелось небольшое отверстие и несколько капель крови.

Стараясь не завизжать от ужаса, я схватила трубку и начала бестолково жать кнопки, вызывая «Скорую помощь» и Володю Костина.

Договорившись со всеми, я принялась дуть Тине в лицо. Мопсы жались к моим ногам, Рейчел тихо подвывала, сидя на пороге гостиной.

— А ну, замолчи, — рявкнула я, чувствуя, как тело наливается свинцовой усталостью.

Судя по всему, дело плохо. Пуля, очевидно, попала в самое сердце, а вся кровь от раны пролилась внутрь. Похоже, Тина мертва. Но кто и зачем стрелял в нее? Да у нее и знакомых никаких в столице нет!

Но не успела я зарыдать над бездыханной Валентиной, как тело шумно вздохнуло и село.

— Куда? Что? — пробормотала жертва, тряся головой. — Ой, болит!

— Где? — глупо спросила я. — Где болит?

— Здесь, — прошептала Тина, прикладывая руку к левой груди, — тут жжет!

Она попыталась встать на ноги.

— Сиди, — испугалась я, — сейчас врач приедет.

— Голова кружится, — пробормотала девушка, все-таки поднимаясь и хватаясь за косяк, — пойду лягу.

— Ой, не ходи, — бестолково суетилась я, не зная, стоит ли говорить ей о ране.

— В кровати лучше, — пробормотала Тина, и тут раздался звонок.

В прихожую вошли двое — мужчина и женщина.

— Что у нас тут? — осведомился врач, равнодушно оглядывая коридор.

— Огнестрельное ранение левой груди, — выпалила я, показывая на Тину.

— У кого? У нее? — изумился доктор. — Она стоит?

— Наверное, шок, — пояснила я.

Врач подергал носом, удостоверился, что от меня не пахнет, и резко велел:

— Показывайте, где болит?

— Здесь, — завела Тина, — здесь, печет очень!

Увидав рану, сотрудники «Скорой помощи» тут же сменили тон. Женщина побежала за носилками, Валентину со всеми предосторожностями вкатили в автомобиль и, пугая водителей сиреной, «Скорая» понеслась по проспектам. Фельдшерица поставила Тине капельницу. Я воспользовалась моментом и шепнула:

— Она выживет?

— Честно говоря, — тоже шепотом ответил врач, — не понимаю, отчего она до сих пор не умерла и даже стояла. Первый раз с таким сталкиваюсь.

Машина неслась, игнорируя красный свет. Меньше десяти минут понадобилось нам, чтобы добраться до приемного покоя.

Мое детство в основном прошло в постели. Может, меня слишком кутали или организм достался от природы хилый, но всевозможные болячки просто преследовали меня. Корь, коклюш, ветрянка, свинка... Но в больнице я не лежала ни разу и сейчас была поражена слаженностью действий врачей.

Откуда ни возьмись прибежало несколько человек в белых и синих пижамах. Каждый занимался своим делом. Кто-то стаскивал с Тины одежду, кто-то делал укол, а самый молодой, но, очевидно, главный, сурово поинтересовался:

— Что тут?

— Проникающее огнестрельное, — зачастила толстая женщина, — давление 60 на 90, пульс 75, температура нормальная, в сознании, показатели стабильны...

— В сознании, — протянул эскулап и велел: — Быстро все, кровь, и в экстренную.

Каталку с Тиной споро повезли в глубь здания, я бежала за ней до тех пор, пока вся камарилья не влетела в стеклянные двери с надписью «Операционный блок».

— Вам туда нельзя, — сурово заявила носатая девчонка в огромном колпаке, — сядьте здесь.

— Где? — спросила я, оглядывая абсолютно пустой коридор.

— Ну не знаю, — обозлилась девчонка, — где-нибудь.

Томительно потекло время. Из операционной не доносилось ни звука. Часы, висящие над входом, равнодушно щелкали минутной стрелкой. Наконец раздался громкий шепот, я с надеждой глянула на наглухо закрытые стеклянные двери, но звук шел с другой стороны. Я обернулась. Прямо по коридору двигались Володя Костин и Слава Самоненко.

— Ну, — громче, чем следует, поинтересовался майор, — что произошло? Мы приехали, коридор в пятнах крови, дверь не заперта, и собаки, перемазанные до ушей кровищей. Уж не хочешь ли сказать, будто мопсы сожрали Тину?

Слава захихикал. Я разозлилась на милицейскую бесцеремонность и сердито ответила:

— Крови никакой не было, только крохотная дырочка слева.

— Не знаю, — вздохнул Володя, — вся прихожая измазана, словно раненую возили по полу. Она где лежала?

— Сначала ногами к двери...

— Что значит — сначала? — удивился Слава. — Ты ее перекладывала? Ужасная глупость! Человека с подобным ранением не следует трогать! Вот почему столько крови на полу!

— Вечно, Лампа, ты хочешь, как лучше, а получается, как всегда, — припечатал Костин.

Я принялась бестолково отбиваться.

— Кровь, наверное, от печени!

— От чего? — нахмурился Володя.

— Ну я вошла, увидела Тину на полу и от испуга уронила печень!

— Чью? — полюбопытствовал Слава.

Я уставилась на него во все глаза.

— Коровью, то есть говяжью, вернее, телячью...

— Хорошо, хоть не свою, — вздохнул Володя.

— Никак в толк не возьму, — гнул свое Самоненко, — печень откуда?

— Из магазина. Купила к ужину, вошла домой, перепугалась, выронила пакет, он разорвался. Собаки не растерялись и съели.

— А, — протянул Самоненко, — так бы и объяснила, мы сначала черт знает что подумали.

Что? Что, интересно, можно предположить в данной ситуации? Неужто и впрямь решили, будто у меня отвалилась печенка? Ну не идиоты?

— Ладно, — махнул рукой Володя, — с этим разобрались. Значит, ты принялась перекладывать беднягу...

— Нет, она сама встала.

— Как?

— На ноги, вернее, сначала села, а уж потом поднялась.

— С огнестрельным в груди? — в один голос вскричали Костин и Самоненко.

Я пожала плечами:

— Прислонилась к косяку, пожаловалась на жжение слева, крови, правда, совсем не было, а тут и врачи подъехали.

Повисло молчание. Потом Слава пробормотал:

— Во, блин, баба дает! Может, она терминатор? Ты бы, Вовка, встал?

— Не пори чушь, — рявкнул Костин.

В ту же секунду стеклянные двери распахнулись, вышел долговязый парень с эмалированным лотком и поинтересовался.

— Мамонтова Валентина ваша?

— Да, — закивала я, — как она?

— Такое вижу впервые, — ухмыльнулся хирург, — много чего было, но подобное! Кстати, хотите взять на память?

И он подсунул мне под нос лоток. В эту же секунду я заорала дурниной и попыталась отскочить.

— Что это? — железным голосом осведомился Слава. — Ты, доктор, сдурел? Какие-то ампутированные части подсовываешь.

— Я бы на месте Мамонтовой хранил вот это всю жизнь! — с чувством провозгласил хирург.

— Да что там, черт возьми? — вскипел Костин.

— Силиконовый протез, — пояснил доктор, — вообще-то крайне вредная для женского организма вещь, но Мамонтовой она жизнь спасла.

— Не понял! — вновь завел Слава.

— Объясняю, — поднял вверх палец доктор, — некоторые женщины не довольны размером груди. Ну нет у них округлостей. Чтобы сделать бюст побольше, они идут на болезненную и совсем небезопасную для организма операцию — вставляют силиконовый протез. На ощупь — грудь как живая. Почти весь Голливуд с резиной бегает, и наши начали. Размер — не ограничен, вот Мамонтова просто арбузы запихнула!

— Ясно, — откликнулся Володя, — пуля...

— Застряла в протезе, — радостно сообщил доктор, — мы, конечно, силикон убрали, шовчик наложили. У больной гематома, ушиб, но —

жива! Вот кабы не страсть к чудовищному бюсту, сейчас бы в морге отдыхала, ну что, берете на память?

— Спасибо, не надо, — пробормотала я, — а вторая грудь большой останется?

— Слушайте, дама, — обозлился хирург, — тут оказывают экстренную помощь. Оклемается, обратится в косметическую клинику, а мы сиськами не занимаемся.

— Говорить она может? — влез Слава.

— Завтра с утра, — заявил доктор, — посещения с девяти.

— Мы из милиции, — пояснил Самоненко.

— А хоть из Администрации президента, — хмыкнул эскулап, — здесь командую я. Сказал завтра — значит, завтра.

— Ладно, не кипятись, — вздохнул Слава.

— Между прочим, я спокоен, как камень, — начал наливаться краснотой хирург.

Я потянула Самоненко за рукав:

— Пошли домой.

Ночь мы провели почти без сна. Сначала обсуждали случившееся, потом складывали вещи. Утром, едва стрелки подобрались к десяти, я уже стояла в палате, держа в руках гигантскую сумку, набитую соками, фруктами и минеральной водой.

Валентина полусидела в кровати, бледная, вокруг глаз синева. Увидев меня, она зарыдала.

— Ну, ну, — зачастила я, быстренько разворачивая шоколадку, — съешь лучше конфетку, гляди, сколько всего тебе принесла! Катя приедет вечером, Юля с Сережкой тоже, а к полудню майор подъедет... Ты хоть помнишь, как это произошло?

Тина закивала головой и принялась, безостановочно поглощая конфеты, выплескивать факты.

Когда вчера за мной захлопнулась дверь, она еще полежала чуток в кровати, но потом все же решила встать.

Мне она сообщила, будто хотела заняться сборами, но думается, просто вазочка с конфетами, стоявшая у изголовья, опустела, и девушка решила пополнить запасы.

Сначала она немного потопталась на кухне, пошла в ванную, и тут прозвенел звонок в дверь. Великолепно зная, что дверь нельзя открывать сразу, Тина глянула в «глазок» и увидела приятного молодого человека с большим картонным ящиком в руках. Парень улыбался во весь рот. Но она бдительно поинтересовалась:

— Вам кого?

— Романову Евлампию Андреевну, — тут же ответил парень и добавил: — Посылочка ей, тяжелая.

Юноша выглядел таким милым, таким интеллигентным, ящик был весь усеян печатями и штампами. Тина без колебаний распахнула дверь и сказала:

— Давайте посылку.

— Погодите, — усмехнулся почтальон, — вы Романова?

Тина решила не вдаваться в подробности и подтвердила:

— Да.

— Паспорт пусть кто-нибудь из домашних принесет, а пока здесь распишитесь, — велел юноша, вытаскивая квитанцию.

— Пожалуйста, — ответила Тина и накорябала на листочке подпись «Е. Романова», — а за документом сейчас сбегаю, погодите, я одна дома.

— Не надо, — ухмыльнулся письмоносец.

Глаза его неожиданно похолодели. Тине стало не по себе, но она все равно спросила:

— Почему?

— Не надо, — повторил парень, сунул куда-то под куртку руку и выстрелил.

Тина почувствовала сильный толчок и жжение в левой груди. Звука отчего-то не было, пуля вылетела тихо. Секунду она постояла, а потом поняла: сейчас он выстрелит еще раз, надо бежать! Но ноги подогнулись, и девушка, потеряв сознание, рухнула на пол.

— Время не помнишь?

Она помотала головой:

— Нет.

— Ну, хоть примерно, когда из кровати вылезла?

Тина потупилась.

— Новости по телеку посмотрела и пошла собираться.

— Какие?

— В шесть часов, по первому каналу.

Ну лентяйка! Целый день опять провалялась на диване. Только получается, что киллер ушел как раз перед моим возвращением. Может, я даже видела его. Какой-то высокий, светловолосый мужик быстрым шагом вылетел из подъезда и чуть не сбил меня с ног...

— Зачем ты вставила силиконовые протезы?

Она покраснела.

— Не скажу.

Ну и черт с тобой, не говори, я и так знаю: хотела стать красавицей. И где только деньги взяла, услуга по увеличению груди не из дешевых.

— Лампа, — прошептала Тина. — Только Кате не рассказывай. У меня подруга ближайшая в Киеве работает, в институте красоты. Замужем за их главным врачом. Вот и сделали мне на 25-летие подарок!

— Да зачем?

Тина всхлипнула:

— Замуж очень хочется, а фигура дурацкая: задница толстая, бюст нулевой.

Кабы ты, душечка, не жрала столько сладкого, так и попа оказалась бы нулевой!

— Лампа!

— Чего тебе?

— Сходи к медсестрам, попроси для меня еще подушку...

— Ладно, — согласилась я и потащилась на пост.

За стеклянной перегородкой, возле столика, заваленного историями болезней, сидела толстощекая девчонка и быстро-быстро заполняла бумаги.

— Скажите, где... — завела я.

— Погодьте, — довольно зло ответила сестра, — сейчас справки допишу, не мешайте.

Я села возле столика и машинально глянула через ее плечо. Крупными, высокими и узкими буквами девица заполняла стандартный бланк. «Настоящая справка выдана Елизаровой А. Н. в том, что она находилась на лечение в больнице 1754».

Я почувствовала страшную дрожь в руках. Я уже видела подобный документ, заполненный этим почерком, даже с той же грамматической ошибкой.

— И, — сказала я, — и.

— Что? — подняла глаза девица.

— Находилась на лечении, а не на лечение, — объяснила я. — Другой падеж.

— Грамотные все, — обозлилась медсестра и рявкнула, — ну чего сидите над душой? Все равно обезболивающее только по распоряжению врача.

— Мне не нужен укол.

— Судно нянька приносит, — злобилась девчонка, елозя ручкой по бумаге, — а ежели давление мерить, то ждите, покуда дела доделаю. Сунут шоколадку в карман и думают, купили на весь день.

Я подождала, пока она успокоится и тихо сказала:

— Ни укола, ни судна, ни давления — ничего не надо.

— В чем дело тогда? — искренне удивилась сестра.

— Ответьте на маленький вопрос!

— Ну?

— Зачем вы послали родственникам Ксении Фединой дурацкую справку о ее кончине?

— Я не пишу подобных документов, — отрезала девчонка.

— Однако в тот раз сделали исключение из правил.

— Слушайте, кто вы такая в конце концов?

— Майор Романова из уголовного розыска.

Девчонка сравнялась цветом со своим халатом и пробормотала:

— Очень приятно, меня Зоей зовут.

— Так вот, Зоинька, — ласковым тоном завела я, — отпираться глупо. Про графологическую экспертизу слышала?

— Про что? — шепнула Зоя.

Я вздохнула. А еще некоторые люди считают чтение детективных романов пустой тратой времени. Да почти все мои познания из данной литературы.

— Возьмут, Зоинька, образец вашего почерка и сравнят со справкой...

— А я ее все равно не писала, — упиралась девчонка.

— Ну, говорить ты можешь, что угодно, — усмехнулась я, — только для суда заключение эксперта — документ. Поглядят и скажут: «Давайте...» Как, кстати, твоя фамилия?

— Шарова, — помертвевшими губами сообщила медсестра.

— Так и скажут: «Давайте, Шарова, не врите».

— Меня судить будут?

— Конечно, — заверила я, — подделка справок карается законом. Только сначала в сизо сволокут и следствие заведут. Года полтора в камере просидишь, а там плохо. Воздуха никакого, свет ночью не выключают, и вода в туалете бежит с ревом.

— Почему?

— Не знаю, но в тюрьме бачков нет.

— Господи, — затряслась Зоя, — что делать? Вы меня арестуете?

— Нет, если честно расскажешь, зачем писала справку.

— Подруге помочь хотела.

— Какой?

— Наде Феоктистовой.

— Кто такая?

— Одногруппница моя, вместе училище заканчивали, а потом у нее был с Вадимом роман.

— А это кто?

— Брат мой.

— Вот что, — велела я, — давай по порядку.

— Надька у нас дома живет, с Вадькой. К ним постоянно гости шляются, с утра до ночи, мрак. Она в санчасти Министерства лесной промышленности сидит. Работы никакой, ну один человек заглянет давление померить, и все! А Вадька водителем работает, сутками. Денек отоспится, следующий веселится. Да они не вредные, только шумные.

Как-то раз Надюша попросила Зою написать справку о смерти Ксении Фединой.

— Не могу, — покачала головой Шарова, — такие только заведующий подписывает.

— Бланки же у тебя, — настаивала Надя, — подумаешь, делов, ну сделай, будь другом.

— И печать у начальства, — отбивалась Зоя, — там специальная нужна, а у меня только штамп.

— Наплевать, — наседала Надя.

— Справка без подписи заведующего и круглой печати недействительна, — пояснила Зоя, — нигде не примут — ни в морге, ни в службе «Ритуал».

— Нам и не надо. В деревню отправим, местным алкоголикам и так сойдет.

— Нет, — отрезала Зоя.

— Вот ты какая, — протянула Надя, — кстати, я скоро стану твоей невесткой, почти сестрой...

— Зачем такая справка?

Надюша принялась объяснять. Одна ее знакомая вышла замуж за парня из деревни и по дури уехала к нему жить. Местечко — чистый Голливуд. Электричество постоянно отключают, водопровода нет, газ в баллонах, а сортир за огородом. Особенно приятно туда бегать морозной декабрьской ночью, в тапочках, зачерпывая босыми ногами снег. Свекор пьет горькую, свекровь сладкую, но результат один — оба ничего не соображают. Да еще в избе два брата-алкоголика и младенец-дебил. Последний визжит постоянно... Вставать нужно в пять, доить корову, раздавать поросятам баланду, таща огромный бак с пареной картошкой...

Надина подруга, девочка городская, вынесла только две недели подобной жизни и убежала.

Но теперь ее постоянно достает бесконечными звонками молодой муж, требуя возвращения. Вот они и надумали отправить ему справку о смерти.

Зоя заколебалась, окончательно вопрос решила последняя фраза, сказанная будущей невесткой:

— Принесешь справку и забирай синий брючный костюм, он мне все равно мал!

Шарова дрогнула. Брюки с пиджачком цвета берлинской лазури шли ей чрезвычайно и получить прикид в полное распоряжение хотелось ужасно. Словом, на следующий день она составила филькину грамоту и отдала Надюше, получив взамен вожделенный костюмчик.

— Адрес давай, — велела я.

— Чей?

— Подруги твоей, Феоктистовой.

— Так у нас живет!

— Значит, свой говори, — разозлилась я. Ну не дура ли эта Зоя!

— Волгоградский, семь, — шмыгнула девчонка носом, — только ее там нет.

— Говорила же, вместе живете?

— Надька сейчас на работе, в санчасти, улица Розанова.

— Отлично, — вздохнула я и приказала: — Еще подушку давай.

— Зачем?

Господи! Естественно, чтобы положить тебе на нос и задушить.

— Надо!

— Берите, — метнулась Зоя к шкафу, — только на выходе спрячьте, а то охрана заберет.

Сунув плоскую подушку под мышку, я пошла к Тине.

— Ну и долго ты ходила, — укорила она, — прямо за смертью посылать.

Подпихнув ей подушку под голову, я вышла в коридор и тут же натолкнулась на санитаров, толкавших перед собой кровать с неподвижным загипсованным телом. Пришлось войти в другую палату и пропустить «транспорт»! Но не успела кровать с мерзким скрипом отъехать, как сзади послышался голос Костина.

— Девушка, Мамонтову куда положили?

— В седьмую, — крикнул тонкий дискант.

Я притормозила у двери. Пусть Володя спокойно идет к Тине, мне недосуг с ним болтать.

Глава 26

Санчасть располагалась в красивом доме, выкрашенном ярко-розовой краской. Просто пряничная избушка, настоящий представитель московского барокко. Окна, обрамленные разноцветным орнаментом, расписные двери и крохотная лесенка.

Но охранники оказались совсем не под стать кукольному домику. Меня категорически отказывались впускать.

— Звоните по внутреннему, — велел мужик в черном комбинезоне, — 2-68.

Я набрала нужные цифры и услышала ленивое:

— Алло.

— Надя Феоктистова?

— Да.

— Меня прислала Зоя Шарова.

— Идите, второй этаж, 25-я комната.

— Охрана не пускает.

Испустив тяжелый вздох, Надя велела:

— Тогда ждите, сейчас.

Для того чтобы спуститься со второго этажа на первый, ей понадобилось сорок минут. Я вся извелась, подпрыгивая на месте от нетерпения. Наконец возле вертушки появилась крупная блондинка в коротком беленьком халатике, не прикрывающем колени.

— Эй, — поманила она пальцем, — сюда.

Секьюрити расступились, и мы поднялись вверх по лестнице. Возле двери, в самом конце коридора, Надя вытащила ключи, мы вошли в небольшое помещение с кушеткой, затем она вежливо осведомилась:

— Общий или шейно-воротниковую зону?

— Что?

— Массаж общий или только верх?

— Я пришла не на массаж.

— Да? — подняла Надя вверх красиво нарисованные брови. — Зачем тогда?

Я поколебалась секунду и заявила:

— Меня зовут Раиса Константиновна Федина. Скажите, где Ксюша, моя дочь?

— Кто? — изумилась Надя. — Не знаю такую.

— Ну как же, — жалобно заныла я, — вы велели Зое справочку о смерти Ксюши написать.

Зачем? Я знаю точно, что дочь жива, где она? Скажите, сделайте милость.

Надя растерянно затеребила рукав халата, а потом пробормотала:

— Ей-богу, не знаю.

— Но вы же встречались с ней?

— Нет.

— Но справка...

Феоктистова продолжала дергать рукав. Ее красивое, гладкое, но какое-то глупое лицо выражало смятение. Я решила идти ва-банк:

— Ладно, поеду в милицию, расскажу про вас и Зою, пусть органы занимаются.

— Ой, не надо, — вскрикнула Феоктистова.

— Очень даже надо, — заявила я, поворачиваясь к двери, — я надеялась, по-хорошему расскажете.

— Ну, честное слово, я не знаю Ксению, в глаза не видела!

— Ладно врать! Ничего, на Петровке расскажешь правду!

Надя молитвенно сложила руки.

— Шутка была такая.

— Здоровская шуточка, — согласилась я, — матери бумажку о смерти родной дочери послать.

— Андрей сказал, там только муж, — зарыдала Надя.

— Какой Андрей?

— Продавец, — всхлипнула Феоктистова.

Она оторвала кусок бинта и принялась звучно сморкаться.

— Продавец?

— Ага, — кивнула девушка и пошла к рукомойнику.

Пока девчонка умывалась, я уселась и стала оглядывать стол. На тарелочке высилась груда печенья «Курабье», рядом дымилась кружка с кофе, здесь же роман лежал в бумажной обложке с интригующим названием «Любовь под солнцем». Судя по всему, Надя отлично проводила время на рабочем месте, пила «Нескафе», наслаждалась чтением и собиралась подзаработать малую толику, делая массаж.

Шум воды прекратился. Надя последний раз высморкалась и утерлась вафельным полотенцем. Без косметики лицо выглядело проще, моложе и беззащитней.

— Простите, — забормотала девушка, — но Андрей так просил и уверял, что там только муж-алкоголик, лишь поэтому я согласилась.

— А если рассказать по порядку, — попросила я, — кто такой Андрей?

— Лучший друг Вадима, моего мужа.

— Вы замужем?

— Через неделю расписываемся, — пояснила Надя, — Андрей пришел с просьбой — мне ему никак не отказать... Вроде его девушка жила раньше с парнем из Подмосковья, там все жуткие алкоголики, ну она и сбежала.

— Почему Андрей просил вас, а не Вадима?

— Да Вадьке Зойка ничего делать не станет, а мне — пожалуйста.

— Глупость какую сделали, понимаете? Надо было отказать Андрею, а не справку о смерти организовывать.

— Да, — тоскливо протянула Надя, — он знаете где работает? В салоне «Ив Сен-Лоран».

— Ну и что?

— Так у них иногда косметика бывает просроченная. Ну, помаду положено полгода хранить, пудру двенадцать месяцев, тушь тоже. Когда срок истекает, все уничтожают. Хорошие фирмы за качеством следят — страсть. А Андрюшка мне приносит. Между прочим, косметика все равно хорошей остается, даже когда годность истекла. Понятно?

Конечно. Такому знакомому ни в чем отказать нельзя. Надюше с ее зарплатой никогда бы не купить фирменную коробочку, пришлось бы мазюкаться египетскими или турецкими подделками. Тут за любой справкой побежишь!

— Давай адрес Андрея.

— Не знаю, — пролепетала Надя.

— Где работает?

— Магазин «Ив Сен-Лоран» на Краснозвездной...

Я глянула на часы — ровно два. Скорей всего парень еще за прилавком.

— Только он вам ничего не расскажет, — осмелела Феоктистова, — совсем ничего, на меня все свалит, хитрый, жуть.

— Сотруднику милиции врать бесполезно.

— Конечно, конечно, — быстро закивала Надя, — но где вы его возьмете, сотрудника? Думаете, так легко мента заставить пойти? Да они без денег никуда...

— Я сама майор из уголовного розыска.

— Вы? — попятилась Надя и растерянно пробормотала: — А говорили — мать Ксении.

Черт возьми, совсем забыла, что прикинулась безутешной родительницей.

— Ничего особенного, — сообщила я, поворачиваясь к двери, — работники правоохранительных органов иногда детей рожают. Так что я являюсь одновременно матерью и следователем!

Надя ойкнула и села на кушетку. Но мне девушка больше была не нужна.

Феоктистова ошиблась. На Краснозвездной располагался не магазин, а салон известной французской фирмы. В холле, утонув в мягких креслах, элегантно одетые дамы пили кофе. Сразу видно — посетительницы из очень обеспеченных. Те, кто полагает, будто супербогатые женщины вычурно одеваются, носят обувь на золотых каблуках и обвешиваются с ног до головы брильянтами, ошибаются. Собольи шубы, волочащиеся по асфальту, огромные слитки на пальцах и мини-юбки, расшитые натуральными камнями, носят дамы только в тусовке шоу-бизнеса или жены недавно разбогатевших торговцев. По-настоящему обеспеченные дамы, держащие в сумочках пластиковые кредитки и телефоны, подключенные к Би-Лайн «Элита», больше всего боятся выглядеть вульгарными. Одежда у них мягких, спокойных тонов, юбки, как правило, прикрывают колени и никаких обтягивающих свитерков. Макияж выполнен в светло-коричневой гамме, духи высшего качества, но не резкие, маникюр безупречен. Причем, устрашающе длинных гелиевых ногтей вы не увидите. Драгоценности — настоящие, дорогие камни — они наденут лишь вечером и ни за что не отправятся за покупками, переливаясь, словно новогодняя елка. Обувь предпочитают простую, а шуба, в которой они ходят по улицам, а не та, которая надевается на прием, как правило, сшита мехом внутрь. Но как ни скрывай богатство, оно все равно видно. Особая ухоженность лица, подтянутая фигура — результат занятий шейпингом, ровный загар, а главное, абсолютно уверенная манера держаться, спокойствие человека, не знающего, сколько банкнот сейчас лежит в кошельке.

Женщины, заполнившие салон Ив Сен-Лоран, были из таких.

У стены, за письменным столом с компьютером, несла службу молоденькая девушка. Ей явно хотелось походить на клиенток, поэтому она изобразила на голове супермодную прическу с торчащими в разные стороны прядями, облилась «Резонансом» и накрасила лицо, словно индеец на тропе войны.

Я подошла к ней и спросила:

— Где можно найти Андрея?

Девчонка окинула меня оценивающим взглядом и, очевидно, решила, что эта посетительница — не слишком важная клиентка. Но профессиональная выучка взяла верх. Ярко-красные губы растянулись в деланной улыбке:

— Андрей вернется в шесть, повез заказ. Можете подождать, выпить кофе, почитать журналы.

Я пошла к стойке и с трудом сдержала возглас негодования. Цены ошеломляли. Чашечка кофе — 75 рублей, крохотный бутерброд с жирной ветчиной тянул на сотню, а небольшие плошечки, набитые капустой и морковью, стоили дороже всего — 162 целковых. Как правило, подобный кулинарный изыск — самый дешевый в меню. Я огляделась по сторонам. Тихо беседующие дамы ели в основном капусту. Так, все понятно, следят за фигурами, поэтому стоимость салатика и взлетела на недосягаемую высоту.

Приняв решение спокойно посидеть на диване и просто почитать журнал, я ухватила «Космополитен» и вытянула ноги. Взгляд упал на сапоги, знававшие лучшие времена. Со вздохом я спрятала свои лапы под диван и принялась изучать издание, которое не покупаю из-за хамской цены.

Но не успели мои мозги начать переваривать статью под интригующим названием «Секс всегда», как над ухом пропел нежный голос:

— Простите...

Я подняла глаза.

Возле дивана стояла прехорошенькая девочка лет двадцати.

— Вы у нас впервые?

Я кивнула.

— Что хотите? Прическу? Новый макияж? Маникюр? Или по полной программе?

Я улыбнулась.

— Честно говоря, я просто жду Андрея.

— Он будет в шесть, — ответила девочка, —

времени много, мы успеем. На мой взгляд, следует заняться вашими волосами.

Вот тут она попала в точку. Господь наградил меня неподатливой шевелюрой. Чего только не пыталась я сделать с космами — все равно торчат в разные стороны. Химическая завивка на голове не держится, краска тоже. От природы у меня светло-серый, мышиный цвет волос, и сколько я ни пыталась сделать их рыжими, каштановыми и белокурыми, терпела сокрушительную неудачу. Все широко разрекламированные «Поли колор», «Л'Ореаль» и «Шварцкопф» не справились с моей головой. Нет, сначала все выглядит чудесно, но стоит мне вымыться, и зеркало отражает нечто, похожее на тряпку серо-буро-малинового цвета. Плюнув на дальнейшие попытки, я перестала украшаться, а сейчас вообще стягиваю отросшие пряди махрушкой на затылке.

— Еще вам крайне пойдет новый макияж, — пела девушка, — специально разработан для русской зимы.

Я покачала головой:

— Боюсь, ваши цены окажутся мне не по карману.

Мастерица мило улыбнулась!

— Сейчас действуют рождественские скидки. Кстати, если согласитесь на комплексную услугу — прическа плюс макияж, скинут еще 50%. Останутся сущие копейки.

— Сколько же?

— Всего сто долларов, — сообщила девчонка, — просто даром.

Я вздохнула. Мы живем на названную сумму неделю. Но в моем кошельке лежат деньги... И вдруг ужасно захотелось сесть в кресло, подставить голову парикмахерше. В конце концов, вот-вот наступит Новый год, нужно выглядеть красивой и молодой, а мне уже хорошо за тридцать, и к вечеру вокруг глаз появляются синяки. Да и дурацкий хвостик, прямо скажем, не красит. Ношусь целыми днями, высунув язык, надеясь как следует заработать. Ну зачем нужны деньги — только для того, чтобы их со вкусом тратить...

Девчонка, видя колебания клиентки, сказала:

— Думаю, удастся добиться для вас специального тарифа, все обойдется в 90 долларов.

— Хорошо, — дрогнула я, — пошли.

— Отличное решение, — одобрила искусительница и привела меня в небольшую кабинку, где скучал парень лет тридцати.

— Костя, — произнесла девушка, — клиент.

Константин усадил меня в кресло и принялся трещать:

— Если разрешите, сделаю из волос — конфетку. Вижу вас в авангардном стиле, нечто вроде Гламуры. Слышали о Гламуре?

— Нет.

— Ах, — закатил глаза Костя, — это восходящая звезда парижских подиумов, красавица, каких свет не видывал. Кстати, вы очень на нее похожи. Нет, определенно, тип Гламуры для вас. Так как? Рискнем?

Мне страшно захотелось превратиться в звезду парижских подиумов.

— Валяйте!

Костя защелкал ножницами и расческами. Потом принялся разводить какую-то массу в плошке.

— Почему тут нет зеркала? — спросила я.

— Это наш стиль, — пояснил Костя, — клиент не видит процесса, лишь конечный результат. Вот завершим, и полюбуетесь. Можете не сомневаться, из моих рук выходит только нечто экстраординарное, великолепное и прекрасное!

После подобных заверений я расслабилась. В кабинке звучала приятная музыка, Костя безостановочно болтал о моде, шампунях и кремах. В голове у меня образовалась каша из сведений о последних достижениях косметологии и интимной жизни кинозвезд.

Затем зажужжал фен.

— Ах, ах, ах, — бормотал Костя, легким, танцующим шагом двигаясь вокруг кресла, — нет, потрясно, великолепно, глаза болят смотреть на такую красоту... А сейчас небольшой макияж...

По моему лицу заходила щекочущая кисть, в ход пошли тени, румяна, губная помада...

Наконец Константин снял розовый халат и провозгласил:

— Ну, пошли в холл.

Мы выбрались из кабинки и прошли в приемную. Мастер подвел меня к огромному зеркалу и гордо сказал:

— По-моему, класс. Нравится?

Я глянула, да так и застыла, будто несчастная жена Лота. Из динамиков полилась песня. Безголосый Жечкин самозабвенно выводил:

«Потому что нельзя, потому что нельзя, потому что нельзя быть красивой такой...»

Очень подходящая мелодия, потому что и впрямь нельзя быть такой! Несколько минут я безуспешно пыталась прийти в себя. Константин предпринял титанические усилия, превращая клиентку в неведомую Гламуру, и теперь мои глаза с ужасом обозревали результат. Физиономия... Нет, лучше сначала о волосах. Их подстригли и выкрасили, причем самым невероятным образом. У корней пряди стали черными, далее шел светлый цвет, а концы радовали глаз ярко-розовым колером. Этакая взбесившаяся фламинго или обезумевшая ворона, решившая превратиться в экзотическую цаплю. Сходство с птицей придавала и стрижка. Короткие лохмы стояли дыбом. Нет, пожалуй, я поторопилась, сравнивая себя с пернатым. Следовало признать, более всего я походила на дикобраза, по недоразумению вымазанного вишневым муссом.

— Ну, — поторопил Костя, по-своему понявший молчание клиентки, — как?

— Отпад, — выпалила я и уставилась на то, что еще утром было моим родным лицом.

Кожа потеряла бледный цвет. Сейчас лоб, щеки и даже шея радовали глаз монгольской желтизной. О славных предках с Востока напоминали и глаза. Вообще-то они у меня серо-голубые, но сейчас из-за сильно накрашенных ресниц, бровей и век радужка стала казаться почти черной. По щекам разливался темно-коричневый румянец. Губы неожиданно стали полнее и как-то выпятились, подбородок уменьшился, а нос по непонятной причине вытянулся. Я не стала ни моложе, ни красивее, ни лучше... Просто другая женщина.

— Муж не узнает, — восхищался Костя, — схватит в охапку и сразу в постель. Не жена — конфетка, красивая, сексуальная, новая...

Я молча отдала 90 долларов и плюхнулась на диван.

— Приходите еще, — тараторил Костя, — рад встрече, только запишитесь предварительно, я мастер высшей квалификации и всегда занят, сегодня вам просто повезло. Постоянная клиентка заболела. Кстати, как вас зовут?

— Франциска Каталонская, — выпалил язык.

— Ах, какое имя! — вздохнул Костя.

Он явно не знал о французской герцогине, которую ехидные современники за чрезмерную любовь к пудре, румянам и мушкам прозвали «раскрашенная лошадь».

Усевшись на диван, я призадумалась. Двинуться в туалет и быстренько смыть безобразие или получить за девяносто долларов хоть какое-нибудь удовлетворение и явиться в таком виде пугать домашних?

— Простите, — раздался приятный тенорок.

Я в ужасе подняла глаза. Даже если мне станут предлагать абсолютно бесплатно сделать маникюр, ни за что не соглашусь! Вдруг у этой Гламуры, послужившей эталоном для моего нынешнего образа, на пальцах татуировки. Нет, в этом салоне требуется держать ухо востро!

— Простите, — повторил тенор, — я — Андрей. Костя сказал, вы меня искали?

Около дивана стоял симпатичный молодой человек в красивом велюровом пуловере и джинсах. Приятная улыбка озаряла его открытое лицо. Неожиданно я обозлилась. Шляется во время работы невесть где! Заказ он возил! До шести вечера! В другой город, что ли? Если бы гадкий мальчишка сидел на месте, мне бы не пришло в голову тратить сумасшедшие деньги на смену имиджа!

— Майор Романова из уголовного розыска, — рявкнула я, потряхивая черно-бело-розовой шевелюрой.

Несколько дам оторвались от кроличьей еды и глянули с интересом в нашу сторону.

— Тише, пожалуйста, — взмолился Андрей, — что случилось?

— Где разговаривать станем? — злобилась я, не сбавляя тон.

— Проходите сюда, — забормотал Андрей, показывая на небольшую дверь в углу.

Я рывком вскочила на ноги и побежала в указанном направлении. Злость придавала бодрость и силу. За дверкой обнаружилось крохотное помещение, забитое баночками, бутылочками с шампунем и всевозможными пузырьками. Очевидно, тут располагался склад.

— Слушаю вас, — очень вежливо произнес Андрей, продолжая улыбаться.

Я плюхнулась на колченогую табуретку и велела парню:

— Садись.

Андрей вздохнул и послушался.

— А теперь, — гаркнула я, — немедленно сообщи местонахождение Ксении Фединой. В случае отказа вызываю патруль и отправляю на Петровку, там с тобой побеседуют по-мужски.

— Чего я сделал-то? — удивился Андрей.

— Ничего, говори быстрей адрес.

— Да кто это такая? — изумился собеседник, — Федина? Первый раз слышу.

— Врешь!

— Ей-богу, не сойти со стула!

— Сейчас и не сойдешь, — хмыкнула я. — Ксения Федина, для которой ты просил справку о смерти у невесты Вадима — Феоктистовой.

— Ах, эта, — протянул Андрей.

— Припомнил?

— Кто же такую шалаву забудет, Ксюху.

— Почему сразу не признался?

— Так фамилию забыл.

— Сейчас вспомнил?

— Ну...

— Давай рассказывай!

— Что?

— Все.

— А нечего.

— Слушай, умник, — обозлилась я, — будешь дурака валять, во-первых, отвезу в управление, а во-вторых, сообщу твоему начальству о приводе. Как думаешь, захотят в салоне держать сотрудника, имеющего проблемы с милицией.

— Ну не знаю я ничего про нее!

— Значит, просто встретил девушку на улице, она попросила справку, ты достал и все?

— Не совсем так.

— А как?

— Закурить можно? — дрожащими губами спросил парень.

— Пока да, — смилостивилась я, — дыми.

Андрей вытащил пачку «Парламента» и выронил на пол тюбик с помадой.

— Губы красишь? — усмехнулась я. — Таких в сизо обожают в прямом и переносном смысле.

— Она списанная, — пояснил парень, — взял для соседки.

Дамский угодник, раздающий направо и налево испорченную косметику в красивых футлярах, не вызвал у меня никаких добрых чувств, и я прошипела:

— Даю пять минут для изложения сути.

Глава 27

Андрей после смерти родителей жил один. Квартирка у него была так себе, двухкомнатная трущоба, на краю света. Зато своя, без каких-либо родственников. Жениться он не собирался и девиц менял, словно тюбики зубной пасты. Сегодня Света, завтра Лена, послезавтра Наташа...

Находил он дам, как правило, на дискотеке, где появлялся с завидным постоянством, три раза в неделю. Лет ему было всего двадцать, самый возраст, чтобы дергаться в темноте под ужасающий грохот. Но Ксюшу он подцепил на автобусной остановке. У Андрея была старенькая «копейка», купленная после кончины родителей. Как-то раз он ехал поздно вечером по улице и увидел девчонку, хорошенькую и, очевидно, замерзшую. Он притормозил и крикнул:

— Тебе куда?

— А тебе? — усмехнулась девица.

Андрей понял, что она старше, чем казалось с первого взгляда, но не расстроился. Ему даже нравилось, когда партнерша в возрасте. С такой проще, не выпендривается. Вечер они провели с удовольствием. Утром девица выпила кофе и поинтересовалась:

— Один живешь?

— Один, — подтвердил Андрей.

— Пусти к себе на недельку.

— Ты бомж? — усмехнулся кавалер.

— Почти, — в тон ему ответила «дама».

— На улице ночуешь? — ехидничал Андрей.

— Нет, конечно, — улыбнулась Ксения.

— Что же тогда?

— Да муж заколебал, — со вздохом сообщила новая знакомая.

— Да ну? — удивился Андрей. — Что, такой плохой?

Ксения тягостно вздохнула и принялась рассказывать душераздирающие подробности.

Замуж она выскочила по большой любви за парня, которого знала всего три недели. Тот оказался жителем Подмосковья и увез молодую жену к себе, в деревню Селихово. О необдуманности поступка Ксюша пожалела буквально на второй день, когда поняла, что все ее новые родственники алкоголики со стажем, а молодая невестка должна ухаживать за домом, садом и скотиной.

Не прошло и месяца, как пламенная любовь погасла, а Ксюша стала подумывать о том, чтобы удрать. Удалось не сразу. Хитрый супруг, получивший бесплатную прислугу, спрятал паспорт, и ей пришлось целых три дня искать по всем углам документы.

Наконец книжечка обнаружилась в свинарнике, за притолокой, и Ксюша уехала, выждав момент, когда милые родственнички упьются по-черному.

Оказавшись вновь в Москве, она решила, что все несчастья кончились, но не тут-то было. Сначала покинутый муженек бесконечно трезвонил по телефону, затем приехал и решил вопрос с беглянкой по-простому, по-крестьянски, избил до синего цвета.

С тех пор Ксюша боится оставаться одна дома и не знает, что делать.

— Да уж, — вздохнул Андрей, — дела! Может, другую найдет и от тебя отвяжется?

— Где же он такую дуру отыщет! — всплеснула руками Ксюша.

— Давай отправим ему телеграмму, что ты умерла, — предложил кавалер.

— Не поверит, — вздохнула девушка, — вот если б свидетельство о смерти...

— Ну кто же его даст! — усмехнулся Андрей.

И тут ему в голову пришла восхитительная мысль:

— Слушай, у моего друга сестра работает в

больнице. Пусть черканет справочку о неожиданной кончине, твоим пропойцам и такая сойдет. Лишь бы печать стояла. Деревенские, они доверчивые.

— Здорово, — пришла в восхищение Ксюша, — а она сделает?

Андрей хихикнул:

— Есть к ней подход. Девка, честно говоря, противная и меня недолюбливает, но подружка ее закадычная, Надька, Вадькина будущая жена. Она для Надюши на все готова. А уж Наденька ко мне благодарность испытывает, не бойся, сделают справку.

Ксения очень понравилась Андрею, и он хотел во что бы то ни стало удержать ее около себя.

Надя не подвела. Ксюша получила бумагу и отправила ее родственникам. Целую неделю после этого она прожила с Андреем, а потом, в один прекрасный понедельник вернувшись с работы, парень не нашел любовницу. Ксюта исчезла, словно испарилась, прихватив с собой триста долларов, отложенных хозяином на летний отдых.

— Куда она пошла? — спросила я.

Продавец помады пожал плечами:

— Понятия не имею.

— Ты знаешь, где она работала?

— Нет, она вроде училась.

— Институт какой?

— Черт его разберет, то ли экономический, то ли педагогический...

— И что, ты вообще про нее ничего не знаешь?

— Нет, — помотал головой парень.

— Спал с ней целый месяц, — возмутилась я, — неужели ничегошеньки не узнал про друзей, например.

— Постель не повод для знакомства, — отрезал Андрюша, — ничего она не рассказывала, только про мужа-пьянчугу.

Я вздохнула. Поколение пепси на редкость нелюбопытно.

Домой я поехала в отвратительном настроении. Следовало признать — поиски Татьяны Митепаш окончательно зашли в тупик. Десять тысяч долларов помахали ручкой, никогда не найти пронырливую девицу.

Не успела я войти, как Сережка заорал:

— Лампудель, где шлялась?

— По делам, — прокричала я в ответ, вылезая из сильно надоевших за день сапог.

— Какие-такие дела, — возмутилась Юля, выходя в коридор, — на часы глянь! Если...

Но окончить фразу Юлечке не удалось. Сначала девушка замерла с открытым ртом, потом с трудом выдавила:

— Ох, и не фига себе, Лампа, что с тобой?

— Нравится? — спросила я.

— Сережка, — завопила Юля, — Сережка, сюда, скорей!

— Ну, что случилось? — недовольно пробормотал муженек. — Пожар? Наводнение?

Юля ткнула пальцем в мою сторону.

— Гляди!

— Ну, — продолжал бубнить Сережка, — что
я Лампуделя не видел, эка новость!

Его взгляд сфокусировался на мне, и парень
взвизгнул:

— Боже! Что это?

— Ага, — удовлетворенно заметила Юля, —
разглядел наконец!

— Что ты с собой сделала? — завопил Сережка. — Это катастрофа.

— А по-моему, здорово, — не согласилась я,
бросая взгляд в зеркало, — и стоило, кстати,
немало, целых девяносто долларов!

Сережка, Юля и прибежавший на шум Кирюшка остолбенело молчали. С гордо поднятой
головой я удалилась в спальню — пора отдохнуть от трудов праведных.

Утром Катя, глянув на мою разноцветную
голову, робко спросила:

— Лампушечка, может, сходишь к моему па-
рикмахеру? Чудесный мастер, красит великo-
лепно, стрижет...

— Ну, положим, стричь уже нечего, — ухмыльнулась я, ощупывая торчащие во все стороны пряди.

— Ну тогда покрасишься, — не успокаивалась Катя и быстро добавила, — хотя тебе очень
идет такой экстремальный вариант...

Но мне надоело изображать восторг, и я
мрачно сказала:

— Можешь не стараться. Сама знаю, что выгляжу, словно взбесившийся дикобраз. Давай,
звони своему мастеру.

Катерина схватила трубку и, пощебетав пару минут, удовлетворенно сказала:

— Собирайся быстренько и бегом в Разуваев переулок. Между булочной и сберкассой дверь, смотри не перепутай.

— Мне покрасили волосы, а не мозги, — сообщила я, натягивая куртку.

— Не знаю, не знаю, — пробормотала Катюша, — какую надо иметь голову, чтобы так «приукраситься».

Увидав крохотную, всего на два кресла парикмахерскую, я, честно говоря, приуныла. Никогда хороший специалист не станет работать в подобном месте. Обшарпанные стены, потемневшее зеркало и безостановочно текущая из поломанного крана вода...

У окна высокий, худощавый парень брил наголо крупного бугая с колоноподобной шеей.

— Вам кого? — нелюбезно поинтересовался цирюльник.

— Максима, меня послала Катя Романова.

— Слушаю, — отозвался парикмахер, не опуская машинку.

Я совсем упала духом. Ну надо же быть такой дурой и явиться в эту тараканью нору. И с чего я решила, что у Кати отличный специалист! Стоит мне вспомнить, какие безобразия творятся с ее волосами! А теперь еще выясняется, что стрижкой занимается мужской мастер.

Отпустив обритого парня, Максим достал старую, дырявую простыню, всю в неотстиранных пятнах, обмотал ее вокруг моей шеи и довольно равнодушно осведомился:

— Делать-то что?

— Не знаю, — тихо пролепетала я, — на ваше усмотрение.

Максим поерошил то, что осталось от моей шевелюры, и со вздохом ухватил ножницы.

— Только не наголо! — в ужасе пробормотала я.

— Не боись, — хмыкнул мастер, — хуже все равно не станет.

Я зажмурилась и принялась слушать мерное пощелкиванье и позвякиванье.

— Если не секрет, — поинтересовался Максим, — где это вас так разукрасили?

— В салоне Ив Сен-Лоран, зимний вариант, — честно призналась я.

— Ага, понятно, — изрек мастер и натянул на меня резиновую шапочку, — Ив Сен-Лоран, значит, круто...

Через два часа я смотрелась в зеркало и не верила глазам.

Конечно, столь короткую стрижку я не носила никогда, но следует признать, она мне необыкновенно идет. Волосы приобрели ровный светло-коричневый цвет, а челка слегка отливала рыжиной.

— Здорово! — не удержалась я.

— Не очень, — серьезно ответил мастер, — но, к сожалению, это все, что могу. Если будете регулярно ходить, верну вам натуральный цвет, а пока такой побегаете.

— У вас просто талант, — не успокаивалась я, — отчего вы в такой дыре работаете, шли бы...

— В салон Ив Сен-Лоран, — рассмеялся

Максим, — нет уж, у меня от клиентов отбоя нет, кстати, не место красит человека, а человек место. С вас четыреста рублей.

Обрадовавшись, что парикмахер не запросил запредельную сумму, я открыла сумочку и тут же уронила ее на пол. Содержимое моментально разлетелось по линолеуму.

Максим наклонился и принялся подбирать мелочь — ключи, расческу, зеркальце, телефонную книжку... Последней в его руках оказалась фотография Ксении. Он с интересом глянул на снимок и поинтересовался:

— Ваша знакомая? Ну как она, вышла замуж, все удачно?

— Вы знаете Ксению? — удивилась я.

— Ну, в общем, — хмыкнул Максим, — можно и так сказать.

— Откуда?

Максим засмеялся.

— Ну вы мне не ответили. Страшно интересно, женился Олег Яковлевич на ней? У самого спросить стесняюсь.

— Писемский?

Максим кивнул:

— Вы и его знаете?

— Он здесь стрижется, — пояснил парень, — отличный мужик, очень хотел ему помочь, поэтому и влез в авантюру!

— В какую?

Максим засмеялся.

— Так, ерунда.

Но я уже неслась по следу, словно гончая.

— Послушайте, Макс, Олег Яковлевич женился на Ксюше, они прожили счастливо целый год, но потом девушка пропала, и супруг нанял меня, чтобы отыскать жену.

— Вы из милиции? — удивился парикмахер. — Непохоже.

— Нет, я работаю частным детективом и очень прошу, расскажите, что знаете.

— Ну раз такое дело, — пробормотал парикмахер, — то-то Писемский на днях чернее тучи приходил! Я, грешным делом, подумал, с бизнесом неполадок, а тут вон что...

Мы прошли в маленькую комнатку за залом, и Максим включил чайник.

— Только, если это возможно, — сказал он, открывая банку с растворимым кофе, — не рассказывайте о моей роли в данной истории, хотя ничего плохого я не сделал.

— Не скажу, — поклялась я.

Впрочем, сейчас я пообещала бы ему все, что угодно, лишь бы услышать хоть какие-нибудь сведения о Фединой.

Максим насыпал в небольшую чашку пять ложечек сахарного песка, тщательно размешал и принялся рассказывать, изредка прихлебывая чрезмерно сладкую жидкость.

У него есть постоянная клиентка — Люба Торопова. Ходит стричься и укладываться уже лет десять. Хорошая баба, не капризная, не привередливая, особо много не требует и платит, не торгуясь. За долгие годы их связало какое-то подобие дружеских отношений. Макс знал про Любу много интересного. Впрочем, парикмахерам, как правило, приходится выслушивать от

посетителей всякие истории. А у Максима вообще идеальные условия для исповеди. Работает
он один, никто не подслушивает, вот и развя-
зываются у людей языки. Люба не была исклю-
чением. Сначала жаловалась на мужа-алкого-
лика, потом сказала, что разошлась.

— Ничего, — утешал парикмахер, — еще
найдешь счастье, какие твои годы...

— Да, — протянула Люба, — нет у меня ничего за душой, кроме хрущобы однокомнатной,
кому такая нужна.

— Не переживай, — гнул свое Максим.

Через некоторое время он понял, что для
Любы больными вопросами являются два: семейное положение и финансы. Усаживаясь в
кресло, Торопова без конца рассказывала о своих подругах, удачно отыскавших спутников жизни, потом переводила речь на тех, кто, по ее
мнению, обладал богатством.

Максим, приучивший себя за долгие годы
работы с людьми не особо вслушиваться во все,
что выливают ему на голову, изредка вставлял
«да-да» или «ну-ну». Но Любу не слишком ин-
тересовало его мнение, гораздо важней для нее
было выговориться, выплеснуть желчь и нега-
тивные эмоции. Честно говоря, она была не
слишком доброй и, вещая об удачливых знакомых, частенько злилась, причитая:

— Такая уродина, а муж попался красавец,
да еще со средствами, ну почему мне так катастрофически не везет.

— Все хорошо кончится, — бездумно обещал Максим, — вот увидишь, придет и на твою улицу праздник.

Года полтора тому назад Люба с хитрым видом села в кресло и пробормотала:

— Вот что, Максюшенька, хочу попросить тебя об услуге.

— Давай, — велел парикмахер, думая, что сейчас последует просьба о стрижке в долг.

Но Любаша заговорила о другом. У нее есть подруга, Ксюша. Отличная девчонка, умница и красавица, но не везет ей, как Любе. Вместо приличных мужиков ей до сих пор на жизненном пути встречались лишь кретины, уроды да пьянчуги. Ксюша совсем было махнула рукой на женское счастье, но тут вдруг влюбилась, причем в удивительно приятного человека. Не красавца, но вполне нормального внешне, не пьющего, не женатого и, главное, богатого. Одна беда, девушка не знала, как поближе познакомиться с предметом страсти.

— Ну а я здесь при чем? — искренне удивился Максим.

Люба широко улыбнулась:

— Ты можешь помочь!

— Да как?

Выяснилось, что объект девичьей любви, Олег Яковлевич Писемский, стрижется у Максима.

— Ты позвонишь мне и скажешь, когда сей господин запланирует стрижку, — щебетала Люба. — Ксюта приедет заранее и посидит в подсобке. У тебя же черный ход есть на другую улицу, так?

— Так, — подтвердил Макс, не понимая, куда гнет Люба.

— Ну когда ему волосы феном укладывать начнешь, — пояснила Торопова, — скажешь Ксюше, она и выйдет во двор.

— Зачем? — не врубался Максим.

— А остальное тебя не касается, — отмахнулась Торопова, — главное, дай знать, когда дело к концу пойдет. Мы уже придумали, как их невзначай столкнуть.

Максим не усмотрел в просьбе ничего криминального. Ну хочет девчонка познакомиться с Писемским, что же тут плохого? Олег Яковлевич не женат, вдруг это судьба?

Через неделю задуманный план привели в действие. Олег Яковлевич преспокойненько стригся, не подозревая, что в подсобке тише мышки притаилась Ксюша. Когда дело дошло до укладки, Макс пробормотал:

— Извините, щеточку забыл.

Потом он заглянул в заднюю комнату и сказал:

— Все, минут через десять отпущу.

Ксюша согласно кивнула и змейкой юркнула во двор. Отправив Олега Яковлевича, Максим встал у окна и закурил. Дальнейшее разыгрывалось у него на глазах. Мастер увидел, как машина Писемского плавно тронулась с места и тут же наперерез ей вылетела из-за угла Ксюша. Взмахнув руками, девчонка рухнула под колеса.

Олег Яковлевич выскочил на проезжую часть и склонился над «потерпевшей». Через пять минут, когда бледный Писемский увез девушку, Максим только покачал головой. Воистину, нет предела дамской хитрости и изворотливости! Надо же, такое изобрести.

С того дня Люба больше не появлялась в парикмахерской, и Максиму было не у кого узнать, увенчалась ли затея успехом. Писемский продолжал регулярно приходить, но он никогда не откровенничал с мастером, ограничиваясь беседами о погоде или курсе доллара. Поинтересоваться у мужчины, женат ли он, Максим постеснялся. Но любопытство — страшная вещь, поэтому парень не удержался, увидев сегодня снимок Ксюши.

— Вы знаете адрес Тороповой?

— Где-то был, — пробормотал мастер и полез в растрепанную телефонную книжку.

Пару минут он перебирал рассыпающиеся странички и, наконец, сообщил:

— Подлиповый переулок, девять.

Я натянула на чуть влажные волосы шапочку и пошла к метро. Холодный, пронизывающий декабрьский ветер задувал под куртку. Под ногами простирался сплошной лед, хоть коньки надевай. Но я не ощущала никаких неудобств. Позавчера изобретательный хитрый Кирюшка приклеил на подошвы моих сапог по куску мелкого наждака. Прямо скажем, не слишком удобно передвигаться в метро или магазине, зато гололед не страшен. Впрочем, сейчас мне все по фигу. Скорей всего милейшая Люба Торопова отлично знает Татьяну Митепаш, раз разыграла при помощи наивного Максима целый спектакль. Интересно, кто эта дама по профессии? Может, режиссер? Или профессиональная писательница? Ловко придумано, прыгнуть под колеса автомобиля несчастного Олега Яковлевича. Естественно, перепуганный мужик повез девушку к врачу. А ведь он сам мне рассказывал о том, как и где познакомился с Ксюшей. Даже назвал имя парикмахера — Максим. Нет бы сразу ухватиться за этот след. Но кто же знал, что несчастный случай — всего лишь талантливая постановка двух хитрющих баб?

Ругая себя на все корки за отсутствие сообразительности, я добралась до Подлипового переулка и принялась трезвонить в квартиру. Но никто не собирался открывать дверь. За красивой обивкой не раздавалось ни звука, полная тишина, лишь трель звонка.

Постояв минут пять, я присела на подоконник.

Наверное, Люба на работе. Ехать домой не хотелось и, вытащив из кармана книжечку, я принялась со смаком вчитываться в новый роман Дашковой.

Но не успело действие дойти до первого трупа, как распахнулась дверь соседней квартиры, и на площадку с помойным ведром вышла стройная, черноволосая женщина.

— Ждете кого? — бдительно поинтересовалась она, открывая мусоропровод.

— Любу Торопову, — вежливо ответила я.

— Она улетела.

— Куда?

Соседка пожала плечами:

— Кажется, в Стамбул.

— Надолго?

— Точно не скажу, дня на три.

— Вот незадача, — пробормотала я.

— А вы кто? — поинтересовалась женщина.

— Знакомая, ей родственники из-за границы письмо прислали...

— Наверное, от мамы из Америки, — обрадовалась соседка, — знаете, позвоните в Шереметьево, сейчас телефончик дам.

— Зачем? — удивилась я.

— Так Люба стюардессой работает, спросите, когда вернется, или, хотите, у меня оставьте.

— Лучше позвоню, — обрадовалась я.

Услужливая дама принесла бумажку. Крупным, четким почерком на ней стояло — Писемская Любовь Олеговна...

— Простите, — обалдело спросила я, — но вроде у нее другая фамилия.

— Торопова, — улыбнулась соседка, — это по мужу. Любочка развелась, но фамилию сохранила. Просто я много лет ее знаю, вот и написала машинально — Писемская.

— Ее отец Писемский Олег Яковлевич? — тихо спросила я, чувствуя, как мозги перестают соображать.

— Никогда его не видела, — сообщила словоохотливая соседка, — она сюда переехала одна. Впрочем, маму я встречала, а отца никогда.

Я машинально вызвала лифт, спустилась вниз и поковыляла к метро. Разум вернулся только на станции «Библиотека имени Ленина». Купив блинчик с мясом и стаканчик кофе, я медленно попыталась сложить головоломку. Зачем, спрашивается, дочери Олега Яковлевича

Писемского подсовывать отцу в качестве супруги свою подругу? Помнится, бензиновый король говорил, что ни дочь, ни жена не пришли к нему в Бутырскую тюрьму и ни разу не передали ни еду, ни сигареты... Писемский тогда решил, что у него больше нет родственников. Отношений они не поддерживали, став фактически чужими людьми. Так к чему спектакль?

Глава 28

Абсолютно ни до чего не додумавшись, я доползла до дома, сделала обед и рухнула на кровать. В квартире стояла пронзительная тишина. Собаки спали вповалку у Кати на диване, кошки пристроились у Кирюшки в комнате. Голова была пустая, словно кастрюля из-под супа в воскресенье вечером. Ни одной мысли! Ну где может прятаться девица?

Перебрав в уме все возможные варианты, я от полной безнадежности решила позвонить Саше Золотому. Вдруг парень хоть что-нибудь вспомнит? Но сначала следовало найти телефон, он был записан на клочке бумаги и словно испарился. Перетряхнув сумочку, я вздохнула. Небось когда вывалила ее содержимое на пол в парикмахерской, потеряла бумажку с телефоном. Делать нечего, придется вновь обратиться к Бурлевскому.

В офисе у Федора никто не отвечал, зато мобильный мгновенно отозвался:

— Алло.

— Извините, — забормотала я, — такая незадача вышла, я потеряла номер телефона Золотого, скажите еще раз...

— Кто это? — резко поинтересовался продюсер.

— Не узнали? Евлампия Романова.

Воцарилось молчание, потом Федор неуверенно спросил:

— Кто?

— Евлампия Романова, частный детектив... Интересное дело, он что, успел забыть меня?

— С вами все в порядке? — неожиданно поинтересовался Бурлевский.

— Абсолютно, — в полном недоумении ответила я, — а что должно случиться?

— Нет, нет, ничего, — быстро сказал Федор, — грипп сейчас ходит страшный, а у вас голос странный, хриплый, вот я и подумал, вдруг подцепили заразу. Даже не узнал сначала.

Скажите, какой заботливый!

— Чувствую я себя превосходно, бодра и свежа, словно майская роза, — заверила я его, — дайте телефон.

— Пожалуйста, — как-то суетливо откликнулся Бурлевский.

На этот раз я для надежности сразу записала цифры в книжку. Но сегодня определенно был день неудач. У Золотого никто не отвечал. Я хотела зашвырнуть от досады трубку в кресло, но она запикала и заморгала зеленой лампочкой.

— Послушай, Евлампия, — послышался вновь голос продюсера, — насколько я понял, ты ищешь Татьяну Митепаш?

— Да.

— Так вот, она сегодня в двенадцать ночи придет по адресу: улица Поворова, 12.

— А квартира, квартира какая? — подпрыгивая от нетерпения, закричала я.

— Погоди, — охладил меня продюсер, — по данному адресу выселенный дом, двухэтажный, барачного типа. Поднимешься наверх и иди в конец коридора до последней двери.

— Что же она делает там?

— Набезобразничала, теперь прячется от всех, — хмыкнул Федор, — раньше полуночи не приходи, поняла?

— Поняла.

— И вот что, поговори с Танькой, убедишь ее ко мне вернуться, получишь три тысячи долларов, ясно?

— Еще как!

— Ну и отлично, да, чуть не забыл, пожалуйста, никому не говори, куда идешь, ладно?

— Вообще-то я никогда не посвящала домашних в свои дела!

— Вот и молодец, — одобрил Федор, — ладно, если выполнишь просьбу и потихоньку приведешь Татьяну, дам пять тысяч!

— Только что пообещал три!

Федор рассмеялся:

— Передумал, вези девку ко мне на квартиру и получай гонорар. Но только при одном условии — никому ни звука, не хочу, чтобы народ в курсе моих домашних дел был.

— Давайте адрес, — велела я и добавила: — Не сомневайтесь, в зубах приволоку.

Федор коротко хохотнул и отсоединился.

В полном ажиотаже я полетела в ванную. Отвратительно начавшийся день обещал закончиться настоящим праздником. Татьяна найдена, следовательно, Писемский вручит мне десять тысяч и еще пять получу от Федора.

От радужных перспектив вспотели руки. Часы показывали восемь. Сейчас явятся домашние. И точно, в замке ключ заскрежетал, влетел Кирюшка.

— Господи, — ахнула я, — что случилось?

— Ничего, — ответил Кирка.

— Почему такая куртка грязная?

— Где? — удивился мальчишка и принялся разглядывать пуховик. — Ах это! Извини, в футбол играли, вратарем поставили.

В футбол? Зимой?

— Снимай немедленно, — велела я и, взяв то, что еще утром было светло-зеленого цвета, а теперь напоминало сгнивший огурец, потащила в ванную.

Вечер пронесся, как всегда. Ужин, гулянье с собаками...

Когда чистая и почти сухая куртка мирно повисла на плечиках, я наклонилась, чтобы захлопнуть дверцу стиральной машины, и увидела под ней, у самой стены, что-то непонятное. Пришлось отодвинуть «прачку». На полу нашелся дорогой ошейник Мориса, тот самый, широкий, голубой, с медальоном.

— Где ты взяла его? — спросила Катя, увидав, как я вхожу в кухню с ошейником.

— Наверное, когда в первый день мыли Мориса, уронили случайно за машину, — пояснила я, — жаль, сразу не нашли, пришлось другой покупать.

— Ничего, — ответила Катя, — будет два.

Я бросила полоску голубой кожи на подоконник и нарочито зевнула.

— Пойду спать.

— И я, — откликнулась Катя, — глаза слипаются.

В квартире постепенно установилась тишина. Около одиннадцати я тихонько выглянула в коридор. Умаявшись за день, домашние мирно похрапывали. Лишь Муля и Ада, увидав, что хозяйка идет в прихожую, начали громко тявкать.

— А ну, цыц, — прошипела я, — ишь, сторожевые мопсы.

Собаки замолчали, изредка издавая недовольное бурчание.

На улице не было ни души. Москвичи забились в теплые квартиры, залегли в уютные кроватки и сейчас либо мирно почивали, либо смотрели телевизор. Казалось, во всем свете нет никого, только Евлампия стоит в продуваемом всеми ветрами дворе.

«Ничего, — принялась я себя уговаривать, — зато какие деньги! Да люди за сто рублей весь день на улице сосисками торгуют».

Но все равно было неуютно. Впрочем, в метро оказалось полно народа, и я абсолютно спокойно добралась до «Автозаводской». Словоохотливый милиционер, болтавший с девушкой, подробно объяснил, где улица Поворова.

— Направо, второй налево и прямо, поняли?

Я кивнула и выбралась на декабрьскую улицу. Чем дальше от метро, тем меньше людей попадалось навстречу, и конец пути я проделала в гордом одиночестве.

Нужный дом стоял в глубине двора. Ни одно из окон не светилось, а входная дверь висела на одной петле, угрожающе скрипя под порывами ветра. Я храбро вошла в подъезд. Сердце сжалось от ужаса, тут, наверное, крысы! С детства панически боюсь темноты, грызунов, бандитов и насильников. Ну, пожалуй, последние не попадутся, найдут кого посимпатичней, отнять у меня тоже нечего, следовательно, главные враги — мыши.

«Думай о деньгах, о замечательных, милых долларах», — велела я себе и полезла на второй этаж.

Наконец взору открылся длинный, мрачный коридор, темный, словно могила.

«Не ходи туда», — шепнул тихий внутренний голос.

«Еще чего, — не согласился голос разума и приказал: — Давай, двигай и помни о баксах!»

На мягких ногах я доползла до последней двери и рывком открыла ее. Передо мной открылось небольшое, пеналообразное помещение. Прямо в окно светил уличный фонарь, и в блекло-желтых лучах его я заметила кровать, прикрытую тряпками, стол, застеленный газетами, и огромный, необъятный гардероб. У подоконника стоял человек. Свет бил ему в спину, и лицо поэтому казалось черным. Впрочем,

Татьяна, это могла быть только она, носила темную одежду и выглядела, как Зорро.

— Таня, — как можно ласковее начала я, — не пугайтесь, я просто хочу поговорить с вами и помочь.

Девушка медленно вытянула руку, и свет фонаря скользнул по блестящей стали. В ту же секунду раздался тихий хлопок, словно вытащили пробку из ванной.

Мое тело действовало быстрее разума. Ноги мгновенно понеслись в коридор, и я побежала к выходу, не видя ничего в кромешной темноте. Сзади, тяжело дыша, бежала Таня. Она больше не стреляла, явно поджидая, пока я выбегу на улицу и окажусь при свете все того же фонаря отличной мишенью. Почти потеряв голову от ужаса, я долетела до выхода, и тут вдруг разом вспыхнул свет, и прямо над моим ухом громовой голос заорал:

— Ложись, мать твою!

Я рухнула на заплеванный пол и, быстро орудуя локтями и коленями, поползла вперед. Ослепительный свет бил в лицо, и парадоксальным образом я видела хуже, чем в темноте. До этого я хоть различала какие-то очертания, сейчас ничего — яркий, как вспышка, свет заливал все кругом.

Мимо с ужасающим грохотом и матом неслись люди, кто-то наступил сапогом мне на руку, и я заныла, словно больная собака.

— Стой, падла, — раздавалось вдали.

Следом послышался грохот и дикий крик.

Внезапно все стихло.

— Порядок, ребята, — завопил густой бас, — ноги сломал.

— А не врет? — крикнул над моим ухом некто.

— Не, — надрывался первый, — кости прямо наружу торчат!

— Так и надо, — позлорадствовал второй и, ухватив меня за воротник, рывком поставил на ноги, — идти можешь?

Я кивнула.

— Тогда пошли.

Свет погас, наступила кромешная тьма. В какую-то минуту моя правая нога подвернулась, и я шлепнулась спиной прямо на ступеньки.

— Гляди, куда идешь, — сердито отчитал меня провожатый, вновь рывком поднимая с лестницы.

— У меня нет с собой прибора ночного видения, — рассердилась я, — чего, как кошку, за шкирку хватаешь!

— Еще и огрызается, — фыркнул мужчина, и мы выпали во двор.

Небольшое пространство оказалось забито машинами, а в сугробе лежала Татьяна и стонала. Около нее, покачиваясь на пятках, стоял милиционер, рядом парочка мужчин в штатском. Один из них обернулся, и я узнала Володю Костина.

— Здравствуй, красота ненаглядная, — ухмыльнулся майор, — плоховато выглядишь, куртка в грязи, морда сажей перемазана, ты что, через трубу лезла?

Я молчала, не понимая, что происходит.

— А ну иди сюда, — велел приятель.

На плохо слушающихся ногах я подковыляла поближе.

— Знаешь, кто это? — спросил Володя, указывая на стонущую девушку.

Я вгляделась в фигуру. Она лежала на спине, черные джинсы были порваны, и под ними растекалась кровавая лужа. Темная куртка задралась, а лицо было прикрыто вязаным шлемом, только в прорезях лихорадочно блестели глаза.

— Ну, — поторопил майор, — кто это, по-твоему?

— Татьяна Митепаш, она же Ксения Федина, — ответила я и добавила, — вызовите «Скорую», ей же больно.

— Сейчас приедет, — отмахнулся Костин, — Митепаш, говоришь, теперь смотри.

Он нагнулся и молниеносным движением сдернул трикотажную маску. Раздался дикий вскрик, я вздрогнула и уставилась на лицо. Было отчего тронуться умом. На грязном, окровавленном снегу, испуская бесконечные стоны, лежал Федор Бурлевский.

Глава 29

В ту ночь я так и не легла спать. Сначала Костин вытряхнул из меня всю душу, требуя последовательно рассказать о своих приключениях. Но не успела я закрыть рот, как Володя позвал Славу Самоненко и еще двух незнакомых мужиков в сильно помятых брюках.

— А теперь еще раз с самого начала, — велел майор.

— Никогда! — разозлилась я. — Я только что рассказала...

— Слушай, Лампа, — прошипел Костин, — начинай заново, а то по тебе изолятор временного содержания плачет, а там знаешь как плохо, стул...

— Знаю, знаю, — вздохнула я, — мебель железная и к полу привинчена, а в унитазе все время льется вода.

— Почему? — оторопел Костин.

— Потому что бачков нет, — пояснила я.

Самоненко заржал и спросил:

— Ты, Владимир, небось и не знаешь, как параша выглядит, а Лампа в полном курсе. Кстати, как там мопсики? Будет у меня щенок?

— Я по камерам не хожу, — буркнул майор, — и в сортиры не заглядываю, на то есть другие работники. Ладно, еще разок, с самого начала.

Я принялась медленно излагать факты. Домой отправили меня около четырех утра. Но стоило мне на цыпочках вползти в прихожую, как двери комнат захлопали, и встрепанные домашние потребовали разъяснений. Пришлось каяться в третий раз. Спать отпустили только в семь утра. Я легла на неразложенный диван, подгребла поближе к замерзшим ногам Аду с Мулей и, чувствуя, как согреваются ступни, провалилась в мягкое болото сна.

— Эй, Лампа, — раздалось тут же над ухом.

Господи, только глаза закрыла.

— Ну что еще? — простонала я, безуспешно пытаясь разлепить веки, — дайте отдохнуть.

— Хватит, голубка сизокрылая, — проворчал мужской голос, — ужинать пора.

— Как, — изумилась я и машинально села, — который час?

— Двадцать один тридцать, — хмыкнул Володя, — продрыхла целый день и еще хочешь?

— Кошмар, — пробормотала я и тут только сообразила, что сижу на диване в мятой майке, со встрепанной головой и, очевидно, размазавшейся тушью. — Отвернись сейчас же.

— Почему? — удивился майор.

— Я не причесана и плохо выгляжу.

— Да? — спросил Володя. — А по-моему, как всегда!

Пришлось вылезать из-под одеяла и ползти на кухню. Там уже уселась вся семья с выжидательным выражением на лицах.

— Владимир, — весьма официально начала Катя, — ну теперь, когда Лампа проснулась, ты объяснишь нам, что к чему?

— Ага, — ухмыльнулся майор и подвинул к себе поближе тарелку с пельменями, — только почему я? У вас Лампа — высококвалифицированный детектив, можно сказать, гроза бандитов, пусть она и вводит всех в курс дела.

— Она ничего не знает! — всплеснула руками Юля. — А нам интересно!

— Ну? Неужели? — дурачился Володя, вываливая на пельмени полбанки сметаны. — Как же так? Ничегошеньки не узнала?

Я молча ковырялась в тарелке вилкой.

— Кто стрелял в Валентину? — не успокаивалась Юля.

— Действительно, кто? — спросил майор и уставился на меня. — Знаешь?

Я сделала вид, будто никак не могу разжевать клеклые куски теста.

— Понятно, — удовлетворенно протянул Володя, — а где Татьяна Митепаш и кто зарезал Зайцеву?

— Монахов, — обрадовалась я.

— Понятно, — ухмыльнулся майор, — ну а кто же тогда убил Светлану Родионовну Ломакину, а?

Повисло молчание.

— Отлично, — подвел итог майор и принялся методично намазывать кусок хлеба «Виолой», — ну уж, Лампа, драгоценная, ответь на последний вопросик: почему Федор Бурлевский решил от тебя избавиться?

Пришлось нехотя признать:

— Не знаю!

— Чудесно, — резюмировал Володя.

— Сам-то ты в курсе? — обозлилась я.

— Естественно, — пожал плечами майор.

— А нам расскажешь? — в один голос воскликнули Юля и Кирюшка.

— Ладно, — неожиданно согласился майор, — но с одним условием. Лампа сейчас напишет расписку. Текст примерно такой: я, Евлампия Романова, никогда и ни при каких условиях не стану корчить из себя детектива.

Сережка мгновенно всунул мне в руки ручку.

— Лампудель, давай!

Пришлось пройти и через это унижение.

— Замечательно, — улыбнулся Костин и спрятал «расписку» в бумажник, — а теперь, так и быть, слушайте, только не перебивайте.

В маленькой деревеньке Селихово родилась талантливая и умная девочка Ксюша Федина. Откуда в семье алкоголиков взялся подобный ребенок, уму непостижимо. Но Ксюша выросла, поехала в Москву, поступила в экономическую академию, а потом, желая заработать, превратилась в прислугу богатой Вики Поповой.

Генетика — необыкновенная наука, и, наверное, специалисты смогут объяснить, отчего в семье профессиональных музыкантов, людей, трудящихся с утра до ночи, родилась ленивая и не отмеченная никаким особым даром Танечка Митепаш. Впрочем, один талант все же присутствовал: безудержная страсть к вранью.

Два столь не похожих друг на друга ребенка воспитывались в разной среде, но судьбе показалось забавным свести их вместе. Но до того, как произошла встреча, каждой из девчонок пришлось пройти нелегкий путь.

У Ксюши за плечами было тяжелое детство в малообеспеченной и многодетной семье, затем «служба» у Поповой. Трудностей хватало: не было денег, приличной одежды и подчас куска хлеба. Но она отличалась редким характером: открытым, веселым и даже стоическим. Единственная глупость, которую она совершила в жизни, — это «дружба» с Викой.

У Тани же детство и юность были совсем другими. Обожающие ребенка мать и бабушка, полный достаток и чрезмерное внимание. Но не в коня корм. Лет с восьми милая Танюша стала подворовывать. Сначала мелочь из маминого кошелька, потом копейки у одноклассников, следом деньги у педагогов. Учиться она не хотела, впрочем, работать тоже, а когда поняла, что мать и бабка не отстанут, а будут требовать овладения хоть какой-нибудь профессией, просто-напросто сбежала к отцу — известному и богатому Федору Бурлевскому.

Сначала жизнь у папеньки нравится ей чрезвычайно, но потом восторг гаснет. Отец заводит ту же песню, что мать и бабка:

— Учись, дочка!

Чтобы от нее отвязались, Таня заявляет, будто собирается стать певицей. Федор моментально пристраивает ее в вокальную группу, потом в другую, третью... Но результат нулевой. Митепаш не желает трудиться, больше всего ей нравится валяться на диване и глядеть видик. Денег, которые дает богатый папенька, вполне хватает на прихоти, а громадный холодильник на кухне всегда полон. Несколько лет Федор терпит лентяйку, но потом не выдерживает и заявляет:

— Все, хватит, больше ни копейки не получишь! Не желаешь петь — иди в институт.

Танюша лишь пожимает плечами. В конце концов в доме полно антикварных безделушек: статуэток, табакерок и посуды. Кое-что она, не сильно мучаясь, сносит в комиссионный магазин. Бурлевский замечает пропажи и устраивает скандал. Танечка понимает, что терпение папы истекло, и тогда она делает беспроигрышный ход: жалуется мачехе, Светлане Ломакиной, на то, что... Федор пристает к ней с непристойными предложениями. Мачеха приходит в ужас. Падчерице она верит безоговорочно. Во-первых, отношения с мужем у Светланы окончательно испорчены, во-вторых, она в курсе его бесконечных любовных связей, в-третьих, милая Танечка врет, как живет, с улыбкой на лице. Светлана прогоняет Федора, Татьяна остается с ней.

Но вскоре девушка понимает, что жизнь ее уже не та. Денег у Светланы немного, Ломакиной приходится продать квартиру, перебраться в более скромную, а сумму, вырученную от сделки, бывшая жена Бурлевского потихоньку проживает. Таня понимает, что следует искать новую кормушку. Впрочем, она не горюет.

У Федора — отличная коллекция марок, и Танюша подменила два экземпляра, не самые дорогие, но тоже ценные.

— Погоди, — не выдержала я, — как ей удалось сделать подобное?

— Видишь ли, — спокойно пояснил Владимир, — милая девушка настоящая мошенница. В свое время на дискотеке она познакомилась с неким Алексеем Разиным и рассказала ему об увлечении отца. Тому, кстати, тоже филателисту, и приходит в голову идея подмены. Пользуясь тем, что Бурлевский постоянно на работе, а Светлана не высовывается из своей комнаты, Танюша приводит Разина домой и показывает кляссер. Федор хранит коллекцию в сейфе, но ключ просто лежит в столе, здесь же и бумажка с шифром. Глупо, но факт. Разин изготавливает подделки, отдает девушке и, потирая руки, ждет раритеты. Но Танечка совершенно не собирается ни с кем делиться. Спустя несколько дней она заявляет, что боится идти на воровство, и Алексею ничего не достается.

— Неужели фанат-филателист оказался настолько небрежен? — удивилась я.

Володя развел руками

— Невероятно, но да. Скорей всего он не ожидал, что дома найдутся воры, а грабителей извне не опасался. Квартира подключена на пульт. К тому же милейшая Танюша действует чрезвычайно умно. Берет не самые дорогие марки, на которые Федор не прочь частенько полюбоваться, а экземпляры из так называемого «второго эшелона». Тоже, безусловно, ценные и дорогие, но не раритетные. К тому же подделки оказались сделаны на таком высоком уровне, что факт обмана смогли установить лишь профессиональные эксперты.

Итак, фальшивые марки ждут своего часа, и он настает. Пока Светлана пакует вещи изгнанного мужа, Танюша «занимается» кляссером. Украденные марки она прячет, как ей кажется, в супернадежном месте, очень хитро и изобретательно. Но именно эта хитрость и изобретательность в конце концов работают против нее.

Дело в том, что Светлана однажды неожиданно возвращается домой и застает падчерицу в своей спальне, возле открытого тайничка с деньгами.

Ломакина давно удивлявшаяся, куда исчезают доллары, моментально велит Татьяне убираться вон. Светлана ходит за девушкой по пятам, пока она собирает вещи, и у той просто нет возможности прихватить спрятанные марки. Дорогие кусочки бумаги остаются в квартире Ломакиной, и Татьяне остается лишь надеяться, что когда-нибудь она доберется до них.

Митепаш оказывается буквально на улице. В тот же вечер она знакомится с каким-то парнем и едет к тому на квартиру. Пару месяцев она кочует от любовника к любовнику, потом откровенно начинает заниматься проституцией и не брезгует ничем — подсыпает клофелин в водку клиентам и обирает мужиков. Первое время ей везет, но в январе 1997 года она попадается и оказывается на скамье подсудимых. До мая Митепаш сидит в сизо. Пять месяцев в изоляторе напугали ее до крайности, Танечка понимает, что на зоне просто не выживет, и старается изо всех сил разжалобить судью. Следует признать, это ей удается полностью, и в мае девушка выходит на свободу.

Но идти ей некуда. Опять приходится заниматься древнейшей профессией и кочевать по чужим квартирам. В сентябре 1997 года она встречается с Ксенией Фединой. И тут Митепаш приходит в голову мысль об обмене. Они с Ксюшей чем-то похожи, русоволосые, голубоглазые, худощавые... Татьяне до ужаса надоело обслуживать похотливых мужиков, к тому же она боится «коллег» по профессии, сутенеров и милиции... А наивная Ксюша, угощая новую подругу чаем, бесхитростно советует:

— Иди в педагогический, на Сокольской улице, там всех берут и общежитие дают!

В богатой воображением Татьяниной голове рождается план, и она, соблазняя Ксюшу невероятной карьерой эстрадной певицы, подбивает ту на авантюру. К тому же хитрая Таня сама не пьет, а без конца подливает Фединой коньяк. Когда опьяневшая Ксюша засыпает, Танечка прихватывает ее паспорт, аттестат, 500 долларов, кое-какое золотишко и уходит.

Проснувшаяся Федина пугается до полной потери соображения. Ей бы пораскинуть мозгами и поехать в институт на Сокольскую, но девушка в ужасе пытается ночевать сначала на вокзале, а потом, набравшись смелости, едет к Золотому. Впрочем, Татьяна, отправляя Ксюшу к Саше, и не предполагала, что девчонка рискнет воспользоваться подставкой, думала, у той духа не хватит. Но Ксюша в отчаянии бросается к певцу и неожиданно ломает свою судьбу.

— Хоть кому-то в этой истории повезло, — вздохнула я.

— И воздастся каждому по делам его, — неожиданно процитировал Библию Костин. — Впрочем, с Ксюшей все ясно, дай бог ей успеха на сцене и счастья в личной жизни. Бедная девушка слишком настрадалась.

Тане сначала тоже везет. Ее моментально зачисляют в институт, дают общежитие и селят в одной комнате с Ниной Сорокиной. Но учиться Таня не может, нудное это занятие, сидеть над книгами, поэтому ее хватает только на два месяца. В ноябре Митепаш устраивается на работу в «Лауру» и прихватывает с собой Нину. Побывав пару раз в ресторанах и на презентациях, Танечка понимает, что мир тесен и она может ненароком натолкнуться на знакомых.

Вот тогда она коротко стрижет волосы, красится под брюнетку, начинает носить очки с простыми, но слегка затемненными стеклами и накладывает на лицо килограммы косметики. Не знаю, узнала бы ее родная мать, бедная Ева к тому времени покончила жизнь самоубийством, но отец ее не узнает. Танюша веселится от души, сопровождая целую неделю Бурлевского. Федор так и не догадался, кто такая на самом деле служащая из «Лауры».

Потом Нина в декабре неожиданно выходит замуж. Татьяна остается одна. В январе она пытается шантажировать более удачливую подругу, но Сорокина неожиданно дает отпор, намекая на то, что Митепаш в пьяном бреду рассказала о себе правду.

Таня знает, что патологически пьянеет даже от чайной ложки алкоголя и становится потом страшно болтлива. Испугавшись, она оставляет Сорокину в покое.

Жизнь ее теперь течет в «Лауре», и однажды туда приходит необычная клиентка — Люба Торопова.

Сначала женщина нанимает Таню якобы для присутствия на обеде, но потом делает иное предложение.

Таня должна познакомиться с неким Олегом Яковлевичем Писемским и стать его женой.

— Зачем? — удивляется девушка.

— Надо, — загадочно улыбается Торопова и предлагает: — Как только в паспорте окажется штамп, получишь двадцать тысяч долларов.

За такие деньги Митепаш готова голой пройти в воскресный полдень по Тверской. Люба приводит девушку в парикмахерскую к Максиму, и Татьяна великолепно справляется с задачей. Не проходит и двух месяцев, как Олег Яковлевич берет девчонку в жены.

Наверное, в Татьяне пропала отличная актриса, роль неизбалованной девочки из провинции она играет блестяще.

— Она допускает всего пару ошибок, — вздохнула я, — путает отчество псевдоматери, ту звали не Раиса Константиновна, а Раиса Петровна, и адрес в Селихове: не улица Космонавтов, а улица Матросова.

— Она и не знала точный адрес, — пояснил Володя, — вот и пришлось выдумывать. Кстати, Таня боится, что родственники из Селихова начнут искать Ксюшу и поэтому...

— Отправляет им дурацкую справку о смерти, — подхватила я. — Ксюша пожаловалась в свое время Тане, что у нее дома сильно пьют, вот мошенница и решила: таким и простой бумажонки хватит. Кстати, она добилась своего. Ни брат, ни его жена ничего не заподозрили и «похоронили» девушку.

— Снимаю шляпу, мисс Марпл, — ухмыльнулся Володя, но мне шутка не понравилась.

Прозорливая дама была старушкой, я же совсем молода, и подобное сравнение не слишком уместно.

Татьяна начинает вести семейную жизнь, и неожиданно она ей нравится. Олег Яковлевич богат и щедр, любые капризы молодой жены исполняются моментально, денег супруг не жалеет, даже поощряет траты. Ему нравится выступать в роли Деда Мороза. Татьяна сначала пытается произвести на Писемского хорошее впечатление и говорит, будто учится в институте. Но Олег Яковлевич лишь равнодушно пожимает плечами и роняет:

— Как хочешь, надо учиться — учись, не надо — сиди дома.

Таня перестает притворяться и оседает на диване. До сих пор все родственники и знакомые пытались заставить ее работать, Писемский первый, кого радует женщина, лежащая на тахте с коробкой конфет. Первая жена Олега Яковлевича была слишком умной и активной, вот он и не хочет другой образованной дамы в своем доме. Танечка нравится ему чрезвычайно, а та, в свою очередь, в восторге от новой роли.

Месяца три длится их безоблачное счастье, потом раздается звонок от Любы Тороповой. Таня едет на встречу, и Люба, выкладывая на стол упаковку таблеток с неизвестным названием «тироксин», говорит:

— Будешь подсыпать Писемскому в еду три раза в день.

— Зачем? — удивляется Митепаш.

Торопова противно улыбается:

— Надо.

— И все же? — настаивала Таня.

Люба помолчала секунду и объяснила:

— У него заболевание щитовидки. Тироксин — гормон. В малых дозах — лекарство, в больших вызовет стенокардию, аритмию и...

Торопова замолчала, но Таня поняла и пришла в ужас:

— Смерть! Ну знаете ли! Ни за что. Да и зачем вам убивать Олега?

Люба спокойно закурила сигарету и пояснила:

— Он мой отец, но ни копейки не дает, жлоб! И в дом не пускает. Кстати, будь в моем кошельке побольше средств, я смогла бы выйти замуж, а так — никому не нужная нищенка...

Таня молчала.

— Не бойся, — успокоила Люба, — дело верное, ни один эксперт не подкопается. Ну, принимал больной неправильно лекарство, впрочем, и этого не поймут. Останешься через полгода богатой вдовой. Тебе половина состояния и мне половина, как единственной родной дочери. Мы будем обеспечены и начнем жизнь сначала.

— Нет, — пробормотала Митепаш.

— Ладно, — вздохнула Люба, — но тогда, извини, придется рассказать про тебя правду Олегу. Опять в «Лауре» окажешься, а то и на панели.

Татьяна лихорадочно соображала, как поступить, но изворотливый ум отказывался работать.

— Ладно, — вздохнула Люба, — пакуй чемодан, завтра вылетишь с треском в грязь.

— Давайте лекарство, — прошептала Таня.

— Молодец, — похвалила Торопова и протянула упаковку, — не забудь: три раза в день во время еды. Ну, прощай, созвонимся.

Всю ночь Танечка прокрутилась в кровати. Конечно, она была абсолютно бессовестной девицей, вруньей, воровкой и проституткой. Но не убийцей. Для большинства людей невозможно преодолеть этот порог, не всякий вор может лишить человека жизни... К тому же Писемский нравился девушке, и ее вполне устраивала роль его жены и безбедная жизнь богатой дамы. К утру Танюша приняла решение. Тироксин отправился в помойку.

Люба позвонила вновь через три месяца и опять вызвала на беседу.

— Как дела? — спросила она.

— Плохо, — вздохнула Таня, — у Олега сердце болит, аритмия, врач ставит стенокардию.

— Жаль, — пробормотала Люба, ухмыляясь, и протянула таблетки.

Таня взяла упаковку и выбросила ее в ближайшую урну.

Прошло еще три месяца, и состоялась новая встреча, потом еще... Но осенью Танина безбедная жизнь закончилась. Как-то раз Люба позвонила около восьми вечера и велела:

— Немедленно приезжай в кафе «Роса» на Колосова.

— Не могу, — прошептала Таня, косясь на дверь, — Олег дома.

— Выкручивайся, как хочешь, — отрезала Люба, — но чтобы к полуночи оказалась на месте. Не сумеешь — завтра муженек все узнает.

Не понимая, что могло приключиться, Таня достала из аптечки пузырек с сильнодействующим снотворным, накапала супругу в кефир и, когда тот будто уснул, помчалась на улицу Колосова.

Люба встретила ее бранью:

— Мразь, проститутка, обмануть захотела...

— В чем дело? — спросила Таня.

Торопова всплеснула руками и зашипела:

— Ну-ка, расскажи, как здоровье Писемского?

— Плохо, — завела прежнюю песню Таня.

— Дрянь, — не выдержала Люба, — вранья, ты не даешь ему таблетки. Неужели ты думала, что я не проверю?

— Как? — прошептала Таня.

— Ага! — торжествующе воскликнула дочь-убийца, — да у меня подруга в поликлинике работает, куда папашка бегает. Она заглянула в карточку и узнала — никакого намека на стенокардию, здоров, боров. Тебе жить надоело? Ну ничего...

Перепуганная Таня лепечет:

— Наверное, лекарство не подействовало...

— Ах, так, — ухмыляется Люба, — тогда держи.

На столе появилась небольшая ампула.

— Вот это точно подействует, — сообщила

Торопова и велела: — Чтобы завтра с утра вылила в кофе.

Ни жива, ни мертва, Татьяна возвратилась домой.

Следующую неделю она проводит в страшном волнении. Сама без конца хватает трубку телефона и потихоньку выводит из строя сотовый мужа, чтобы Торопова не позвонила на мобильный. Из дома она не высовывается и каждый вечер заглядывает в глаза мужу — знает он или еще нет? Через три дня подобной жизни она чувствует себя на грани истерики. А Торопова упорно названивает, обещая ввести Писемского в курс дела.

Словом, Таня почувствовала себя в роли мыши, попавшей в западню. Друзей у нее не было, во всем мире, кроме Писемского, существовал только один человек, который мог прийти на помощь. И девушка приняла решение. Она понимает, что семейной жизни пришел конец, поэтому договорилась, чтобы верный друг ждал ее у дверей театра. В антракте она вышла из театра, накинув заранее принесенную куртку и натянув сапоги. На углу Тверской и Камергерского ее ждало такси. Все, она исчезала без следа из жизни Писемского. Собственно говоря, рассказывать больше нечего. Понятно?

— Нет, — заорали мы в голос.

Потом я спросила:

— Ну и кто этот верный, надежный друг?

Володя хмыкнул.

— Неужели не ясно? Кому еще в этом мире

небезразлична эта дрянная девчонка? Кто еще мог простить ей все, даже то, что родная мать полезла в петлю? Естественно, бабушка, Ольга Васильевна Митепаш.

— Погоди, погоди, — забормотала я, — я же была у нее, она рассказала, какой отвратительный человек ее внучка, и сообщила, что родной дом — последнее место, куда та придет!

— Она тебя обманула, — вздохнул Костин. — Татьяна в это время сидела в соседней комнате, и тебя от нее отделяла лишь тонкая стенка.

Таня честно рассказала бабушке о своих злоключениях. Старуха сначала пришла в ужас, но потом приняла решение спасти своего неразумного птенца. Она договорилась с родственницей в Петербурге, и Танюша должна была отправиться в северную столицу, но, к сожалению, заболела, поэтому отъезд отложился. Таня искренне хочет начать новую жизнь.

— Зачем же Ольга Васильевна мне рассказала про Таню правду, да еще сообщила, что та дочь Бурлевского? — недоумевала я.

— Ты представилась сотрудницей уголовного розыска, и бабушка решила окончательно запутать следы. Хотела, чтобы ты подумала, будто она ненавидит Татьяну и никогда не пустит девчонку к себе в дом. Ну а то, что Татьяна дочь Бурлевского — факт широко известный, честно говоря, старуха считала, будто ты владеешь этой информацией.

— А зачем нужен был весь этот спектакль — уход из театра в одном платье? — спросила Юля.

Володя улыбнулся:

— И Таня, и Ольга Васильевна экзальтированные, артистические натуры, им показалось, что надо уйти красиво.

— Вот дуры! — воскликнул Сережка.

— Да уж, — согласился Костин, — об уме тут говорить не приходится, просто мексиканский сериал. Да еще бабушка велела Тане начать новую жизнь и оставить мужу драгоценности и дорогую шубу. Такое у нее понятие о чести и порядочности.

— Как ты догадался, что Таня у бабушки? — не успокаивалась я.

— Элементарно, Ватсон. Ну не могла же женщина уйти в двадцатиградусный мороз, одетая лишь в тоненькое платьишко и туфли на шпильках? Значит, была машина, и стояла она на углу Камергерского и Тверской, а там, возле телеграфа, есть пост ГАИ. Допросили сотрудника, дежурившего в тот день, он припомнил, что около десяти вечера подошел к таксисту и спросил, отчего тот стоит с включенным счетчиком. А шофер сообщил, что ждет клиентку, тут появились две гражданки. Ну гаишник и не стал штрафовать таксиста. Там стоянка запрещена, а ненадолго останавливаться можно. Дальше — дело техники, запросили таксопарки, нашли водителя, вот и все! Теперь, надеюсь, понятно и вопросов нет?

— Еще как есть! — воскликнула Катя. — Да полно вопросов! Кто стрелял в Тину, зачем Бурлевский решил убить Лампу...

— Ах это, — отмахнулся Володя, — ну, это совсем другая история.

— Говори, — велел Сережка.

— Нет уж, — отрезал Костин, — сначала съем пельмени и выпью чай!

Глава 30

В полном молчании мы ждали, пока майор насытится, даже собаки присмирели, а кошки во главе с Морисом уставились на Володю во все глаза. В невероятной тишине приятель уничтожил пельмени и спросил:

— А больше нет?

— Нет, — отрезала Юля, — ты готов умереть от заворота кишок, только бы потянуть время.

Володя засмеялся и вытащил трубку. Пришлось наблюдать, как он методично набивает ее табаком, раскуривает.

— Ну, — не выдержала Катя, — ну же...

— Значит, так, — протянул майор, — Бурлевский... Вот, Лампа, до чего человека может довести страсть!

Марки Федор начал собирать в десять лет. Сначала, как все дети, он покупал блоки с изображениями зверей, потом увлекся... На невзрачные кусочки бумаги с зубчатыми краями он тратил почти все, что зарабатывал. Впрочем, больших денег до конца восьмидесятых у него не было, но кляссер пополнялся регулярно. Никого и ничто не любил Бурлевский так сильно, как свои альбомы. Обычному человеку не понять подобной страсти, но ради марок продюсер был готов на все, даже, как впоследствии оказалось, на убийство.

Пропажу двух раритетов он обнаружил случайно. Повез коллекцию на выставку в Испанию и там испытал невиданное унижение, когда эксперт прилюдно заявил о фальшивках. Вне себя Федор возвратился в Москву, он был уверен: подмену совершила бывшая жена, Светлана, больше некому. Сначала он изводит Ломакину звонками, требуя отдать марки. Но Света упорно отрицает факт кражи. Тогда Федор нанимает двух уголовников и велит тем обыскать квартиру, имитируя кражу. Домушники старательно выполняют заказ, но марок не находят. Бурлевский в отчаянии, неужели мерзкая баба успела продать похищенное? Но мир филателистов узок, большинство любят похвастаться в клубе новыми приобретениями, и Федор знает — пока никто не покупал его сокровища, значит, они у Ломакиной. Он продолжает названивать Свете, сначала предлагает деньги, потом упрашивает, принимается грозить...

И, наконец, наступает день, вернее ночь, когда Федор набирает номер бывшей супруги и сообщает:

— Ну погоди, дрянь, сейчас сам к тебе приеду и все обыщу.

Светлана пугается и начинает звонить ближайшей подруге Ане. Но руки у нее дрожат, и палец все время нажимает не ту кнопку, Света без конца попадает к Евлампии.

Разъяренный Федор врывается в квартиру, сломав дешевенький замок. В кармане у него шприц, наполненный лекарством. В воспаленном мозгу Бурлевского родился «гениальный» план: ввести бывшей жене сильнодействующее средство и, когда той станет плохо, поставить ее перед выбором — либо она говорит, где марки, и тогда Федор вызывает врача, либо...

Но ему фатально не везет. Дозу инъекции он рассчитывает по справочнику «Токсикология» и по неопытности вкалывает Светлане такое количество препарата, что у нее моментально начинается агония. Но даже на краю смерти она упорно шепчет, что ничего не брала, чем злит Федора до потери человеческого облика. Впрочем, может, он и собирался вызвать к умирающей врача, но тут раздается звонок в дверь. Бурлевский, напуганный до крайности, прячется в прихожей в шкаф. Он слышит, как какая-то женщина проходит в квартиру и вызывает «Скорую». Слышит, но не видит ее. Пока незнакомка пытается помочь его бывшей жене, Федор выбирается из укрытия и уезжает домой.

Утром ему становится страшно. Во-первых, он узнает, что Светлана скончалась, а во-вторых, он понимает — неизвестная дама слышала последние слова Ломакиной. Вдруг та рассказала про Федора!

— Нет, — вздохнула я, — она только бормотала: «подделка, подделка» и «он пришел меня убить».

— Пораскинув мозгами, — продолжил Володя, — Федор догадался, что бывшая жена успела позвонить кому-то из подруг. Но кому?

Он едет вновь на квартиру к Ломакиной,

срывает печать и изучает телефонный аппарат, в памяти которого остался последний набранный Светланой номер. Бурлевский звонит по нему, притворившись работником телефонной станции. Но Лампа, заподозрившая неладное, дает мужику неправильный адрес, вернее, правильно называет улицу, номер квартиры, а вот дом... Дурацкий поступок! Если уж не хотела сообщать координаты, так и молчала бы. Но нашей Лампушечке кажется, что она поступила крайне находчиво.

Федор едет по названному адресу, сунув в карман пистолет. Он еще не знает, как поступит — то ли предложит денег, то ли пристрелит бабу. И здесь выясняется невероятная вещь. Когда Бурлевский звонит в дверь, никто не отзывается, он толкает ее — та подается. У Зайцевой давным-давно был сломан замок, и пьянчужка так и жила, не боясь воров. В комнате продюсера ждет невероятный сюрприз. На диване мирно храпит его сын Антон, а рядом дрыхнет пьяная в дым Зайцева. В голове Федора моментально все проясняется. Значит, Светлана перед смертью позвонила сыну и его сожительнице. Очень логично — живет Зайцева рядом и успела бы прибежать. Вне себя от злости Бурлевский хватает нож и вонзает его в Зайцеву.

Потом вкладывает нож в руку Антона и убегает. Все, единственная свидетельница мертва, а сына ему ничуть не жаль, опустившийся, спившийся парень не вызывает у отца никаких добрых чувств.

Дальше события начинают развиваться непредсказуемо. Сначала в милиции следователь рассказывает Федору о клофелине, обнаруженном в крови сына. Милиционер нарушает тайну следствия, но он просто хочет утешить всесильного продюсера и говорит ему:

— Не переживайте, похоже, Антона подставили.

Бурлевскому с трудом удается «сохранить лицо», он уезжает на работу и принимается размышлять, что делать? И тут господин Случай посылает ему Лампу.

Увидев глуповатую, но жутко активную даму, к тому же мечтающую заработать, Федор моментально придумывает план. Нанимает Лампу в качестве детектива и велит заниматься делом сына. Бурлевский убивает таким образом двух зайцев — выглядит заботливым отцом и надеется посредством нашей мисс Марпл навести милицию на след Монахова.

— А это кто такой? — поинтересовался Сережка.

— Старый знакомый Федора, — пояснил Володя, — когда-то они вместе лабухали в ресторане, но потом Андрей пошел по лагерям, превратился в наркомана. Выйдя в очередной раз на свободу, он обращается к Бурлевскому в надежде на получение денег. Федор приезжает к Монахову, угощает того дозой героина и, когда Андрей засыпает, хладнокровно убивает его. Затем оставляет записку, с якобы признанием в убийстве Зайцевой, написанную печатными буквами, и возвращается в офис, крайне

довольный собой. Потом он дает Лампе адрес
«убийцы». Та несется к Монахову, обнаружива-
ет труп и вызывает милицию. Бурлевский тор-
жествует, все идет по плану. Глупая баба получает деньги и молчит, милиция находит убийцу — все довольны, а Федор вне подозрений.

— Зачем же он решил убить Лампудель? —
спросил Сережка.

— Ох-ох-ох, грехи мои тяжкие, — вздохнул
Володя, — тут целая цепочка глупостей и дурацких совпадений. Чтобы иметь постоянную
связь с Лампой, Бурлевский дает той пейджер.
Но, когда приходит время расставаться, она
возвращает ему пейджер, и он просит у нее телефон и чуть не лишается чувств, взглянув на
номер. Оказывается, Ломакина звонила перед
смертью не Зайцевой, а Евлампии!

— То-то он перепугался, — пробормотала
я, — и понес чушь, без конца спрашивая, мой
ли это номер.

— Ага, — мрачно улыбнулся Володя, — теперь Федору необходимо избавиться от Лампы.
Он нанимает киллера и отправляет того на дело. Молодой человек прикидывается почтовым
служащим и стреляет в Валентину, недоразумение выясняется через день.

— Федор все спрашивал про мое здоровье, — хихикнула я, — а потом спохватился и
завел разговор про эпидемию гриппа.

— Да, — подтвердил майор, — он пережил
не лучшие минуты, услыхав голос Евлампии.
В первый раз он решил действовать чужими руками — и такой облом! У него у самого не слу-

чалось осечек, и Бурлевский вызывает Лампу
ночью в выселенный дом. После ее убийства он
планировал поджечь здание, а потом уехать за
границу, переждать суматоху.

— А откуда ты узнал про то, что Лампудель
поехала «на дело»? — спросил Сережка.

— Мы давно следили за ней.

— Я не заметила, — пробормотала я.

— Еще бы, — хмыкнул Костин, — с тобой
работали профессионалы, а не жадные лохи,
готовые ради денег на все!

Я молча проглотила обвинение.

— То, что Лампа занимается частным сыском, я заподозрил давно, — пояснил Володя, —
а «хвост» к ней приставили после того, как она
мне наврала, будто нашла адрес Монахова через «Мосгорсправку». Такого просто не могло
быть, у него не было московской прописки, а
маленькая ложь...

— Рождает большое подозрение, — бодро
закончила за него Катя.

— Между прочим, это ты втравила меня в
эту историю! — возмутилась я.

— А марки где? — спросила Юля. — Неужели у Татьяны?

— Нет, — покачал головой Володя, — она
так и не сумела вскрыть тайник.

— У Ломакиной дома, — ахнула я.

— Были, — пояснил Володя, — а сейчас у вас.

— У нас? — закричали мы хором. — У нас?
Где?

Не говоря ни слова, майор ткнул пальцем в
Мориса.

— Кот съел марки? — предположил Кирюшка.

Но я уже поняла, в чем дело, и бросилась к подоконнику, где лежал широкий, голубой ошейник с медальоном.

— Молодец, — похвалил Костин, — как ты догадалась?

Я повертела в руках кусок голубой кожи.

— Анна, ближайшая подруга Светланы, рассказывала мне, как Таня гладила кота и приговаривала: «Золотой мой, драгоценный». Однако у девчонки гениальная фантазия, никто и не подумал распороть ошейник.

— Кому они теперь достанутся? — поинтересовалась Катя.

Володя пожал плечами:

— Если суд определит меру с конфискацией, отойдут государству, если нет — будут дожидаться возвращения Федора.

Эпилог

К сожалению, сейчас в нашей стране все решают деньги. Бурлевского отпустили под подписку о невыезде. Впрочем, сейчас мужик лежит в НИИ Склифосовского с гирями на ногах. Он нанял лучших адвокатов и представил справку, что является онкологическим больным, находящимся в двух шагах от смерти. А к таким обреченным людям, даже убийцам, у суда особое отношение, поэтому Федор надеется на минимальный срок. И хотя Костин поклялся сделать все возможное, чтобы прокурор потребовал высшую меру, я думаю, финансовое положение продюсера позволит ему избежать справедливого наказания.

Ксюша счастливо живет с Сашей. Татьяна Митепаш вернулась к Олегу Яковлевичу. У них был долгий и крайне неприятный разговор, но Писемский действительно любит гадкую девчонку и простил ей все художества. Кстати, Танюша сильно изменилась, ужасная история, в которую она попала благодаря своей бесшабашности и жадности, явно пошла девчонке на пользу. Ольга Васильевна тоже переехала к «королю бензина». Все они искренне хотят забыть происшедшее. Но впереди — суд на Любой Тороповой, на котором Татьяна будет главным свидетелем. Из Америки примчалась бывшая жена Писемского, но Олег Яковлевич отказался с ней встретиться.

Я вернула деньги, полученные от Бурлевского. Передала конверт Антону. Тот, узнав, как подставил его родной отец, до сих пор не может прийти в себя. Но во всем плохом есть свое хорошее. Впервые в жизни Антон не пьет вот уже неделю.

Но мне все же удалось заработать, потому что Олег Яковлевич буквально силком всунул деньги в мои руки.

— Вы нашли Ксюшу, вернее, Танюшу, — пояснил бензинщик, — вот и забирайте гонорар.

— Но я совершенно ни при чем, — отбивалась я, — это все Володя.

Но Писемский только замахал руками.

31 декабря мы перебрались в новую квартиру. Естественно, машина с грузчиками прибыла не в час дня, а в пять вечера. До десяти часов мы таскали узлы и чемоданы. В половине одиннадцатого мы обозрели груды абсолютно одинаковых ящиков с надписью «Педигрипал» и приуныли. Где тут посуда, где кастрюли...

— Надо было надписать упаковки, — запоздало предложила Катя.

— Да, — согласилась вышедшая из больницы Тина, — точно.

— Все вы задним умом крепки, — возмутился Сережка.

— Как Новый год встречать будем?

— Ничего, — приободрила Катя, — иди включи телевизор, будем слушать концерт и распаковываться, а на ужин сварим пельмени.

— Чудненько, — пробормотал парень и поволок телек в гостиную.

Мы принялись методично вспарывать ящики. Нашли чайник, заварку и кружки. Настроение сразу поднялось. Собаки с кошками, ошалев от переезда, носились по комнатам.

— Эй, — донесся из большой комнаты голос Сережки, — идите скорей, тут такой прикол!

Мы прибежали в гостиную и уставились в телевизор. С экрана на нас смотрел Ельцин.

— Я решил, — скрипучим голосом бормотал президент, — уйти в отставку.

Сережка захохотал.

— Ничего смешного не вижу, — пнула его Юля.

— Это же прикол, — веселился муженек, —

двойник Бориса Николаевича, для хохмы показывают.

— Как похож! — изумилась Катя.

— Один к одному, — пробормотала я.

— Ой, умру со смеху, — ржал Сережка, — ну потеха...

Глядя на него, мы тоже заулыбались. Парень прав, кому придет в голову сделать своему народу такую пакость накануне Нового года.

Внезапно картинка сменилась. На экране появилось перекошенное лицо Марьяны Максимовской.

— Она тоже двойник? — простодушно спросил Кирюшка, но мы цыкнули на него и в ужасе стали слушать новости.

— Да уж, — пробормотал Серега, — этот Новый год нам запомнится на всю жизнь, без стола, с пельменями, на ящиках, да еще президент ополоумел.

Не успел он захлопнуть рот, как раздался звонок в дверь.

— Кто бы это мог прийти? — поинтересовалась Юля.

И тут в прихожую ворвалась архитекторша Евгения Николаевна. Не сказав ни слова, она рухнула на колени и протянула вперед руки:

— Простите...

— Что случилось? — испугалась Катя, кидаясь поднимать даму.

Но та только мотала головой и бестолково твердила:

— Простите, простите.

Мы принялись суматошно искать валерьянку. Но под руку, как назло, попадались собачьи миски, книги, утюг и постельное белье. Наконец Катя нашла пузырек, забившийся в Кирюшкины кроссовки, и влила в Евгению Николаевну лошадиную дозу. Та всхлипнула и замолчала.

— Да что произошло? — поинтересовалась Юля.

— Я перепутала, перепутала, — заверещала Евгения Николаевна.

— Объясни по-человечески, — потребовала Катя.

— Я перепутала улицы, — всхлипнула архитекторша, — надземка не пойдет мимо вашей бывшей квартиры.

— Блин, — вырвалось у меня.

— А где, — тихо поинтересовался Сережка, — где она проляжет?

— Тут, — пролепетала Евгения Николаевна, делаясь меньше ростом, — тут.

— Ты хочешь сказать, что рельсы проложат под окнами нашей новой квартиры? — оторопела Катя.

— Да, — кивнула Евгения Николаевна и залилась слезами.

Мы стояли с раскрытыми ртами, даже животные присмирели, увидев, что хозяева объяты ужасом. Архитекторша с шумом высморкалась и затараторила:

— Ничего, ничего, я все исправлю. Моя знакомая риэлторша нашла чудный вариант, шестикомнатные апартаменты возле метро. Эти продадим, вы добавите всего десять тысяч долларов и готово. Сказочный, потрясающий, великолепный вариант. Прямо второго января начнем действовать, можете не разбирать вещи.

— Даже если мы и решимся еще раз на такую жуткую авантюру, — с расстановкой произнесла Юля, — то где возьмем деньги? Это же бешеная сумма!

И тут настал мой звездный час. Ловким жестом фокусника я бросила на стол пухлый конверт. Зеленые бумажки веером разлетелись по полировке.

— Прошу, ровно десять тысяч!

— Ага, — завопила Катя, — я же говорила, что получится!

— Лампудель, — сурово возвестил Сережка, — мерзкий Лампудец, немедленно колись, где взяла баксы?

— Заработала, — гордо ответила я, — исключительно своим незаурядным умом и потрясающей сообразительностью.

Литературно-художественное издание

Донцова Дарья Аркадьевна

ПОКЕР С АКУЛОЙ

Ответственный редактор *О. Рубис*
Редактор *Т. Семенова*
Художественный редактор *В. Щербаков*
Художник *А. Сальников*
Технический редактор *Н. Носова*
Компьютерная верстка *А. Щербакова*
Корректор *С. Жилова*

Налоговая льгота — общероссийский классификатор
продукции ОК-005-93, том 2; 953000 — книги, брошюры

Подписано в печать с готовых монтажей 14.11.2001.
Формат 84x108 ^{1}/$_{32}$. Гарнитура «Таймс».
Печать офсетная. Усл. печ. л. 21,84.
Доп. тираж 15 000 экз. Заказ 2232.